未讀 ADR | 探索家 |

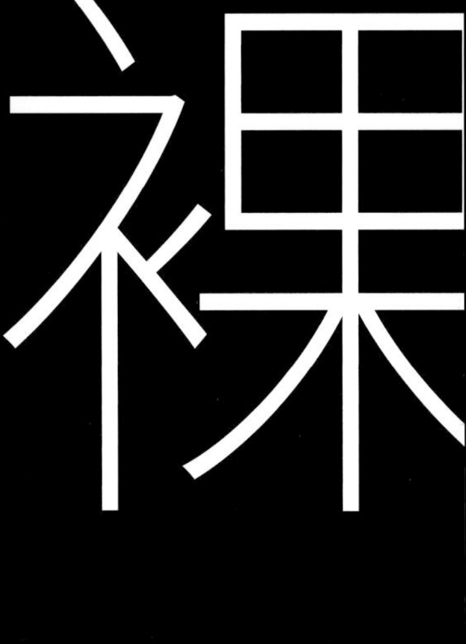

星

Night Sky with the Naked Eye

零障碍
天文观测指南

Bob King

〔美〕
鲍勃·金

秦麦

裸眼观星：零障碍天文观测指南

[美] 鲍勃 · 金 著
秦麦 译

图书在版编目（CIP）数据

裸眼观星：零障碍天文观测指南 /（美）鲍勃 · 金著；秦麦译 . – 北京：北京联合出版公司，2018.11（2023.9 重印）
ISBN 978-7-5596-2707-0

Ⅰ . ①裸… Ⅱ . ①鲍… ②秦… Ⅲ . ①天文观测－基本知识 Ⅳ . ① P12

中国版本图书馆 CIP 数据核字（2018）第 230938 号

NIGHT SKY WITH THE NAKED EYE

by Bob King

NIGHT SKY WITH THE NAKED EYE

北京市版权局著作权合同登记号 图字：01-2018-6504 号

选题策划 联合天际 · 边建强
责任编辑 李 红 徐 樟
特约编辑 张 憬
封面设计 汐 和

未读 | 探索家

出 版 北京联合出版公司
北京市西城区德外大街 83 号楼 9 层 100088
发 行 北京联合天畅文化传播有限公司
印 刷 北京雅图新世纪印刷科技有限公司
经 销 新华书店
字 数 250 千字
开 本 889 毫米 × 980 毫米 1/16 15.5 印张
版 次 2018 年 11 月第 1 版 2023 年 9 月第 5 次印刷
I S B N 978-7-5596-2707-0
定 价 88.00 元

关注未读好书

客服咨询

献给我的妻子琳达，以及我的孩子凯瑟琳和玛莉亚，
她们让我拥有了美好的生活。

目录

前言

我喜欢想象天空从脚下开始，向上延伸、铺展。我们就置身于天空之中，日光和月光流淌而下。夜晚，我们仰望闪烁的星光，无比喜悦。天空如此奇妙，它同时点亮了我们大脑的两个半球。看到美丽的星辰，我们的心头升起了澎湃的情感，也燃起了对知识的渴求。

夜空还能开启我们的哲学视野。谁不曾看向深邃的夜空，好奇在宇宙之中，我们是否孤单？和朋友或学生一起外出观星时，常有人问我这个问题——你觉得外星生命存在吗？是的，我认为外星生命很可能是存在的。也许我一生也不会知道确切的答案，但我坚信这一点。即使那生命可能更像平淡无奇的感冒病毒，而不是能够用激光驱动喷气背包到处活动的智慧物种。

纯粹、广袤、天然——这正是星空的美妙诱人之处。广阔的星空足以包容万千思绪，她可以激发灵感，也可以治愈焦虑的灵魂。在这令人心烦意乱的时代，人们比以往更需要驻足内省。我们何不融入夜晚？

11岁时，我就在各种望远镜的帮助下探索星空了。只要在夜间外出，我总会花些时间专心仰望星空，放空思绪，静静感受一切。这种平静使我内心安稳，头脑清晰。在深沉的黑夜观星可以唤醒人的想象力，帮助我们领悟人在无尽宇宙中的位置。

在这本书中，我想向你介绍夜空中能用肉眼欣赏的美妙天体，你不必准备天文望远镜和双筒望远镜。但如果你有望远镜的话，那就用吧！我们将寻找恒星和星座，观察行星的轨迹，了解月亮的阴晴圆缺，探索流星雨、北极光、卫星以及银河系外的星系。你还会看到关于星空的趣味小知识，这会让观星的过程更有乐趣，就像在听歌之余了解背后的故事一样。每个光点都代表着一个真实的地方，那可能是一个落着氨雪的行星，也可能是比太阳还要大100倍的恒星。

我们会首先学习跟踪在自家后院就能看到的明亮卫星，然后了解一些基础的观星工具（红光电筒、星图、手机上的寻星App），接下来就是投身星海了。在这个过程中，我会回答一些常见的问题，比如：“怎么找到行星？”“我在哪里可以看到北极光？”“为什么夏天看不到猎户座？”

这本书是给观星新手看的，但我也为资深爱好者准备了有趣的挑战。我保证，书中总有新的目标、新的快乐等着你，毕竟，我们要说的是你门前的整个宇宙。请让我来当你的向导吧。虽然你有可能感冒、被蚊子叮，或者遇到云层遮蔽星空的糟糕情况，观星也许不是那么轻松的消遣，但你会看到一个充满探险、发现和新奇的奇妙世界。

◄ 天空对所有人敞开。它就在你身边，却代表了无比幽远的时空。仰望是多么简单的动作，却能让我们唤醒最深处的想象力，同时也让我们凝神静思。图片版权：鲍勃·金

第 1 章

和宇航员打个招呼吧！

你是否对那些飞过头顶的“星星”感到好奇？来了解一下如何观察国际空间站、铱星闪光，以及其他明亮的人造卫星吧。在这一章，我们会探索地球的影子怎样让人造卫星出现和消失，还会了解宇航员惊艳的太空漫步背后有什么原理。

本章重点

- 寻找地球的影子
- 辨别方向，寻找国际空间站（International Space Station，ISS）
- 通过在线资源和手机 App 了解国际空间站何时飞过你家
- 观赏铱星闪光
- 尝试用相机拍摄国际空间站

你遇到过这样的情景吗？夏夜户外，你正沉醉于星空之美，忽然瞥见一颗星划过苍穹，就像从天际跌落一般。你看到的很可能并不是一颗天然的星辰。这种星离我们可近得多，这就是用铝、钛和碳纤维做成的人造卫星。

从地面观察天空，当太阳落到地平线以下，但阳光仍能照到高高的卫星轨道时，你就会看到人造卫星。这通常发生在黄昏和黎明。人造卫星最好在曙光和暮光中观察，破晓和日暮都十分悠长的夏天尤其合适。在山谷里，日落很久之后，山峰仍有余晖。人造卫星也一样。它们的轨道高，有机会沐浴在阳光里。当天空暗淡下来，披着阳光的人造卫星看起来就像一颗移动的明星。

一般来说，人造卫星的轨道高度为数百千米，是珠穆朗玛峰高度的数十倍。在日落后和日出前的1～2个小时，人造卫星轨道都有阳光照射。国际空间站和大部分科学卫星都在近地轨道(Low Earth Orbit, LEO)运转，高度为180～2000千米。导航卫星，比如手机定位所依靠的GPS卫星，其轨道高度为2000～35780千米。同步气象卫星则在更高的轨道上回望着地球，从35800千米以外发回我们在晚间天气预报中看到的图像。

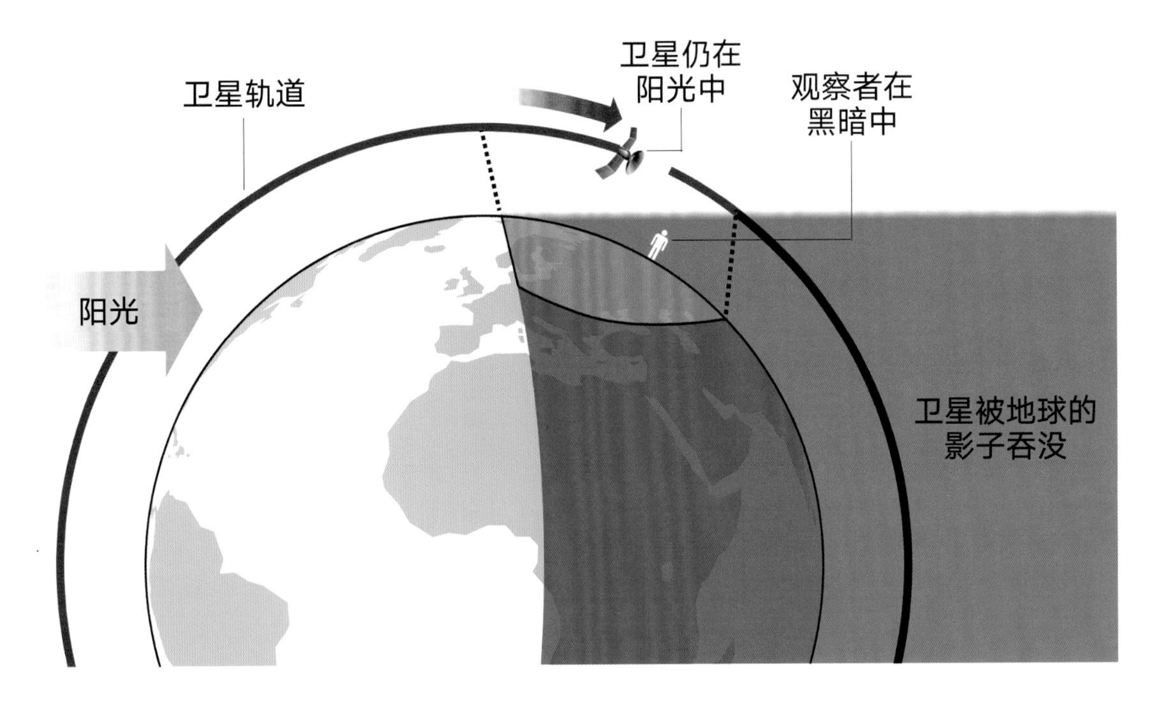

▲ *我们之所以能看到人造卫星，是因为它们会反射太阳光。在日落后或日出前 1 ~ 2 小时，地面上的观察者置身于昏暗之中，而很多人造卫星仍处于阳光照射之下。最终，人造卫星被地球的影子吞没，从人们的视线中消失。图片版权：加里·米德（Gary Meader）*

▼ *地球的影子看起来就像一条昏暗的紫灰色带子，在日落不久后从东方天空升起，日出前又会在西方天空落下。这条带子边缘经常装饰着美丽的粉色，这就是维纳斯带。高空大气中的尘埃微粒散射了阳光，所以我们能看到维纳斯带。图片版权：鲍勃·金*

人造卫星更适合在傍晚而不是深夜观察，这背后的原因与地球的影子有关。晴天里，树木和建筑会向地面投下影子，整颗行星也是如此。只不过地球的影子穿过大气层，投向了外太空。日落时，地面上的我们会立即被地球的影子笼罩，但人造卫星离地面高得多，它们要再过好一会儿才会进入地球的影子。最后，它们也会被黑夜吞没，从人们的视线中消失。

活动：寻找地球的影子

每个晴朗的傍晚和清晨，你都可以看到地球的影子，这是多么不可思议。日落 10 分钟后，面向东方，或者日出前 30 分钟，面向西方，你会在背向太阳的方向发现一条模糊的紫灰色带子在地平线铺展开，上方还包裹着一道精致的玫瑰色光带，这就是维纳斯带。也许我们无法得知把这种现象命名为维纳斯带的人是谁，但这指的应该就是古罗马那位著名女神维纳斯的衣带，充满诱惑与魔力。维纳斯带也被称为反曙暮光弧，仍受阳光照射的高层大气将渐红的阳光散射到人眼中，我们就看到了这种现象。

日暮时分，对于地面上的观察者来说，太阳已经落下，地球的影子徘徊在东方地平线以下。夜幕降临，地球的影子逐渐升高，一点一点遮住天空。就像人们从阳光下走入建筑物的影子中一样，在不同高度运行的人造卫星也会一个接一个地步入地球的影子，从你的视线中消失。

黎明时分，地球的影子缓慢降落至西方地平线以下，时机又来了。夏天比冬天更适合观察人造卫星，因为曙光和暮光持续时间更长，也因为太阳角度更加有利（即使是在午夜，太阳距离北方的地平线也不会太远），一部分天空在整个晚上都不会被夜幕覆盖。冬天则恰恰相反，太阳深深地沉入地平线以下，地球的影子几乎整晚占满天空。

有时，一颗在阳光中飞行的人造卫星会忽然进入地球的影子。你应该能猜出地面上的人会因此看到什么。没有阳光照射，卫星在飞行中途便会迅速从人们的视野中消失。你在观察国际空间站时极容易碰到这种情况，因为它非常明亮，猛然消失自然令人惊奇。

▼ *太阳落下，地球的影子便上升，两者就像跷跷板的两头。考虑到近地轨道高度，就算夜幕完全遮蔽了天空，很多人造卫星仍在阳光的照射之下。它们划过天空，为观察者呈现令人欣喜的奇景。图片版权：鲍勃·金*

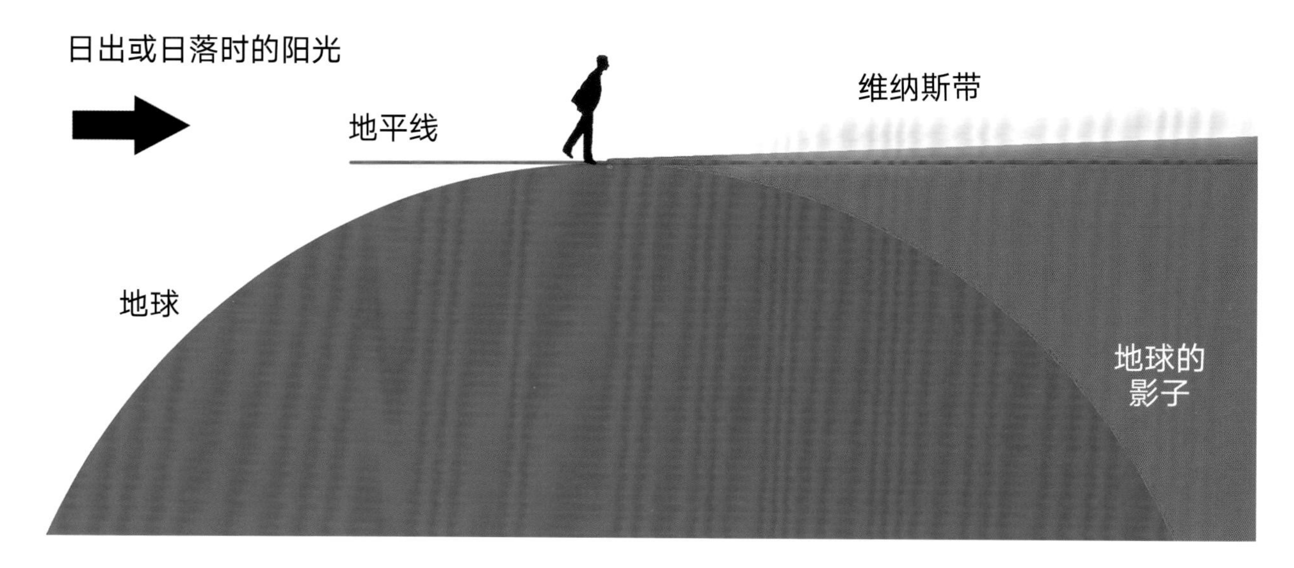

▲ *国际空间站是天空中最大、最亮的人造卫星。它在高度倾斜的轨道上飞行，因此除了极北或极南的高纬度地区之外，你在地球上的任何地方都可以看到它。图片版权：NASA（National Aeronautics and Space Administration，美国国家航空航天局）*

说到这里，你可能会好奇今晚有什么人造卫星会从头顶飞过。目前，国际空间站是最亮、最容易看到的人造卫星，它每 92 分钟绕地球一周。就算提前知道了人造卫星飞过的时间和方向，只要能如约看到它在自家房顶现身，你就能收获观星的惊喜。

即便是日常过境，国际空间站也像木星一样光亮夺目，有时候甚至能跟金星的光辉媲美。闪耀的国际空间站在我们眼中看起来非常大，这就是辐照错觉——在黑暗的背景中，明亮光源发出的光芒会在我们的虹膜上散开。除非使用高倍双筒望远镜或者小型天文望远镜，否则我们无法看到国际空间站真实的形状和大小。人造卫星大小不一，小的像一片面包，大的堪比足球场，但我们在数百千米外看到的它们都是一个个星点。

活动：辨别方向，寻找国际空间站

准备好了吗？我们要寻找国际空间站了！

首先，你需要辨别方向，没有指南针也不用担心。面对日落的大致方向，你的前方就是西方了。现在伸出双臂，你的右臂指向的就是北方，你的左臂指向的就是南方，而你的后背正对着东方。如果你人生地不熟，实在不能确定日落的方向，那就打开手机里的指南针 App 吧。iPhone 用户只需点击附加程序文件夹里的指南针图标，安卓用户可以下载一个免费的指南针 App。

没有手机吗？不用担心，北斗七星可以帮助你。

环顾天空，找到熟悉的勺子形北斗七星，然后沿着离勺柄最远的两颗星画一条线，将这条线向勺子凹口的相反方向延长大约 5 倍的距离，你就找到了北极星，这是指引北方的星辰。北极星看上去和北斗七星中任意一颗没什么两样，但它几乎在正北方向。面向北极星，你的后面就是南，左侧是西，右侧是东。我们会在第 4 章详细介绍北极星。

接下来，你需要知道 ISS 的出现时间和飞行路径。这些信息有很多获取途径。访问下面这两个网站：（1）Spot the Station，（2）spaceweather；输入你的地址，你就会得到一个列表，里面有 ISS 在不同日期的上升时间、方向、上中天时间（ISS 最高的时刻）、亮度，以及观察方向。

如果喜欢更直观的指导，你可以访问 Heavens-Above 网站，登录后在列表或地图上选择你的城市。接下来，在“人造卫星”（Satellites）条目下选择 ISS，你会看到一张表格，上面有最近 10 天的观测时间。注意，表中的时间采用 24 小时制，所以早上 6 点用 6：00 表示，而晚上 6 点用 18：00 表示。这家网站不仅提供其他网站也提供的基本信息，还附上了一幅图！

这幅图会显示人造卫星的路径，并注有时间，过境时刻和方向一目了然。这是星空的平面图，所以图的中心是你头顶正上方的天空，也就是天顶，这种图符合“上北下南左西右东”。

很多人造卫星跟踪网站都通过地平纬度（也称地平高度，常写作 alt）和地平经度（也称方位角度，常写作 az）给出人造卫星的位置。地平纬度是以角度来衡量的，地平线为 0°，头顶为 90°。地平经度是从正北开始沿顺时针方向扫过的角度。地平经度 0°（或 360°）是正北方，90°是正东方，180°是正南方，270°是正西方。

你也可以跳过这些网站，只要有手机，下载一个免费的 ISS 手机 App 就好。本章末尾列出了几个下载链接。App 激活之后可以锁定你的位置，接下来只需轻轻一按，你就可以收到每天的人造卫星预报和路径信息。你还可以选择花点小钱，让 App 为你提供更细致的信息，带你追踪哈勃空间望远镜、天宫空间站，还有彗星和别的天体。我们确实生活在美好的时代。

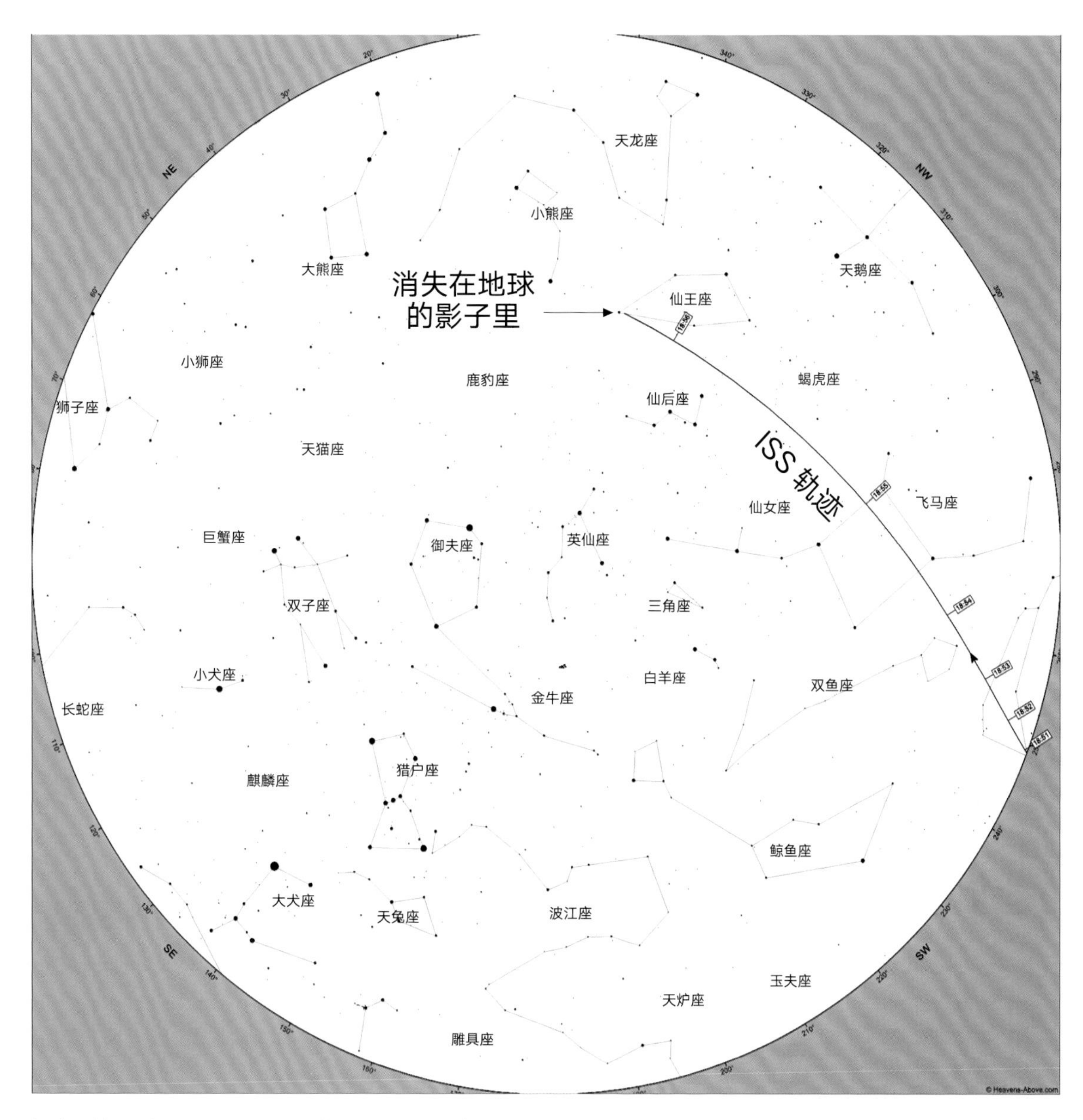

▲ *这个例子取自 Heavens-Above 网站，显示了 2016 年 2 月 3 日在伊利诺伊州芝加哥地区看到的 ISS 过境。在轨迹结束的地方，ISS 消失在了地球的影子里。在上中天之前一小会儿和上中天时刻，你可以通过双筒望远镜，看到 ISS 变为日落一样的红色。图片版权：克里斯·皮特（Chris Peat）/ Heavens-Above 网站*

出去看看吧，也许 ISS 今晚就会从你家附近飞过。你可以提前出门，留出几分钟来辨别方向，并且让眼睛适应黑暗。你很快就会看到最有趣的事，一颗明亮的浅黄色“星星”飞过你的头顶，这“星星”里挤着 ISS 的全体宇航员。我总是惊讶于 ISS 的守时。如果它应该晚上 8 点 2 分出现，那么一定会有一颗移动的明星在这个时间出现在西北方的天空中。这是科学，但感觉实在像魔法。

一般来说，ISS 会首先出现在西方的低空，穿过北方或南方的天空然后在东方落下。ISS 相当明亮，不论是住在郊区、小城市，还是乡村，你都能看到它，这不成问题。它的光亮是稳定的，不像飞机那样闪烁。

飞机有红色和绿色的机翼灯，以固定的时间间隔闪烁。而 ISS 等大多数人造卫星则像普通的星辰一样，发出稳定的光。偶尔，一颗不再工作的人造卫星或者用来发射卫星的某一级火箭会失控坠下，一边旋转一边反射阳光，方向不定。但是从地面上看，这种闪光是白色的，而且节奏散乱。经过几个月的观察，你很容易将它们区分开。你也会很快认出一闪即逝的流星。

当你看到 ISS 过境时，请注意它的颜色。大多数人造卫星颜色并不鲜艳，但是 ISS 有 8 个巨大的太阳能电池阵，由一种叫作聚酰亚胺的金色材料制成，这使得 ISS 蒙上了一层浅黄色。有时，太阳能板会冲着你的方向反射阳光。在这一刻，ISS 会格外闪亮。这可是个令人愉快的惊喜，千万别错过了。

刚爬上西方地平线时，ISS 看上去行动缓慢，而且不怎么明亮，因为它距离我们非常遥远。当它快要来到头顶时，你和 ISS 里的宇航员仅仅相隔 400 千米。这时的 ISS 看上去最为明亮、移动速度最快，和飞机差不多。当全体宇航员以每小时 28160 千米的速度从你的头顶飞过时，请不要忘了向天空招手，说一声“你好”。真是有趣，这可能是我们大多数人离宇航员最近的时刻了。

▼ 当 ISS 进入地球的影子时，你可以用自己的相机捕捉 ISS 的日落。在这张照片上，运行到北天王冠北冕座附近的 ISS 正在进入地球的影子。图片版权：鲍勃・金

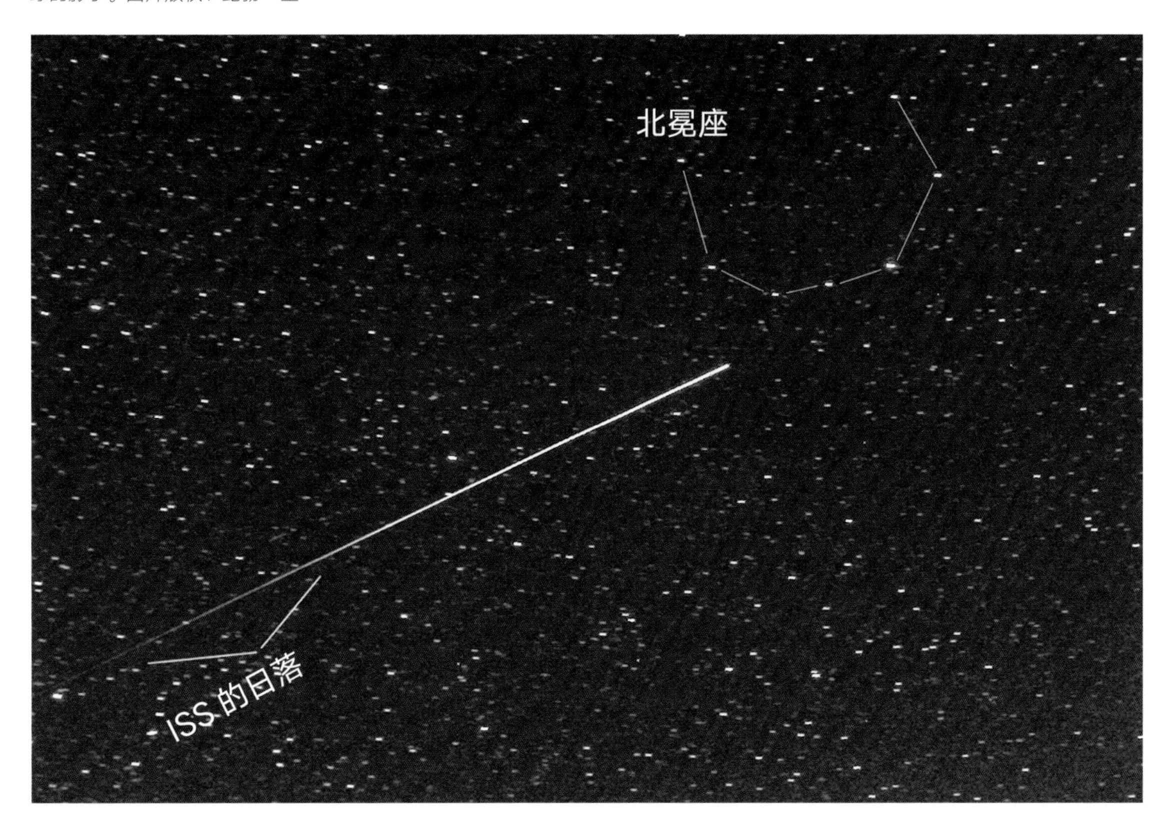

▲2014年8月8日，图中的ATV-5货运飞船紧紧地跟在ISS后面。如果有货运飞船向ISS发射，你就可以看到一场精彩的猫鼠游戏，飞船最终会追上自己的目标，也就是ISS。图片版权：斯特凡·比雷格尔（Stefan Biereigel）

在条件理想的清晨或黄昏，你可以两次观察到ISS过境，每次相隔一个半小时。其中一次观察通常在ISS进入地球影子后结束。从宇航员的角度来看，这正是日落时分。地面上有红色和橙色的暮光，ISS也会在日落时染上同样的色彩。我曾尝试用肉眼去观察ISS的颜色变化，但从来没有成功过。这种现象用双筒望远镜很容易看到。你可以试一试。

每过几个月，就有宇航员乘坐俄罗斯的联盟号宇宙飞船（Soyuz）从地球前往ISS，或者从ISS返回地球。将来，美国的私人发射设施会和NASA签订合同并参与搭载宇航员。货运飞船则在常规对接中向ISS运送食物、燃料、零件，等等。观察这些太空设备飞来飞去是观星的重要乐趣。在接近ISS的过程中，绕着轨道一圈圈飞行的货运飞船会逐渐靠近ISS，两者一前一后地飞过你的头顶，就像猫捉老鼠一样有趣。

只要观察过几次ISS过境，你就会注意到，它越过天空的弧线既可以非常低，也可以高高地经过头顶。ISS可能在北面“开拓航线”，切出一条从西北到东南的对角线，也可能在南方的地平线附近勉强擦过，具体情况取决于你所在城市的经纬度，以及国际空间站进入你视野时的轨道位置。

▼ *ISS 的轨道高度倾斜，跟哈勃空间望远镜比起来，地球上有更多地方能够看到前者。图中穿过美国南部的红圈和穿过南美洲南部的红圈之间，是地面上能够看到哈勃空间望远镜的地区，而在顶端和底端的两个红圈之间，任何地方的人都可以看到 ISS。标注：加里・米德；图源：Quora 网站 / 罗伯特・弗罗斯特（Robert Frost）*

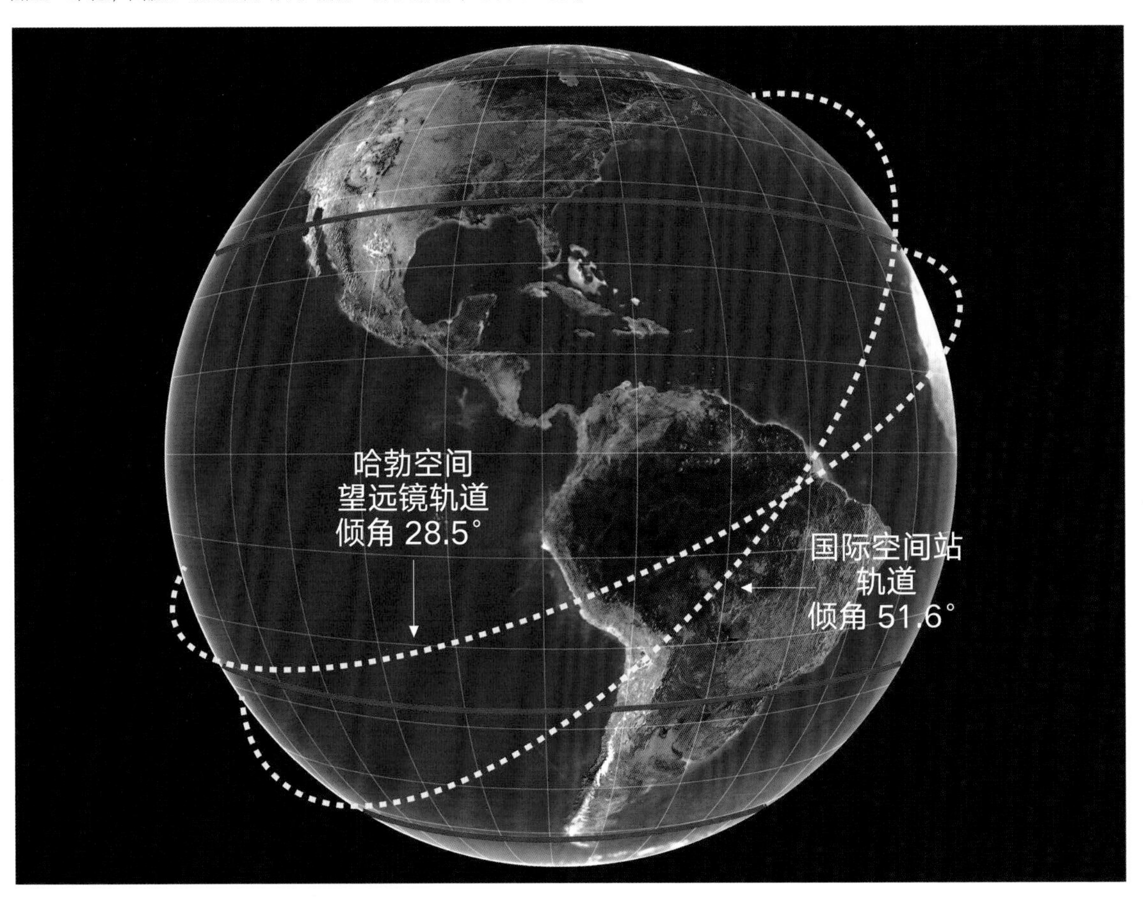

你知道 ISS 为什么永远从西向东飞行，而不会反过来吗？这是因为大多数卫星都是向东发射的，这样便于利用地球自西向东的自转，不费吹灰之力地得到一部分速度。一颗从卡纳维拉尔角发射的卫星会自动获得每小时 1473 千米的速度，这就是地球自转在当地纬度上的线速度。谁会不喜欢赠品呢？多亏了地球自转，搭载卫星的火箭可以小一些，少带些燃料，节省些开支。

ISS 绕地球旋转的轨道和赤道形成了 51.6° 角，这是一个很大的倾角。这个角度决定了地球上可以看到 ISS 的地方。南纬 51.6° 到北纬 51.6° 之间的所有人都可以看到 ISS 飞过头顶。还有一些人虽然不在这个范围内，但离得不远，他们可以在天空中低一些的位置看到它，但不会看到它出现在头顶。大部分人都在这个纬度范围内或者附近居住，因此地球上 95% 的人有机会看到 ISS。

而哈勃空间望远镜的轨道倾角只有 28.5°，它的情况就不一样了。有一次我去南卡罗来纳州的查尔斯顿（北纬 33°）参加一个会议，我下决心要借这个机会观察哈勃空间望远镜，因为我永远没法在明尼苏达州北部的家里（北纬 47°）看到它。哈勃空间望远镜既没有 ISS 亮，也没有 ISS 大，它的体积和一辆校车差不多。哈勃空间望远镜在 550 千米高的轨道上，每 96 分钟绕地球一圈。如果你的家纬度正好在美国南部到南美洲中部之间，那你一定要在空中找一找它。Heavens-Above 网站可以提供观察哈勃空间望远镜所需的信息。

国际空间站不停地绕着地球转，速度是每小时 28160 千米，每 92 分钟绕完一周。因此，全体宇航员每天都会经历 15 ~ 16 次日出。但无论如何，看着地球不断变化的云层和速度奇快的日出，他们永远也不会觉厌烦。ISS 的轨道高度倾斜，这使得宇航员可以非常靠近极光区，保证他们能经常看到北极光和南极光。

▼ *2010 年，NASA 宇航员特蕾西·戴森（Tracy Dyson）通过穹顶舱的一扇窗静静欣赏着下面的地球。图片版权：NASA*

▲ 这张夜间的地球照片是 ISS 飞过美国中西部上空时拍摄的，照片呈现了上百座城市的灯光。在灯火织就的网络中，我们可以认出洲际高速公路。照片中央偏上就是芝加哥的城市灯火和密歇根湖的轮廓，右下方闪耀的是圣路易斯的灯光。从最左边到芝加哥，这条线的正中间是明尼阿波利斯。左上方有泛着绿色的极光，而右侧一层的淡绿色是气辉。白天受太阳紫外线照射而激发的空气分子，此时发光形成了气辉。图片版权：NASA

▲ NASA 宇航员谢尔·林格伦（Kjell Lindgren）正试着把新鲜的苹果、橙子和柠檬装起来。2015 年 8 月 25 日，这些水果由货运飞船送到 ISS。来访的飞船经常给宇航员带来少量的新鲜食物。在 ISS 的无重力环境里，宇航员必须时刻注意包裹里的物品，不然它们很快就会飘走！图片版权：NASA

宇航员在空闲时间里可以观察地球，但是在别的时间里，他们和我们这些地球上的家伙一样，也要工作。ISS 是个太空实验室，在独特的微重力环境下，宇航员做着生物、物理、气象、天文和化学方面的实验。

看到宇航员在舱内飘浮，在布满窗户的穹顶舱欣赏图画般的地球景致，你会以为 ISS 里没有重力。这就大错特错了。假设有一刻重力确实没有了，你能猜到会发生什么吗？整个 ISS 会从地球旁边飘走，进入绕太阳飞行的轨道。实际上，重力就像一条绳子一样系着 ISS，所以它才不会飘远。为什么那里面看起来好像不存在重力呢？在快速下降的电梯里，你可能有一瞬间感觉自己几乎要从地面上飘起来了。乘坐飞机遇到剧烈的湍流时，你也可能体验到同样的感觉——飞机就像要从你身体下面掉下去一样。现在，把 ISS 想象成电梯和飞机，你就明白了。

绕地飞行的每一圈、每一分钟，ISS 都在向着地球下落。但同时，它向前移动的速度足够快，这使得它能沿着地球的弧线继续下落，但不至于坠落。当你环绕一个球体运动的时候，它的表面总是在向下滑落。如果地球是平的，ISS 会很快坠毁。如果你还不确信地球是球体，那么想一想吧，开心的宇航员们每天还能发推特，这就是证明！

国际空间站不会每天晚上都出现。烦人的地球重力依然存在，所以 ISS 有周期性的可见窗口，持续时间大约是两个月。在一个周期里，它会连续一个月在黎明的天空中出现，接下来一个月在傍晚的天空中出现，在此之后，ISS 会消失一段时间。这段时间里它仍然在空中，像以前那样飞行，只是出现的时间变成了白天。很快，ISS 会重新出现在清晨，开始一轮新的周期。

▼这幅图展示的是 5 月末到 6 月初的情况。此时，ISS 的轨迹与晨昏圈（夜晚与白天的分界）非常接近。因此，在这段时间，宇航员永远也不会进入地球的影子，他们可以体验“午夜的太阳”，而北半球的观察者可以整夜观察 ISS 过境。图片版权：鲍勃·金

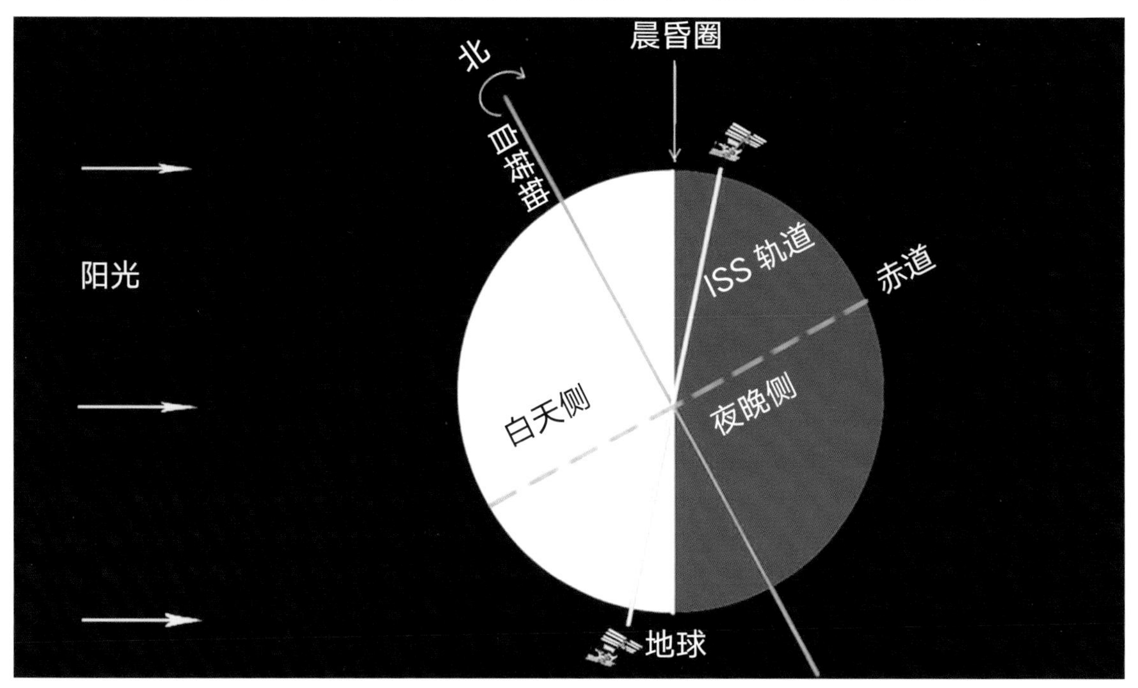

这个周期在一年中不断重复，唯一的例外出现在5月末到6月初，这是北半球的初夏时节。这时，ISS的轨道和地球的晨昏圈几乎对齐。从宇航员的视角看，太阳永不落下。此时，北纬40°～55°地区（或夏天的南纬40°～55°地区）会有人看到ISS始终在阳光里，不进入地球的影子。ISS一晚上不再只过境一两次了，从黄昏到清晨，你最多可以看到ISS过境五次。那些在外面熬了一整夜并且成功观察到所有过境的人可以骄傲地说，他们参与了一场成功的ISS马拉松。南半球观星者的马拉松则出现在12月。

即使是轨道最低的人造卫星，高度也在161千米以上。ISS比其他任何人造卫星都要亮，因为它是太空中最大的人造机器，比那些冰箱大小的物体反射的阳光更多。另外，它还安装了8个巨大的太阳能电池阵，反光更加强烈。太阳光通过电池阵转化为电力，供ISS运转。

人们有时会说，人造卫星在天空中的运动断断续续，甚至有着“之”字形的轨迹。你可能也看到过这种现象。这一幕是真实的，只不过它源自我们的眼睛，而不是人造卫星。当我们改变视角的时候，我们眼球的移动是一下一下的，而不是平滑连续的。在工作和生活中，当我们面对日常大小的物体时，常常注意不到这点，但是当我们去看黑暗背景上一个运动的光点时，人眼的这个特别之处就暴露了。

一般来说，在郊外的天空中，我们每小时可以看到10～20颗人造卫星。想要找到它们、认出它们的话，你可以访问Heavens-Above网站，点击“人造卫星”（Satellites）条目下的“明亮卫星每日预报”（Daily Predictions for Brighter Satellites）。网站会根据你所在的地区弹出一个列表。这个网站也给出了哈勃空间望远镜的预报链接。这里提到的一部分人造卫星App里也有哈勃空间望远镜的预报，还有其他不太著名的人造卫星的预报。不管用哪一个App，你都应该首先关注亮度等级（mag）数字最小的人造卫星，比如3等的或者更亮的。对于初学者来说，4等和更暗的卫星很难看到。我们会在第4章探讨亮度等级，天文学家常常用这个系统表征天体亮度。

人造卫星是太空时代才有的产物，最早的人造卫星是苏联在1957年发射的斯普特尼克号（Sputnik）。一转眼到了今天，每个晚上都有数百颗人造卫星从人们头顶飞过。从国际空间站到拳头大小的火箭爆炸残片，美国战略司令部（U.S. Strategic Command）正在跟踪的物体超过了17000个，其中只有不到10%是活跃而有用的人造卫星。然而，不论是无用还是活跃，它们都因反射阳光而闪耀着。

让人意想不到的是，大部分人造卫星甚至不是正在发挥功能的飞行器，而是等级火箭的残片，它们将监视卫星、通信卫星和科学卫星送入正轨后，就落进了环绕地球的轨道。残片多种多样，有卫星测试和意外爆炸遗留下的残渣和弹片，也有宇航员在太空行走中丢失的工具包。难怪轨道上的人造物体总数超过了500000件。

你在郊区可以看到几百颗较亮的人造卫星，里面有超过1/3都是苏联/俄罗斯的，是曾经将军方卫星送上轨道的等级火箭。运转中的人造卫星功能各异，涉及监视、气象、侦察和通信等领域。仍然在轨的最老的卫星是美国在1958年3月17日发射的先锋1号（Vanguard 1）。

我在前面提到，很多人造卫星为了利用地球自转，会自西向东运动。另外一些人造卫星，包括一些气象卫星、监视卫星和军事侦察卫星，则沿着自北向南（或自南向北）的轨道运动，这样的轨道叫作“极地轨道”。当地球进行着每天一周的自转时，这些人造卫星可以“看到”整个地球。

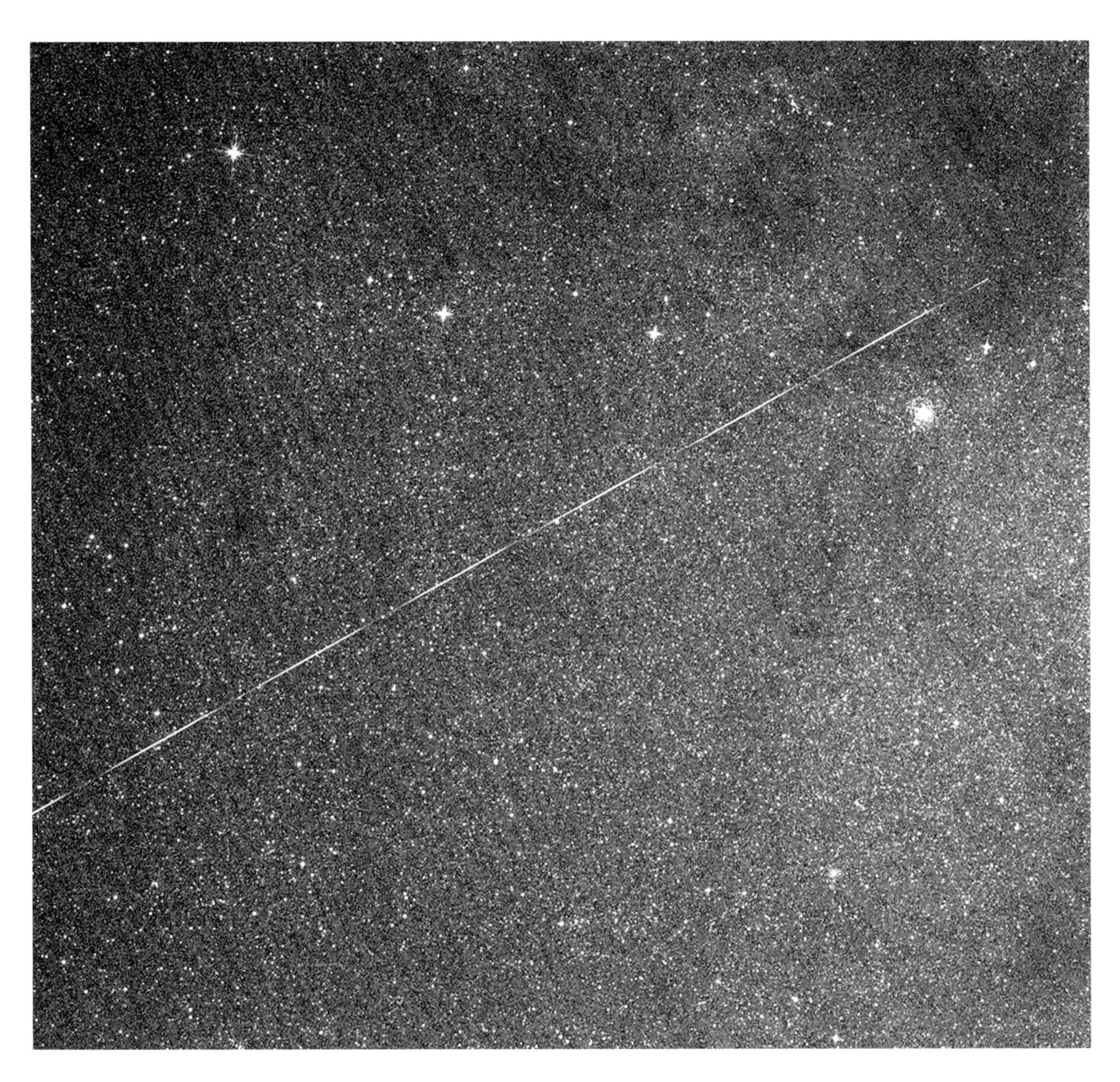

▲ 一枚中国的等级火箭正在翻滚坠落，照片中的痕迹看起来像一条虚线。眼睛看到的则是它一边闪光一边划过天空。图片版权：迈克尔 · A. 考文顿（Michael A. Covington）

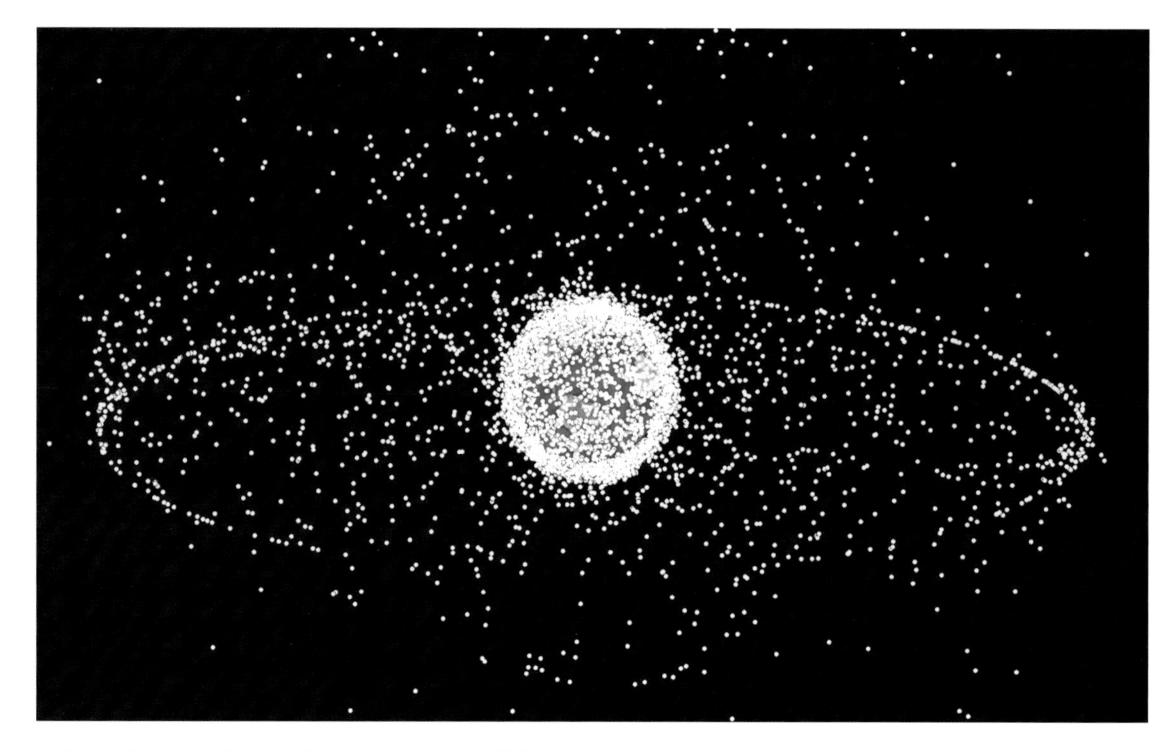

▲ 靠近地球的太空环境里充斥着废旧的人造卫星和轨道推进器残骸。图中那些靠近地球的斑点代表近地轨道上的卫星。外圈则是更高轨道上的人造卫星，包括气象观测卫星和全球通信卫星。图片版权：NASA 轨道碎片项目办公室（NASA Orbit Debris Program Office）

夜空火花——铱闪

哪怕不考虑其他因素，只说震撼人心这一点，我们也需要给予这组卫星特别关注。它们叫作铱星，得名于铱元素。铱是周期表的第 77 号元素，而这种通信卫星组成的大型网络原定的卫星数目也是 77。现在，这一网络有大约 66 颗人造卫星正在服役。它们在地球上空 780 千米的轨道上运行。由于轨道高度倾斜，它们可以到达地球各处，甚至南极和北极。

本来，铱星十分暗淡，需要用双筒望远镜才能看到。但是它们的特氟龙天线阵镀了银，会像镜子一样反射阳光。因此，当卫星来到最合适的角度时，观星者会看到壮观的闪光，只是持续时间非常短，只有 5 ～ 10 秒。

如果想看到铱星闪光，你可以再次让 Heavens-Above 网站做向导。点击“铱星闪光”（Iridium Flares），你会看到一张列表，里面列出了闪光的亮度、时间、地平纬度和地平经度。如果铱闪预报的地平纬度是 45°，地平经度是 225°，那么它会出现在西南方的半空中。如果还想要确认一下，你可以点击时间链接，查看标有卫星轨迹以及闪光时间和地点的地图。面向苹果用户的手机应用 Sputnik！可以显示当地铱星闪光和 ISS 过境信息，面向安卓用户的手机应用 ISS Detector 也有同样功能。

▲在这张延时曝光的照片上，铱星 75 号卫星正发出一次短暂而耀眼的闪光。这颗卫星的特氟龙天线镀了银，大小和门差不多，而且像镜子一样反光。受到阳光照射时，一颗铱星在短暂的闪光中可能比金星还要明亮。在曝光时间里，这颗卫星从右向左移动，一开始暗淡，但迅速变亮，达到最亮时光芒四射，然后又很快暗淡下来，低于肉眼可见的亮度了。图片版权：鲍勃·金

天线阵的反光达到最强时，铱星的闪烁会达到最大亮度。想看铱星闪光达到的最大亮度，你仍然可以访问 Heavens-Above 网站，那里会告诉你需要开车往哪个方向驾驶多远。铱星闪光的亮度范围很大，可能和最亮的恒星一样亮，也可能比金星亮 20 倍。一次剧烈的铱闪甚至可能点亮一片天空，就像一次静悄悄的爆炸。几秒钟之后，卫星就暗下来看不见了。

多年前的一个冬日夜晚，我和一群十几岁的孩子一起外出，人造卫星为我们带来了很多乐趣。我们聚在结冰的湖水边一起看天空，我告诉他们，我有种预感，就在猎户座上方，晚上 9 点 12 分会有事情发生。（我提前查了铱闪的时间。）时间到了，“新星”出现。一个学生兴奋得喊出了声。就在它迅速变亮的时候，整个黑夜充满了“哇”的惊叹声。之后，我将铱星闪光的谜底揭晓。毫无疑问，这一夜，我牢牢抓住了孩子们的注意力——是人造卫星帮了我的忙。

双手放在头后，仰卧着看天空中的人造卫星经过，这几乎是最容易的事情。在我们的时代，人造卫星如此普通，常被当作理应存在的东西，但是在我们的祖先看来，这些人造的飞鸟如同奇迹。

活动：拍摄国际空间站和铱星闪烁

你有没有比手机复杂一点的数码相机？为什么不试试给这些比较明亮的人造卫星拍照呢？你的相机需要有至少 15 秒的曝光功能。最好的照片是在月光或者深沉的曙光和暮光中拍摄的，这些光会让背景天空带有一种美丽的颜色。下面是拍摄步骤。

1. 很多人会把相机调成自动模式，但是要拍摄夜空和卫星的话，你需要将相机调到全手动模式。

2. 请使用广角镜头。如果一定要用变焦镜头的话，那就转动镜筒，直到通过取景器看到的视野最宽广为止。镜筒上标示的数字越小，视野就越广。一般来说，标有 16 ~ 24 毫米字样的是广角镜头，而标有 35 ~ 50 毫米字样的是普通镜头。

3. 调整相机镜头的光圈大小。这是为了调节进入相机的光线多少。我们需要在晚上拍照片，所以要把 f 值设置到最低（f/2.8 至 f/4.5），让镜头“打开”，这样可以让最多的光线进入。你还需要把 ISO 设置为 400 或 800。ISO 表示相机对光的敏感程度。数字越高，相机越敏感，一次正常曝光所需要的时间也就越短。

4. 对于黑暗天空中的点状目标，大多数相机都很难自动对焦。不过，有些相机具有实时取景（详见说明书）功能，非常方便。在此功能下，将镜头设置为手动模式，你就可以通过放大发光星辰的图像来对焦。

将相机对准星星，启动实时取景功能（一般是相机背后的一个按钮），当你在取景器内看到这颗星时，找到标有放大镜图标的按钮并且按下。这样会将星星放大 5 倍，再次按下按钮，放大倍数可以达到 10 倍甚至更多。现在，转动镜头筒上的对焦环，仔细地为这颗星对焦，直到得到清晰的图像。做好这一步，你的镜头不仅可以拍摄人造卫星，还可以为任何天体拍摄清晰的照片。

没有实时取景模式也没有关系。你只需找到镜头上最远的焦距设置，也就是无穷远。卫星、恒星、月亮和云朵都在无穷远处对焦。你可以在白天自动对焦一朵云，或者在晴朗的夜晚自动对焦月亮，然后看一看镜头筒上以横向的 8 结尾的那串数字（距离）。横向的 8 代表无穷远。此时焦距应当非常接近无穷远。记住这个位置，等到你想要拍摄国际空间站的时候，将镜头换到手动模式，然后将焦距调到提前标好的无穷远即可。如果你觉得这听起来很烦琐，那我真的很抱歉。不过，一旦熟悉了这套操作，你就能很自然地用好这个方法了。

5. 将相机固定在三脚架上，指向 ISS 过境时将会出现的大致方向。尽量将一些前景树木或建筑纳入镜头，这样可以加强图片效果，也提供了比例参考。你要确保给人造卫星留出移动的空间，让它可以从照片一头移动到另一头。在开头几次尝试中，你可能会把轨迹“切断”，但是用不了多久，你就会对轨迹有所预期，这样就可以相应地架设相机了。

6. 看到 ISS 进入相机取景器，你就开始曝光，曝光时间应当在 15 秒到 1 分钟之间。很多相机最多只能曝光 30 秒，那样只能拍到 ISS 轨迹的一部分。如果你的相机有 B 快门的设置，那么在人造卫星经过视场的时间段里，你可以一直按住快门按钮不放。注意保持稳定，在曝光过程中千万小心，不要晃动相机。更好的办法是使用电动快门线，这样你就可以将相机快门锁定在开的状态，拍到更长的过境轨迹。

如果你要拍摄铱星闪光的话，那就将准备好的相机对准闪光即将发生的位置，一看到铱星开始变亮，就按下快门。如果天空已经暗下来，那么你可以曝光 1 分钟或者更长的时间，但是如果你在霞光中拍摄，那么曝光时间超过 15 秒就会导致过曝。你可以试试把光圈“关小”到 f/4 至 f/4.5，将 ISO 保持在 400。

7. 拍完第一张照片后，你需要检查一下结果。必要的话，调整曝光时间，重新尝试，直到获得想要的效果。记住，一旦掌握了对焦和曝光时间，你就可以使用类似的设置来拍摄行星和星座。拍摄时，你需要等到天完全暗下来之后，将 ISO 设置到 800 以上，反复尝试，找到最合适的曝光时间。初学者可以先采用以下设置：f/2.8 或 f/4，ISO800 ~ 1600，曝光 30 秒。

▼ *想要为夜空中的目标对焦，最保险的方法是同时使用实时取景模式和相机内部放大器。两者一起用，你就可以手动完成精确对焦。图片版权：鲍勃·金*

▲ *对于天空中的目标而言，焦距都在无穷远处。在相机变焦筒上，无穷远用一个横向的 8 表示。在数码时代之前，人们设置好这个 8，就能给星星对好焦。但是现在的大多数相机镜头需要设置成接近无穷远，而不能直接设置成无穷远，所以你需要使用这里介绍的方法，找到变焦筒上哪个点真的对应无穷远。图片版权：鲍勃・金*

实用网址

- 安卓系统指南针 App：play.google.com/store/apps/details?id=tntstudio.supercompass&hl=en
- Heavens-Above 网：www.heavens-above.com
- Spot the Station：spotthestation.nasa.gov/
- spaceweather：spaceweather.com/flybys/
- Satflare（可查询卫星和闪光）：www.satflare.com
- NASA 提供的国际空间站最新消息、照片和视频：nasa.gov/mission_pages/station/main/
- 哈勃空间望远镜的相关信息：nasa.gov/mission_pages/hubble/main/index.html
- 苹果手机可以使用的 ISS 观察 App：itunes.apple.com/us/app/iss-spotter/id523486350?mt=8
- 苹果手机可以使用的 SkyView 卫星指南：itunes.apple.com/us/app/skyview-satellite-guide-find/id694309958?mt=8
- 安卓手机可以使用的 ISS Detector：play.google.com/store/apps/details?id=com.runar.issdetector&hl=en

（手机 App 时刻更新换代，经常出现更新、更好的应用，记得常上网关注最新消息。）

第 2 章

期待夜晚

在这一章，我们先来看看眼睛是如何适应黑暗的，然后为观星准备合适的穿着、小工具，以及能找到亮星和星座的星图、手机 App。我们还会学习使用在线天气资料，以便在晴朗的夜晚外出，并且找到附近没有光污染的夜空。

本章重点

- 制作或购买红光手电筒，学习在黑暗中看星图
- 用在线天气图和光污染地图找到晴朗而黑暗的天空
- 找到免费的在线星图或者手机 App，在星空下尝试使用它们
- 开始撰写天文日记

夜视力

在没有月亮的晚上走出家门，你会觉得周围的黑暗像无法穿透的墙。在光明中，我们可以看清细节和颜色，但到了黑暗中，我们几乎什么也看不到——其实只是一开始看不到，几分钟之后，我们就能够看清四周并且看到较亮的星了。

从明亮的室内进入黑暗，眼睛需要 20 ~ 30 分钟才能适应。视网膜中有一种特殊的光敏细胞，叫作视杆细胞。到了晚上低亮度的环境中，这种细胞就开始掌管视力，让我们获得在黑夜中看东西的能力。夜视力有好处也有坏处，它能够让我们看到物体，却牺牲了细节和颜色。只有视锥细胞才能让我们看到物体的细节和颜色，而视锥细胞主要在日光和明亮的人造光下起作用。

夜间外出时，很少有人不带任何形式的人造光源。但是，如果我们给眼睛一个机会去适应黑暗，它们的表现可能超出我们的想象。

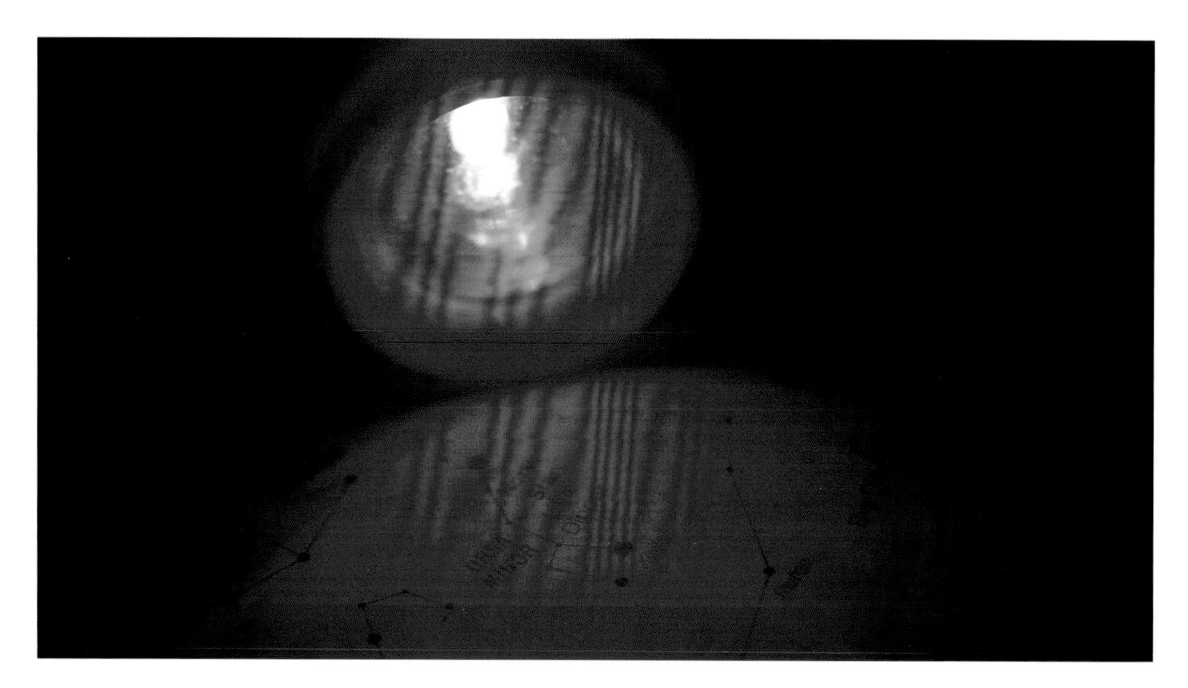

▲ *使用星图辨认行星和星座时，红光手电筒或红色 LED 可以帮你保持来之不易的夜视力。这是因为我们的眼睛对红光远没有对白光那么敏感。图片版权：鲍勃·金*

你可以看到多暗的星取决于你的年龄，因为年龄决定了瞳孔的大小。瞳孔是眼睛中央的黑色部分，由颜色各异的虹膜包围，是光的入口。虹膜决定了人眼的颜色，并且起着机械阑孔或者光阑的作用。光阑可以调整相机光圈的大小，只让适量的光线进入感光元件，达到适度曝光。当光线很强时，虹膜就缩小瞳孔，防止失明。当光线微弱时，它会扩张瞳孔，尽量让更多的光线进入。

随着人渐渐变老，瞳孔能够扩张的程度会越来越小，对光线变化的反应也越来越迟钝。一个人适应黑暗的能力从儿时到二十多岁会越来越强，随后开始缓慢变弱。孩子比父母看到的星星更多，父母比爷爷奶奶看到的星星更多。尽管随着年龄增长，我们的瞳孔会不可避免地老化，但在辨识物体方面，我发现经验会起到关键作用。如果你经常观察天空，喜欢通过追踪星座轮廓来增强自己的观察能力，或者喜欢梳理银河中的细节，你就可以衰老得慢一点。

一旦获得夜视力，你就不要再接触明亮的灯光了，不然又要重新适应黑暗。有些天文爱好者会扮成海盗，戴上一块特殊的眼罩，遮住他们看望远镜时喜欢用的那只“观察眼”。多数情况下，裸眼观星不需要这样慎重，但是尽量保持夜视力的确会让你看到星星最棒的样子。

红光与白光

在探索夜空的晚上，你也需要在黑暗中走来走去，还要看星图，所以你需要一点光线。通常，白光手电筒会迅速摧毁你来之不易的夜视力。选择红光则可以让你保持对黑暗的适应。我们的眼睛对红光不那么敏感，接触过红光后更容易恢复夜视力。

活动：制作或购买红光手电筒，学习在黑暗中看星图

你可以给普通手电筒的灯泡涂上红色指甲油，自己做一个红光手电筒，也可以买一个。但是到五金店随手抓一个手电筒之前，你得检查一下，看看它的亮度是否可调。有些红光 LED 实在太亮，几乎跟白光一样。你最好买一个既可以发出红光，又可以发出白光的手电筒。当灌木丛里传来的低吼声把你吓得魂飞魄散的时候，你会想要开白光的。这么多年，我朝着晚上的怪声打开过很多次亮光，我还没发现什么东西比我自己的胡思乱想更恐怖。

穿着舒适，打败昆虫

你可能常常在家附近观星。如果你偶尔开车去了郊外，想更好地欣赏北极光，或者观看壮丽的夏季银河，你肯定会带上手电筒、备用光源和电池。在夏天，你一定不要忘了带防蚊水，穿着恰当也很重要。即使是夏天的夜晚，天气也可能潮湿阴冷，所以随身带一件外套是个好主意。我喜欢将观星比作冰钓。你得在一个点一直坐着或站着，这样很容易觉得冷，所以一定要穿暖和。

寒夜之中，手指和脚趾尤其脆弱。

带羊毛衬里的靴子可以给你的双脚保暖。化学暖手宝则可以让你的手指免受冻僵之苦。封闭使用（比如放在连指手套里面）时，暖手宝可以连续保持长达 10 小时的温暖。我有些朋友喜欢每只手各用两个暖手宝，一个放在手心里，另一个放在手背上。

在亚马逊商城（Amazon）或者坎贝拉网站（Cabela's），你还可以买到锂电池供能的发热手套、背心和夹克。尽管不便宜，但它们可能正是你想要的。外出观星的时候，只有尽可能舒适，你才能好好地享受景致，而不会急着跑回屋里。

天文爱好者总说，一年里面只有这几个月可以舒适地观星——春天的4月和5月，还有秋天的9月和10月。其他时间呢，要么太冷，要么虫子太多。干燥、凉爽的夜晚，比温暖、潮湿的夜晚要好，因为后者更容易招来蚊虫。传统的驱虫剂以避蚊胺（DEET）为有效成分，近年来比较新潮的驱虫剂则含有派卡瑞丁（picaridin），这些以及桉树油都可以驱虫，只是效果略有不同。风也可以让蚊虫远离你。驱虫剂我用得不多，我不会被蚊虫弄得过度紧张，毕竟我知道秋天很快就会来把这些东西赶跑。

和天气游戏

观星的夜晚会迎来晴天吗？你总要面对这个大问题。做夜间观星计划的时候，你可以首先参考当地电台、电视和报纸上的天气预报。不过，现在网上可以找到更多信息，甚至能看到卫星云图，你都可以自己预报天气了，至少短期的没有问题。新手尤其感兴趣的一个问题是，持续时间很短的重大天文现象（比如流星雨、日月食和极光）到底会不会被厚厚的云层遮盖住。有时候预报的晴朗天气如约而至，但如果没有的话，你就需要备用计划了。

活动：用在线天气图和光污染地图找到晴朗而黑暗的天空（1）

说到“量身定做”的天气预报，我发现最实用的是 Attilla Danko 晴天表。进入这个网站，你可以看到一张互动式网格，显示了云层覆盖、天空透明度、风速、温度和湿度等的估计值。网格覆盖数千个地点，包括美国、加拿大和墨西哥的一部分。点击马萨诸塞州的话，你就会得到一张图片形式的列表，列出了本州 69 个地区的天空情况。

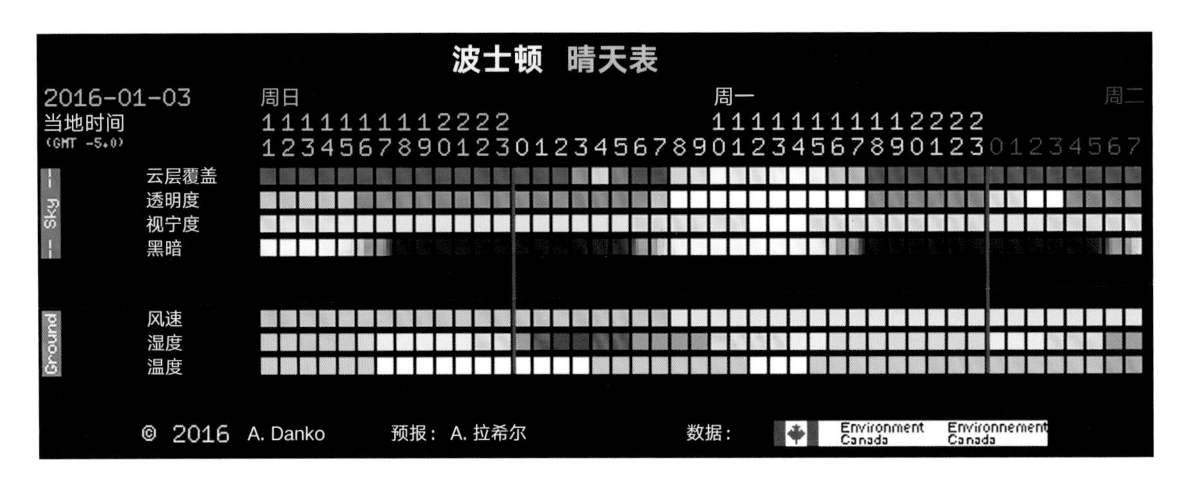

▲ *这是晴天表网站上的一个例子，显示了波士顿城每个小时的云层覆盖、天空透明度和天气情况。有多家网站可以提供基本准确的预报，帮助你计划夜间外出，这家网站是其中之一 。图片版权：Attilla Danko 晴天表网站*

第一行用颜色呈现了天空受到云层覆盖的比例，从白色（100% 多云）到深蓝色（100% 晴朗），中间的所有颜色都可能出现。其他数据包括天空透明度、视宁度，等等。尽管任何预报都不可能绝对准确，但是这里使用的模型相对可靠，因此 Attilla Danko 晴天表成为了网上极佳的工具。每一个方块后面都有很多有意思的数据和图像——点击云层覆盖那一行的任何一个方块，你都会看到一张卫星图像，上面显示了预报中你所在地区在那一时间的情况。

我还会查看地球静止轨道环境业务卫星（Geostationary Operational Environmental Satellite，GOES）的卫星图像。晚间新闻的天气预报用这些图像做成动画，显示云层和天气前锋的移动。不管是想待在家里，还是要雄心勃勃地开车远行，一旦知道了云层的总体移动情况和对具体区域的影响，你就能更好地计划夜间观星了。行星或者星座的观赏并不麻烦，你只需等待下一次天晴即可，但月全食这样的现象可能在很长时间里都不会有下一次机会。

东部 GOES 网站首页有一张显示了美国大陆、中美洲和加拿大大部分地区的照片。这张照片每 15 分钟更新一次。想了解美国西部、加拿大西部和夏威夷的情况，你可以登录西部 GOES 网站。

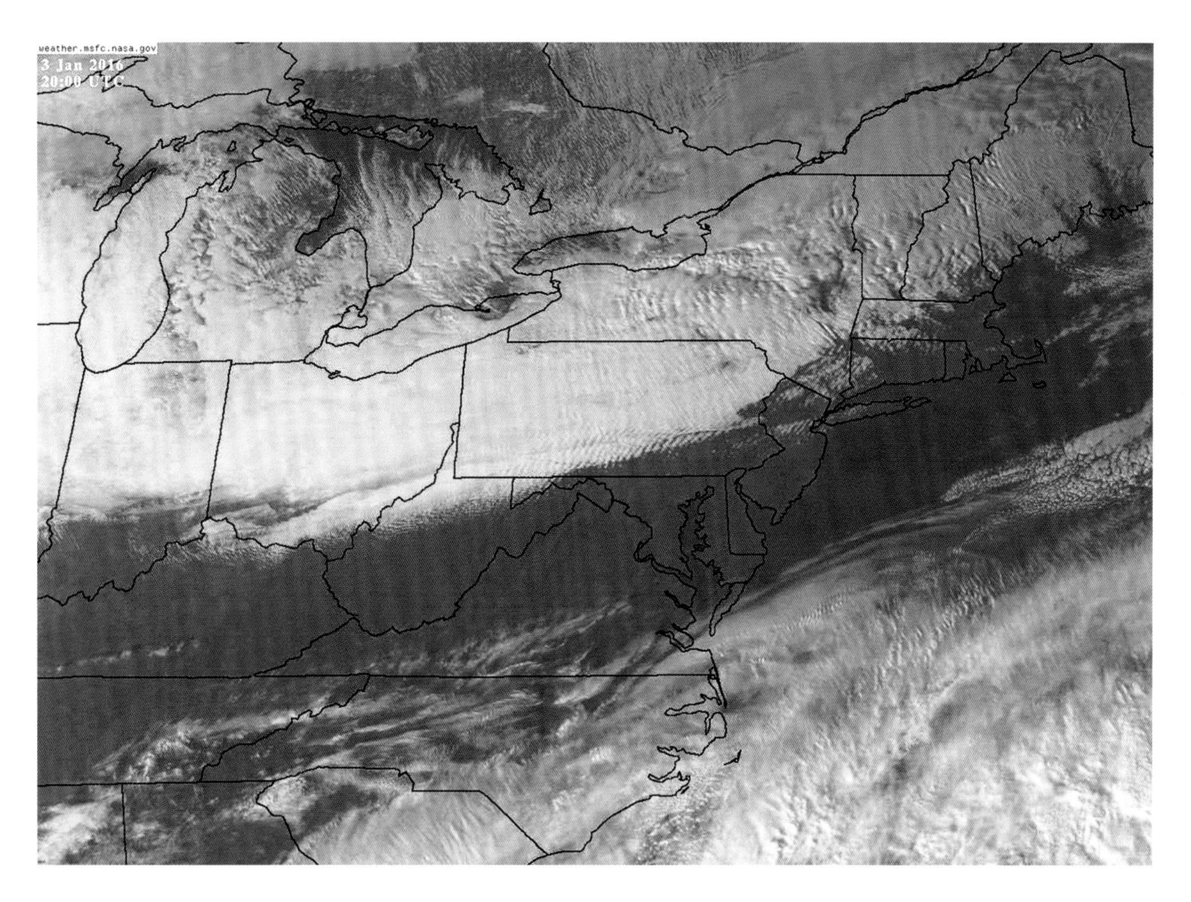

▲ *气象卫星是你的好朋友！卫星每隔 15 分钟在轨道上拍摄的照片显示了云层的移动，这类信息可以帮助你决定在何时何地观星。图片版权：NOAA（National Oceanic and Atmospheric Administration，美国国家海洋和大气管理局）*

活动：用在线天气图和光污染地图找到晴朗而黑暗的天空（2）

你可以选择使用上述两个网站中的任意一个，点击卫星照片上的具体地点就可以放大图像。如果想要最大、细节最齐全的图像，那就把“宽度”和“高度”设置到最大值 1400（宽度）和 1000（高度）。你会得到一张清晰的全屏图片。图片的左上角有时间戳，以世界时，即格林尼治标准时间（Greenwich Mean Time，GMT）给出，减 5 小时就得到了美国的东部标准时间，减 6 小时可以得出美国中部标准时间，减 7 小时得出山地时间，减 8 小时即太平洋时间。

你可以花一整天时间不停地查询新的卫星照片，关注云层如何随着时间移动。你也可以等网站集齐 30 张照片，然后看照片连续播放组成的动画效果。将当前照片、动画和你所在地点的天气预报结合起来，你就可以针对一个天文现象做出不错的观星计划。你会准确地做出判断，知道应该待在家里还是踏上旅途。

夜晚降临时，只需点击接近窗口顶端的红外波段链接，你就可以了解天空中是否有云。想成功观察一次特殊的天文现象，你需要提前计划，持续关注天气并找到晴朗的地点。如果有必要，你还要做好出远门的心理准备。

什么是黑暗的天空？

面对现实吧——我们很多人看到的夜空都受到了光污染。如果你住在大城市中间或者周边，附近有大型购物商场，那么你所看到的夜空一定会受到严重影响。当你向天空望去，看到的不是满天繁星，而是橙色的光晕。你也许能看到月亮甚至金星，但是恒星却被光晕遮住。1994 年，北岭大地震切断了洛杉矶市的供电，人们纷纷联系相关部门和当地天文台，询问天空中一闪一闪的奇怪光芒是什么。一直以来，城市光晕隐藏了天空的真实面貌，这些受惊的居民甚至从未注意到过星星。

▼ 电气照明并未被有效遮挡。人造的光亮淹没了星星和银河，夺去了夜空的美，让观星者不得不出远门。一些小事，比如关灯，就能改善状况。如果可以颁布法规控制光污染，那就再好不过了。图片版权：鲍勃・金

在20世纪80年代和90年代，美国城市里“眼镜蛇灯”样式的老式路灯换成了古色古香却没有遮盖的钠气灯。后来，LED照明开始占据主导，城市和郊区的灯光慢慢从橙黄色变成淡蓝色。尽管LED效率高并且节省电费开支，但在没有好好遮挡的情况下，它们会把光送到不必要的地方，将天空照亮，让星星消失。遮挡的方法包括将灯放在盒子式的灯罩里，将光导向地面而不是让它向天空辐射。要知道，LED照明比橙黄色的钠气灯更亮。幸好，很多LED路灯都加了罩子。但是如果人们不明智地将灯装在墙上而且不用灯罩，或者采用大吊灯，由此造成的光污染可能更加严重。

你可能想要袖手旁观——千万不要！每个人都可以做出贡献，促成改变。从你自己的住处开始吧，请关掉用不到的灯，或者把它们换成声控灯。

如果想要了解光污染以及应对措施，你可以访问国际黑暗天空协会（International Dark-Sky Association）的网站。全国热爱夜空的人已经形成了组织，大家在市议会前进行陈述，讲解怎样让人造光的使用更为明智而有效，这有利于每一个人。

▼ *在这张照片里，美国、加拿大和墨西哥北部的城市闪着耀眼的光。照片是由美国索米国家极地轨道伙伴卫星（Suomi National Polar-orbiting Partnership，Suomi NPP）在2012年4月至10月拍摄的照片合成的。这颗卫星在824千米高处环绕地球。几十年来，光污染日益严重。现在，老旧且耗电量大的灯被换成更为明亮的LED灯，问题可能会更加严重。本图由罗伯特·西蒙（Robert Simmon）使用Suomi NPP卫星数据制作，卫星数据由NOAA克里斯·埃尔维奇（Chris Elvidge）提供。图片版权：NASA地球观测站*

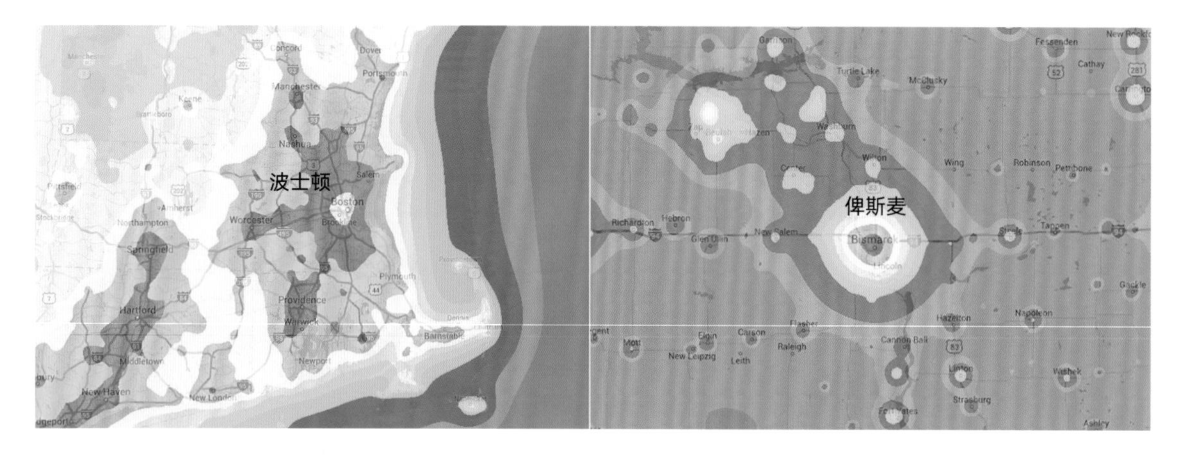

▲ 在黑暗天空搜索器网站 DarkSiteFinder.com，你可以放大你所在城市的地图，查看光污染情况。红色和橙色表示光害程度高的区域，蓝色和灰色表示光害少的黑暗天空。你可以根据上面的公路图开车到黑暗天空之下，更好地欣赏银河、较暗淡的星座或者北极光。这里的例子对比了光污染严重的波士顿市和更容易找到黑暗天空的北达科他州俾斯麦市。本图由 P. 钦扎诺（P. Cinzano）、帕多瓦大学（University of Padova）的 F. 法尔基（F.Falchi）、波尔得市 NOAA 国家地理数据中心（NOAA National Geophysical Data Center, Boulder）的 C. D. 埃尔维奇（C. D. Elvidge）制作。图片版权：英国皇家天文学会。该图经布莱克韦尔科学出版社（Blackwell Science）允许，复制自《皇家天文学会每月通报》（Monthly Notices of Royal Astronomical Society）

对很多人来说，有时候对付人造光源的唯一办法就是开车去找更暗的天空。我住在一个中等大小的城市附近。城市耀眼的橙色光芒照亮了南方和西南方的天空，这会白白浪费我为观星付出的努力。为此，有时我会错过某颗星的美，有时会错过壮丽得震撼人心的景象，比如人马座一带的银河，那可是整个银河系最多姿多彩的部分。我在大部分晚上都能尽量利用现有条件，但是如果实在需要黑暗的天空，我就只能开车向北，将光污染的穹顶甩在身后。

几年前，我在自家附近 32 千米范围内寻找没有光害的“避难所”。我找到了几处人迹罕至的碎石路和停车点，可以借这里的黑暗天空观星。额外的奖励是，这些地方都比我自己的社区安静得多，自由的视野可以让我欣赏宇宙，宁静的环境也让我的感官受到了安抚。

活动：用在线天气图和光污染地图找到晴朗而黑暗的天空（3）

如果你也时不时需要星光来充实生活，或者想要看极光，那就要找到你自己的“避难所”。打开黑暗天空搜索器，输入你所在城市的名字，你会看到一张以颜色编码的光污染地图，它叠加在谷歌地图上，这样就更容易让你辨别需要沿哪个方向开车行驶多久，才能找到足够黑暗的夜空。我们在这里提供两条小建议：（1）使用地图右下角的“+/-”工具来放大和缩小；（2）记住要经常刷新。如果不刷新的话，某些地区的光污染数据可能不会显示出来。

这些色彩与波特尔暗空分类（Bortle scale）的各级对应。波特尔暗空分类法是业余天文学家约翰·波特尔（John Bortle）提出的，最早发表在大众天文杂志《天空与望远镜》（*Sky&Telescope*）上。第 1 级的天空最黑暗，第 9 级的天空则几乎失去了一切，只剩下月亮、行星和最明亮的恒星。

你可以使用下面的列表来分辨天空的等级，并且了解你在城市和在平静乡间看到的景象有什么不同。

波特尔暗空分类

* **第 1 级：理想的黑暗观星地点。**人马座和天蝎座一带，银河最亮的部分可以照出物体的影子。肉眼即可看到很多星团和数个星系。
* **第 2 级：典型的黑暗观星地点。**四周景物在天空背景下只能看到极为模糊的轮廓。云彩看起来像天空中的“黑洞”。夏季银河的结构可以清晰地显现出来。
* **第 3 级：乡村的天空。**沿着地平线有一定的光污染，但是仍然能显现银河的复杂结构。地平线附近的云会被照亮，但头顶的云只能看出轮廓。
* **第 4 级：乡村 - 郊区过渡地带。**来自城市中心地带的光污染在各个方向明显可见，周围稍远处的景物较为清晰。远离地平线的银河仍然引人注目，但缺少细节。
* **第 5 级：郊区的天空。**靠近地平线的银河十分暗淡甚至不可见，头顶的银河看起来褪了色。经过的云看上去明显比天空亮。
* **第 6 级：明亮郊区的天空。**地平高度 35°以下的光污染使天空显出灰白色。全天任何地方的云朵都很明亮。
* **第 7 级：郊区 - 城市过渡地带。**所有方向都有明显的强光源。整个天空是浅灰色的，看不到银河。
* **第 8 级：城市的天空。**天空是浅灰色或者橙黄色，可以轻松地借着天光读出文字。常见星座暗淡或不可见。
* **第 9 级：城市中心地带的天空。**天空非常明亮，无法看到大部分星，只能看到明亮的行星和月亮。

帮助寻星的星图和 App

你可以选择只观赏苍穹的外表，把它看作一张画布，上面画着遥远而明亮的恒星、旋转的星系、看得到的和看不到的行星。但是，知识可以加深我们对所见之物的理解，让我们欣赏到更多东西。我们大多数人都知道北斗七星和猎户座的腰带，但星座还有很多。88 个星座中，有很多都会随着季节变化在北半球的天空中移动。如果你想跟上星星的脚步，去守候猎户座在东方天空的第一次现身，并且了解在何时何地可以看到火星，那么你需要一张星图。

活动星图也被称作旋转星图（星轮），17 世纪就已出现，并且在未来很长一段时间里不会被淘汰，因为这不需要充电。这一点比手机和电脑优越。活动星图由嵌在一起的两个纸盘或塑料盘组成，两个盘的中心固定在一起。上方的轮状圆盘四周标着时间，中间镂空的窗口用于展示星座，底端的圆盘则标着日期。

活动：学会使用活动星图

活动星图是这样使用的：转动上面的圆盘，将时间与日期对准，你就能从镂空窗口看到此时此刻的天空景象。你可以设置任何日期和时间，知晓一年中任何一个晚上外出可以看到什么。虽然现在可以用到非常棒的手机 App 了，但我仍然喜欢活动星图的简洁和它那种老式的模拟感。

记住，使用活动星图的时候，窗口的外侧代表了你周围 360°的地平线。星图的中央代表天顶。如果想看到南方天空有什么，你可以面向南方，举起活动星图，使星图上标注的“南”位于底部。这时窗口边缘附近的星座会出现在天空的低处，那些在中央和边缘之间的则在舒适的高度上。现在转而面向东方的天空，让活动星图的“东”指向地面。当你转向北的时候，拿星图的手再转 1/4 圈（让“北”指地）。然后……好了，你一定已经知道怎么使用星图了！

▲ *对那些喜欢动手的人来说，使用活动星图可以方便地找出白天或夜晚任何时间天上有什么星座。你只需要调整两个转盘的时间和日期。它还有一个好处，那就是不需要电池！图片版权：鲍勃·金*

你可以在网上或者书店买到几款非常棒的活动星图。我推荐 David Chandler 公司的产品，还有天文用品网站 Kenpress.com 出品的 16 英寸（40 厘米）巨型活动星图和“观星指南”（Star Guide）。在亚马逊和图书网店 Barnes and Noble 都可以买到这两种星图。David Chandler 的星图有好几种，你可以根据纬度选择一款适合你的。后面你会了解到，纬度决定了你可以看到天空的哪一部分。如果你决定购买 David Chandler 活动星图，可以先查询一下自己所在地点的纬度。

美国南部居民可以购买北纬 30° ～ 40° 的星图，如果你住在美国北部、加拿大南部或者欧洲，则需要购买北纬 40° ～ 50° 的星图。超大的活动星图备受好评，这是因为它十分便于使用，并且画出了黄道圈，即行星的路线，这可以为你寻找行星提供线索。

这种星图还算不上完美，因为有一种天体它不能显示，那就是行星。你能猜到为什么吗？因为行星跟固定的恒星不同，它们总在环绕太阳运动，就像散养的小鸡一样。要找到它们需要其他的方法，我们会在第 7 章详细介绍。

还有一种观星工具我非常喜欢，那就是 Abrams 星空日历，一种日历形式的单页每月指南，重点介绍裸眼可见的趣味天文现象。这种日历每季寄出一次，每个邮件包含三期单月日历。用磁铁把它吸在冰箱上，你就再也不会错过任何精彩的天文现象了。如果需要免费的星图，你可以去 What's Out Tonight 网站和 SkyMaps 网站下载。

▲ 如果你想认出行星、星座和像国际空间站那样的人造卫星，手机 App 可以成为你的好帮手。有很多 App 是免费的。你只要拿出手机指向天空或大地，就可以看到上面或下面有什么，点击特定的目标还能看到更多信息。图片版权：鲍勃・金

有很多星图软件和虚拟天文馆软件可以安装在电脑上，价格从 30 美元到 300 美元不等，包括 Distant Suns、Starry Night，以及 Software Bisque 公司的 SkyX。只需要轻轻点击鼠标，你就可以看到今晚、明晚、一千年前和几千年之后的星空、行星、彗星——只要你说得出。放大、缩小、观察日食，还有跟踪人造卫星……这些软件简直无所不能。

如果你钱不多的话，也可以下载功能同样齐全的免费软件。我最喜欢的免费软件是 Stellarium，它在 Windows 和 Mac 上都可以使用。只要告诉它你住在哪里，几分钟之内你就会知道今天晚上或者 10000 年以后的天空中有什么。软件里的互动式星图可以显示行星、最亮的卫星、彗星，当然还有每个星座在苍穹上的位置。

手机天文 App 是最方便的，并且有很多都是免费的。作为苹果手机用户，我使用 Star Chart 了解夜晚和白天的天空中有什么。将手机对准天空，星座和对应的神话人物就会出现在你的眼前。对准某颗星，屏幕就会显示它的名字和相关信息。有趣的是，我们很多人在用这些软件的时候，都喜欢把手机对着地面，去看看地球另一侧的居民们看到什么。这些寻星 App 都很直观，有红光模式保护夜视力，还有行星数据以及其他附加功能，比如卫星跟踪。

记一本天文日记

对星空熟悉到一定程度，你可以考虑记一本星空日记。通过记录自己的观星经历，你会收获一种成就感，并且在这个过程中学到很多东西。我在 13 岁时开始记第一本天文日记。那时候，我在日记里记下了一切琐事，从夜空下的漫步到每天的气温，再到我第一次牵女孩的手。最近，我的日记几乎都是用冻僵的手指匆匆涂写的，内容包括极光之景、夜晚观星的感受、动人心魄的行星连珠素描，以及有趣的事情，比如警察把车停到了我旁边，想知道我是不是在埋藏尸体。（这可是真事。我当然没有干那种事，但警察质问我为何把车停到四下无人的地方，而且在后备厢放了一堆仪器。我一边试着让狂跳的心平静下来，一边向他解释我是在用望远镜看彗星和行星。他逗留了 25 分钟，十分积极地使用了我的望远镜，并为生平第一次看到土星而激动不已。）

活动：开始撰写天文日记

我用白页速写本做天文日记本，这样方便画画，不会有格子线影响美观。有些人用计算机文档记日记，用 Photoshop 完成素描，而我的工具很简单：铅笔、橡皮还有手指尖。绘画北极光羽毛般的光柱，或者是表现看起来十分朦胧的深空天体时，我觉得用手指尖就很方便。写和画会让你的观星能力更敏锐。这样，当你又一次看到喜欢的星座或者月亮上某个细节的时候，总会比第一次看到的更多。

毕竟是日记，你可以让它个人化一些。我喜欢在其中写写我的思考和感觉，比如和女儿一起看流星雨的感受，或者听到狼对着初升的猎户座嚎叫时从脊梁骨升起的那股寒意。

你可以任性一些，愿意多写就多写，愿意少写就少写，永远不要担心语法和标点，只管说出你想说的。如果你从来没写过日记，那就让下一个晴朗的夜晚给你灵感吧！

实用网址

- 国际黑暗天空协会：darksky.org
- 北弗吉尼亚天文协会（Northern Virginia Astronomy Club）的寒冷天气应对窍门列表：www.novac.com/wp/blog/the-ironmans-tips-for-staying-comfortable-while-observing-in-cold-weather/
- Orion 品牌的天文用红光 LED 手电筒：www.telescope.com/Accessories/Flashlights/pc/3/50.uts
- Attilla Danko 晴天表（包括但不限于每小时云量预报）：www.cleardarksky.com/csk/
- Clear Outside 网站每小时云量预报及其他：clearoutside.com/forecast/50.7/-3.52
- 美国云量预报：www.weatherforyou.com/reports/index.php?forecast=pass&pass=skymap&s=us
- 国家大气研究中心实时天气数据网站夜间云图观察：weather.rap.ucar.edu/satellite
- 东部 GOES 网站：weather.msfc.nasa.gov/GOES/goeseastconus.html
- 西部 GOES 网站：weather.msfc.nasa.gov/GOES/goeswestpacusir.html
- David Lorenz 光污染地图：djlorenz.github.io/astronomy/lp2006/overlay/dark.html
- David Chandler 活动星图：www.davidchandler.com/
- 查询你所在地点的经纬度：www.latlong.net
- 《天空与望远镜》杂志：www.skyandtelescope.com/subscribe/
- 《天文》杂志：www.astronomy.com/
- SkyMaps 星图（免费）：www.skymaps.com/
- What's Out Tonight 星图（免费）：www.kenpress.com
- Abrams 星空日历：www.abramsplanetarium.org/SkyCalendar/index.html
- Stellarium 观星软件（免费，适用于台式计算机和笔记本计算机，Windows 系统和 Mac 系统皆可安装）: stellarium.org
- 其他软件选择，请谷歌搜索“星图软件”

第 3 章

“摇”“滚”地球

因为地球有自转和一年绕太阳一圈的公转，所以星星每天东升西落，并随着季节变换而向西迁移。在这一章，我们将探索天体的运行规律，了解北极星的特别之处，了解为什么行星、月亮和太阳在天空中的同一条高速公路上行进。另外，你知道吗，我们身上就有“尺子”，可以测量天空中的距离。

本章重点

- 观察东方天空中明亮的星一周一周逐渐攀升，借此了解地球如何绕太阳公转
- 打开一把伞，将伞轴倾斜向北然后转动雨伞，借此理解星星为什么环绕北极星转动
- 在深夜观察星空和季节的奇妙联系
- 练习使用手指和拳头在天空上测量距离

天文学涉及诸多运动，如果你理解了地球的运动，那么理解夜空就会容易得多。地球每 24 小时绕其自转轴自转一圈，自转轴倾斜 23.5°，从很远的地方看，我们的蓝色行星就像一艘倾斜了 23.5°的帆船。帆船转弯之后会正过来，但是地球在整个轨道上都保持同样的倾斜角度。其他行星的自转轴角度各不相同，水星的不到 1°(直上直下旋转)，天王星约为 97°(躺着转)，金星约为 177°(倒转)。

地球永不停歇地自西向东自转，使新的恒星从东方露出地平线，并升至树顶，再运行到西面，然后沉下西方地平线。太阳、月亮和行星也是这样一夜又一夜地运转着。

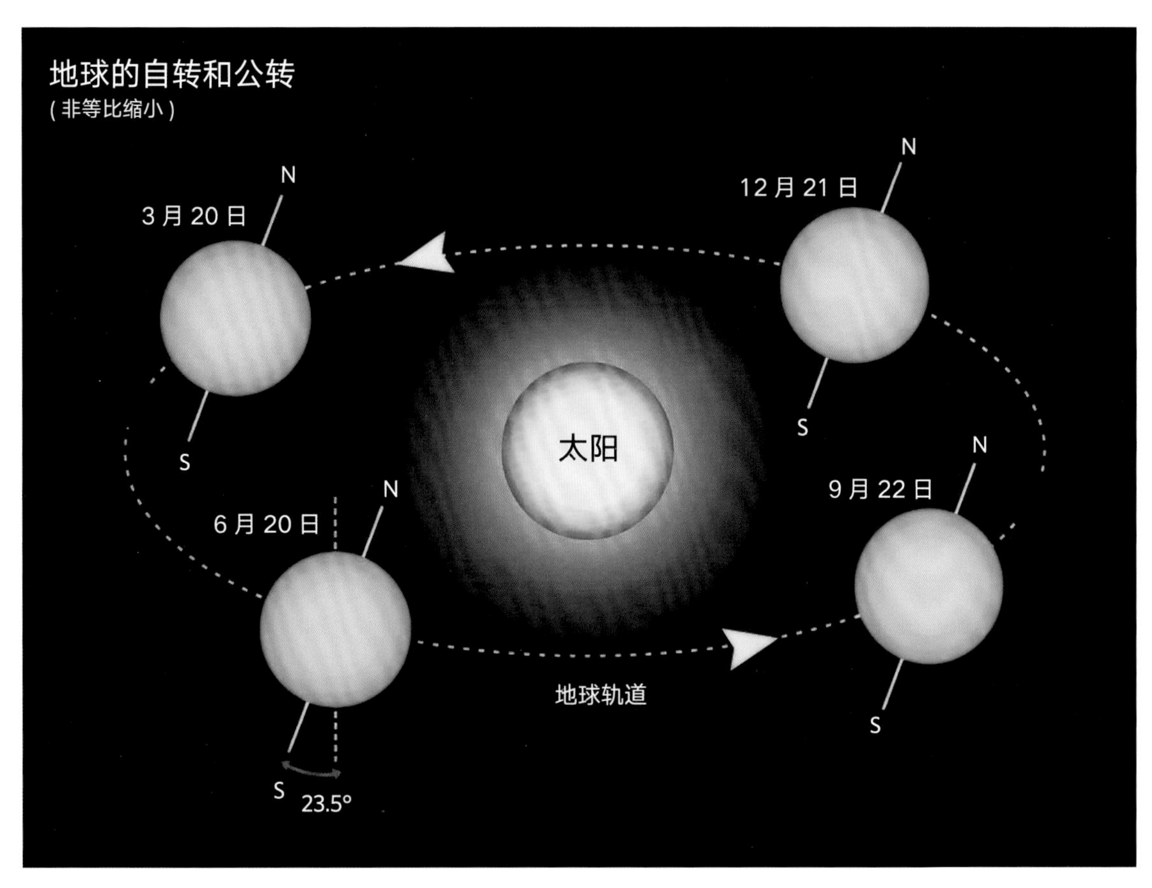

▲ *地球倾斜着绕太阳运动，自转轴倾斜了 23.5°，使得北半球夏天面向太阳，冬天则背向太阳。春秋季节的开头几天（春分和秋分），地球侧对着太阳，全球的白天与夜晚都一样长。此图非真实比例。图片版权：Starry Night 软件*

◀ *地球各纬度的旋转速度不同。赤道上的物体转动速度超过了每小时 1600 千米，中北纬地区的物体转动速度为每小时 1200 ~ 1300 千米。南极点和北极点的物体转动速度是 0。本图部分信息由鲍勃·金标注。图片版权：NASA*

古人并不知道地球在转，他们看到星星在移动，就下结论说所有的天体都在绕着静止的地球转，所以地球就是一切的中心。事情看上去确实如此，所以我们实在不能责怪他们。如果能感觉到地球在转动，那么人类很久以前就能知道太阳和星星运动的真正原因。但人们感觉不到地球在转动，因为周围的一切都在以同样的速度一起转动，保持相对静止——你的椅子、沙发，以及窗外的树都是这样。当飞机以每小时 885 千米的速度飞行时，乘客的杯子和乘务员的小推车不会乱撞，原因就在这里。

在赤道上，地球的自转速度大于每小时 1600 千米，这差不多是普通喷气飞机的两倍。假设我们使用魔法，让地球暂时停止自转，那么接下来会发生什么呢？自转突然停止，没有紧紧地固定在地面上的一切物体都会被扔到空中，建筑物、树木、人和车被同时抛起，海上还会形成可怕的海啸。仅仅是减速就可以将最常见的东西击碎，这基本上等于毁了我们的文明。

不仅如此，风和水会带来更加可怕的后果。大气也跟地球一起转动，而它并没有附着于任何东西，可以自由地移动。把地球停下来，突然而至的超音速狂风会将剩下的任何一丁点东西都扒掉。

现在你应该明白了吧——所谓地球静止不动，真的只是我们的错觉。

我知道你懂了。地球在自转，于是星星升起又落下，这并不复杂。那么我们提高难度，看看地球是如何绕太阳公转的吧。相对于遥远的恒星，我们的行星以每秒 30 千米的速度呼啸着在轨道上运行，每 365.25 天（1 年）环绕太阳运转一圈。每一次钟塔敲响准点时钟的时候，你都在太空中走过了比十万千米还要远的距离。

▼ *地球自西向东的转动使得星星从东方升起，穿越天空之后从西方落下。在延时拍摄的照片中，星星从东方地平线升起时留下了长长的轨迹。由于地球在绕着太阳转，星星每个晚上都会比前一晚提前 4 分钟升起（并且提前 4 分钟落下西方地平线）。图片版权：鲍勃·金*

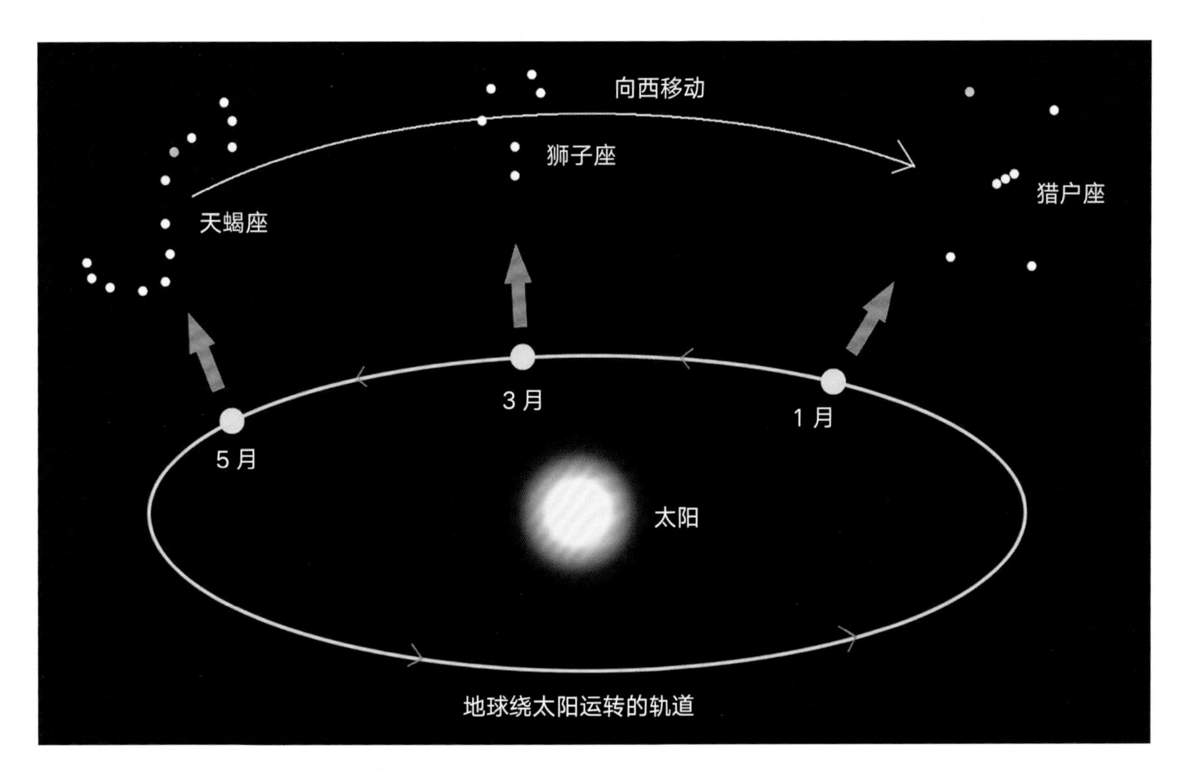

▲ *在我们环绕太阳的周年运动轨道上，我们晚上所面对的方向在一周一周地、一个月一个月地慢慢变化。1 月，夜幕降临时我们面对着猎户座，3 月，我们面对的是狮子座，5 月则成了天蝎座。地球的急速运动使星星每天向西移动 1°，或者说 4 分钟。这种较缓慢的“季节变化”，就叠加在每天因自转而呈现的天体升降现象上。图片版权：鲍勃·金*

活动：观察东方天空中明亮的星一周一周逐渐攀升，借此了解地球如何绕太阳公转

这是一个有趣的实验。选择一颗东方低空的亮星，接下来一周里，请你每天同一时间站在院子里的同一地点观察它的位置。你很快就会注意到一种奇怪的现象。随着一晚又一晚过去，这颗星会越升越高。如果你转过身，选择接近西方地平线的一颗星，它则会在同一周里越落越低。

每天晚上，星星都比前一晚提前 4 分钟升起，这是因为我们的地球在公转轨道上稳定前进着，于是我们的视角逐渐变化。时间累积，一周后，4 分钟就成了 28 分钟，一个月以后，星星会比一个月前提前 2 个小时升起。因此，星座以及其中的行星从东方越升越高，而西方天空的行星和星座则慢慢潜入地平线。

绕跑道奔跑一圈的过程中，运动员会经过欢呼人群中不同的脸庞。同理，地球在轨道上运动时，我们看到的星座也会不断变化。假设没有观众离场，运动员每跑一圈，人群的景象就重复出现一次。地球的“跑道”周长为9.4亿千米），地球以每秒30千米的速度奔驰，一年跑完一圈。冬天日暮时分，我们面对着猎户座这位猎手、双子座这对双胞胎以及金牛座这头公牛。来年春天，我们“拐过转角”，日暮时便面对狮子座、室女座和乌鸦座。秋天，飞马座来给我们加油，然后冬天又回到猎户座跟前。一年过去，我们又来到了开始的地方，继续跑下一圈，这场赛跑可是看不到头的。

地球的公转使得星座随着季节变换，跟地球自转引起的星空变化相比，这就像悠闲的散步。从主导不同季节的不同星座和恒星中，我们可以看出这种变化。

理解季节变化之后，你就能轻松回答这个常见的问题了：为什么只有冬天可以看到猎户座？1月，地球在傍晚时分面向猎户座的方向。到了4月，我们已经沿着轨道行进了约2.3亿千米，面朝空间中的另一个方向，即狮子座和巨蟹座的方向。猎户座仍在那里，但是它到了西南方的天空，并且马上就要离开夜空舞台了。等到6月，地球在跑道上前进了更多，此时猎户座和太阳同时在西方落下。如果你猜我们之所以看不到猎户座是因为它只在白天升起，那么恭喜你猜对了！

我们必须耐心等待地球的轨道运动将猎户座归还给我们。它首先会在8月出现在黎明时的天空，到11月最终回到傍晚的天空。

观星最有趣的一个方面，是我们会自动将星星与季节联系起来，就像我们会将季节与野生动物联系起来一样。织女星是组成夏季大三角的恒星之一。夏季大三角是一个著名的星群（恒星组成的图案），它在8月惬意的夜里，会高高地在你的头顶闪烁。而它在傍晚的现身，则意味着春季的来临。

不论关乎季节还是关乎个人，我们从恒星和行星中洞察出的联系都很多，而且很有意义。看到室女座的角宿一在东方闪烁时，我们正在为初开的花而喜悦。而猎户座的出现则意味着我们可以期待冰柱和北极的寒流了。

◀ 在这张长时间曝光的照片中，北极星几乎不动，因为它几乎就在地球自转轴的正北方。其他的星留下了不同的轨迹，具体长度取决于它们和北极星的距离。这些轨迹是地球夜以继日无休止自转的反映。一颗流星出现在右上方。图片版权：鲍勃・金

▲ *转动的地球就像一把旋转的雨伞，伞柄就像地球的自转轴。注意，当伞转动的时候，北极星保持静止，而伞内的“星星”则会绕着自转轴转动。图片版权：鲍勃·金*

活动：打开一把伞，将“伞轴”倾斜向北然后转动雨伞，借此理解星星为什么环绕北极星转动

为了更好地理解星星是怎样绕着北极星运动的，你可以打开一把伞，将伞柄想象成地球的自转轴，伞面内侧就像北半球的天空。我们将伞的中央，也就是伞柄和伞面相交的地方，当作北极星。为了让效果更逼真，你可以将几片宽胶带粘在伞面里充当星星。现在转动雨伞，你看到了什么？“北极星”不动，而粘上去的星则绕着它旋转。

作为和星星交朋友的人，观星者对这种现象十分了解。

现在你已经看到了地球的两种运动——自转和公转——如何让整个天空转动起来。现在，我们来探访一颗特别的星：以指示正北著称的北极星。回忆一下地球的自转轴，它是一条想象中的线，从地球两极穿过。如果你沿着北面的端点继续向外看向太空，会发现它几乎直直地指向北极星，北极星是小熊座的第一亮星。地球不论到了轨道上的什么地方，自转轴的指向都不会有多少变化，所以北极星就固定在天空中的一点，一动不动。在地球转动的过程中，北极星在北极几乎保持静止，而北天其他的恒星则缓缓绕着它旋转，就像舞者围绕着夏至日的篝火跳舞。

活动：在深夜观察星空和季节的奇妙联系

你有没有欺骗过季节？在夏天的傍晚，日暮时可以看到银河、夏季大三角、天蝎座、人马座等星座，我们将这些与夏季建立了联系。如果很晚还不睡，那么你可以看到地球的自转把夏季星座送到西面，并且用崭新的、闪亮的秋季星座代替它们的位子。如果你整夜不睡，就可以在清晨看到猎户座升起，短暂地现身之后被越来越亮的曙光淹没。晚上，地球持续转动，刚入夜时，夏季星座光芒四射，但是 10 小时之后，我们转了大半圈，就看到了初冬的信号。天空就像故事里能够窥探未来的水晶球，也会在旋转中给人们送来暗号。

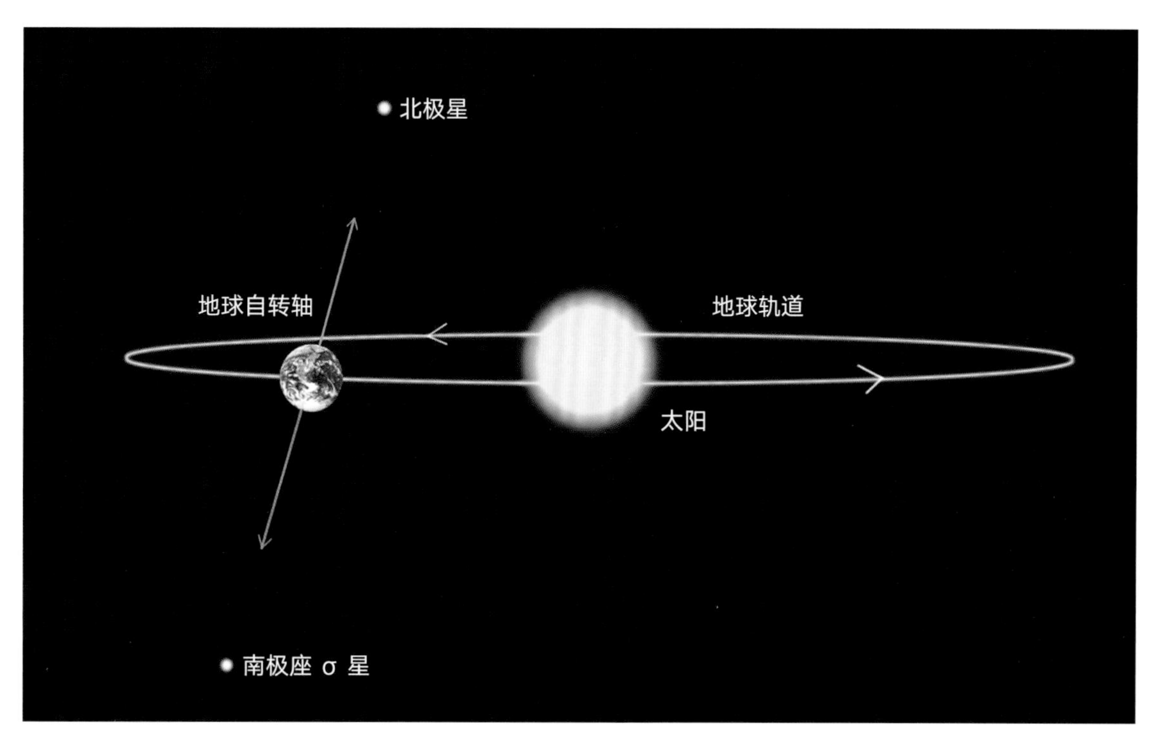

▲ *如果我们将假想的地球自转轴延长，那么北极这一侧的轴会指向指示北方的北极星，而南极一侧的轴则指向南方天空中暗淡的极地之星，它是一颗恒星，也是南方远处的南极座 σ 星。图片版权：鲍勃 · 金*

一颗星离北极星越近，它转的圈就越小，离北极星越远，转的圈就越大。轨迹大到一定程度会被地平线切断，拥有此类轨迹的星在我们眼中就会落下、升起。离北极星足够近的恒星和星座在转动过程中不会碰到地平线，所以整个晚上都看得到，它们叫作拱极星。

你所看到的北极星和你的纬度之间有着密切的关系，它在地平线上的高度与你的纬度相等。纬度是从赤道向北或向南的距离，单位以角度测量，北极点为+90°，赤道为 0°，南极点为+90°。明尼阿波利斯碰巧位于北纬 45°，也就是北极点和赤道的中间，所以在明尼阿波利斯看到的北极星总是恰好在地平线和天顶的正中间。如果你踏上旅途到达北极呢？你能猜到北极星会出现在哪里吗？没错——正头顶！在赤道呢？它会蛰伏在北方的地平线。你可以将雨伞倾斜，模拟任何纬度。但是，一旦你来到赤道南边，北极星就落到北方地平线以下，看不到了。

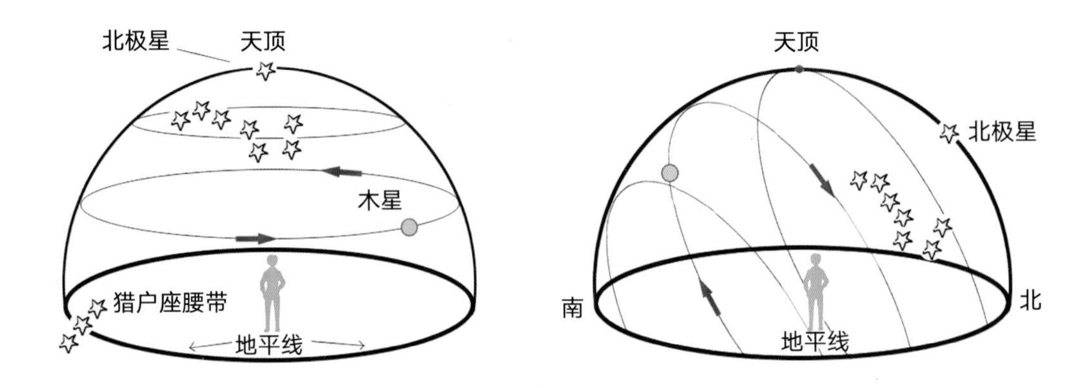

▲ *从北极点看（左图），北极星恰好在头顶，所有的星都画着平行于地平线的圈。所有星都是拱极星，没有星星升起、落下。在中纬度地区，只有靠近北极星的星才是拱极星。其他星画的圈被地平线切断，人们会看到这些星星升起、落下。图片版权：鲍勃·金*

你是否好奇过这个问题：有没有南极星？有的！南极星叫作八分仪座[1] σ 星，它是八分仪座（八分仪是航海中使用的一种工具）中一颗暗淡的星，位于地球自转轴南端的正上方。南半球的观星者喜欢用南十字星座作为指针来找到这暗淡的光点。

你的纬度还决定了哪些星是拱极星。我们回到明尼阿波利斯，这里的北极星在北方地平线到天顶的中央。在北极星附近 45° 范围内的恒星和星座是拱极星，它们绕着北极星旋转，不会沉到地面以下。在美国与加拿大的大部分地区观察，大熊座和仙后座的“W”形都是拱极星。这个范围以外的星，则会降至地平线以下，经过一段时间之后再次升起，这个时间长度对不同的星而言各不相同。距离北极星很远的恒星，比如你在南方天空中看到的一些星，在地平线以下的时间跟在地平线以上的时间一样长。

让我们继续向北，来到加拿大北极区。在这里，北极星闪烁在高得多的天空中。为了模拟这里的情形，你可以将伞的倾斜角度调整到接近直上直下。在更高的纬度，会有更多的星变成拱极星。当我们终于来到北极的时候，北极星在头顶闪耀，每一颗星都成为了拱极星。没有任何一颗会升起或落下，它们都在平行于地平线的圆圈上绕动。

因为在极点没有星星升起或落下，所以极地的观星者一生都和同样的星星困在一起。自转和公转仍然存在，星星依然在运动，但是永远也不会有新的星进入视野。你今天晚上看到的星和明天的是一样，和下一个季节的是一样，和明年的还是一样。

1　八分仪座即南极座，其英文 octans 直译即八分仪。该星座最早由法国天文学家拉卡伊命名，后来因其位置十分靠近南天极而被称为南极座。现在，八分仪座这一名称已不常用。——编者注

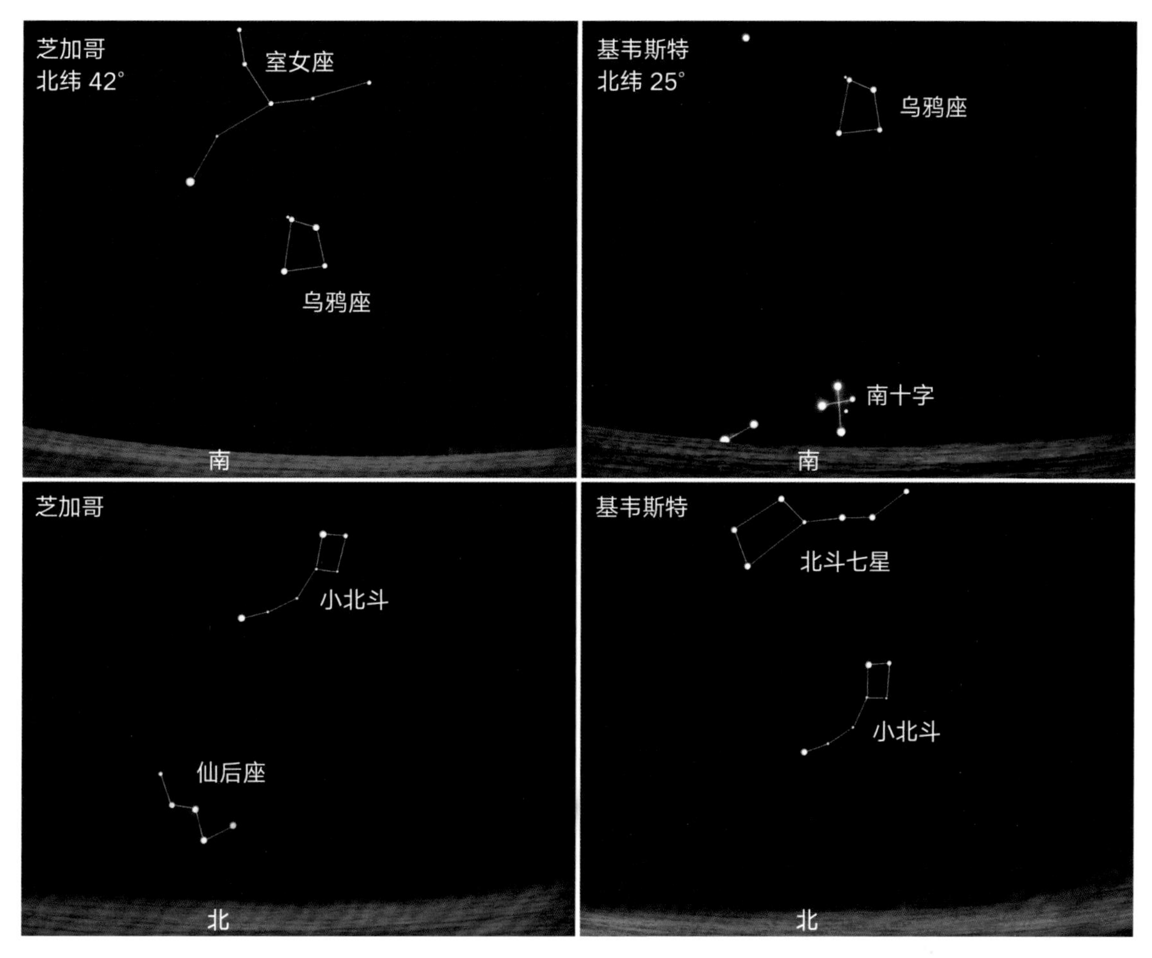

▲ *这张图展示了在两个不同地点分别以两个不同角度看到的天空景象。两个地点分别是伊利诺伊州芝加哥和佛罗里达州基韦斯特。时间是 5 月末的日落时分。在芝加哥，乌鸦座出现在南方低空。往南 17° 到基韦斯特，不仅乌鸦座更高了，而且南十字星座也出现在了南方地平线上。下方两幅图展示了向北看到的景象，在芝加哥可以看得到仙后座的"W"形，但是到了基韦斯特，它却落到了地平线以下。标注：鲍勃·金；图源：Stellarium 软件*

你一定还记得我们想象中向赤道进发的旅程，北极星会落向北方地平线。如果你住在北半球并且驾车向南，就像在后视镜中看到家乡退向远方一样，北极星和拱极星也会落向北方低空。同时，那些一直藏在南方地平线以下的星会升起来，在你向前的过程中一路攀升。如果你家住纽约（北纬 40.7°），却想看到南十字星座，那么就在春天去基韦斯特旅行一趟吧。傍晚时往南看向古巴的方向，你会看到这个风筝形状的星座在海湾温热的风中闪烁。

如果你继续向南，南十字星座会在南方的天空中越来越高，一起上升的还有许多其他星座，都是在中北纬地区看不到的，比如飞鱼座、苍蝇座，其中还有除太阳外距离地球最近的恒星——半人马座 α 星。你一越过赤道，就会看到南极座 σ 星刚好露出南方地平线。

同时，你背后的北天星座会滑向更低处。到了赤道，北极星溜出了视线，那些你所熟悉的、原本在南方天空的星座全都移过天顶到了北天。想要看它们，你必须转过身来，这时你会惊讶地发现它们全都上下颠倒了。毫无疑问，旅行会让你大开眼界，见识新的事物、人，还有星空。如果从来没见过南十字星座，你也不要难过，澳大利亚人也看不到北斗七星。北半球大多数居民都不晓得潜伏地平线另一边的星座，而我们头上的星空在澳大利亚人和南非人眼中也十分陌生。

你也可以选择向北旅行，但是如果你住在美国、加拿大或欧洲中北纬地区，这样的努力并不会让你看到新的星星。你只会丢掉南方天空中的星。在你向北去的路上，它们会一个接一个地消失。同时，随着北极星在天空中越来越高，北方天空的星会升起得越来越早，并且落下得越来越晚。这是为什么呢？因为北极星是天空的最北端，从这里向外的任何方向都是南。继续你的向北之行，越来越多的星会变成拱极星，等你到了北极点，所有的星都是拱极星了。

为了面面俱到，这里加上另外两个方向。向东或者向西旅行时，除了星星升起和落下的时间外，天空不会有任何变化。假设有两个观星者从两个纬度相同但经度不同的城市观察天空，比如同在北纬 39° 的辛辛那提和丹佛两个城市。辛辛那提的晚上 10 点是丹佛的晚上 8 点。辛辛那提的观星者看到的天空比丹佛提前 2 小时，这 2 小时是星向西移动的时间。丹佛的观星者需要多等 2 小时，地球的自转才会让星星出现在之前辛辛那提居民所看到的位置。星星还是那些星星，但是看到的时间不同了，时间差取决于具体经度。

▼这幅图展示了几个非常实用的重要概念，可以帮你更加便捷地探索天空：天顶、天子午圈、天体的高度以及地平经度。图片版权：Starry Night 软件

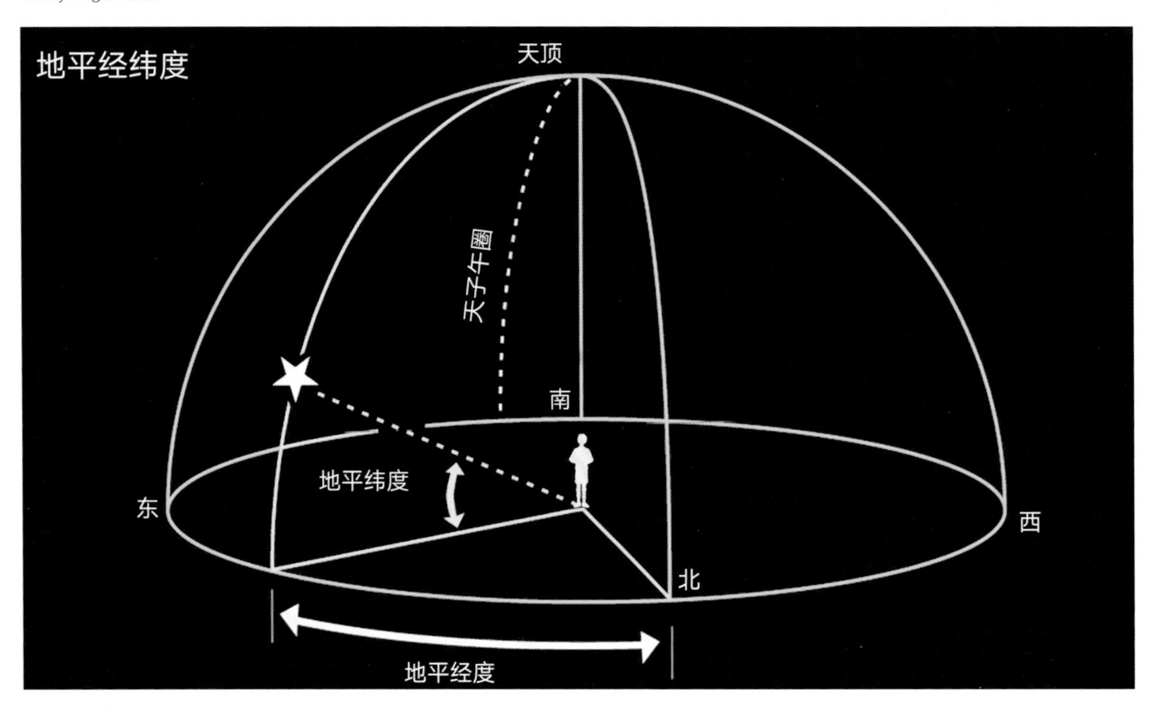

综上所述，地球自西向东自转，使得星星看起来好像每天晚上从东向西移动。除此之外，地球绕太阳公转还造就了星星的季节性移动。最后，地球自转轴的指向使得北极星和南极座 σ 星成为了“枢轴”，天空中的其他星星都绕着它们转动。这些你都已经知道了。

随着你更加熟悉天空，了解一些关于方向和距离的基本概念可以帮你更好地寻找目标。天体会在经过天子午圈的时候达到最大高度。天子午圈是一条假想的连线，从南方地平线上的正南开始，经过天顶，到正北方再次与地平线相接。恒星在天空中的运动从低空开始，在经过天子午圈时达到最大高度然后向西下降。拱极星会两次穿过天子午圈：第一次在北极星之上，在那里达到最大地平高度；第二次在北极星之下，此时是它们在天空中的最低点。

就像我们在第 1 章学过的，地平经度是以方位角度衡量的，正北方向为 0°，而正南为 180°。天体的大小和距离也可以通过角度衡量。月亮和太阳的直径都是 0.5°，因此月亮正好可以上演一场漂亮的日全食。如果你向天空伸直手臂，然后将小指伸出，那么它的宽度可以在天空中覆盖 1°，也就是两个满月的宽度。当金星和新月上演引人注目的金星合月景观时，它们一般相距 1° ~ 5°。

▼ 测量天空中的距离时，你的手是非常有用的工具，尤其是从一个星座跳到另一个的时候。伸直手臂后，你的小拇指可以覆盖天空中的 1°，而一个拳头则占据了 10°，这大约是北斗七星勺子凹口的宽度。图片版权：Starry Night 软件

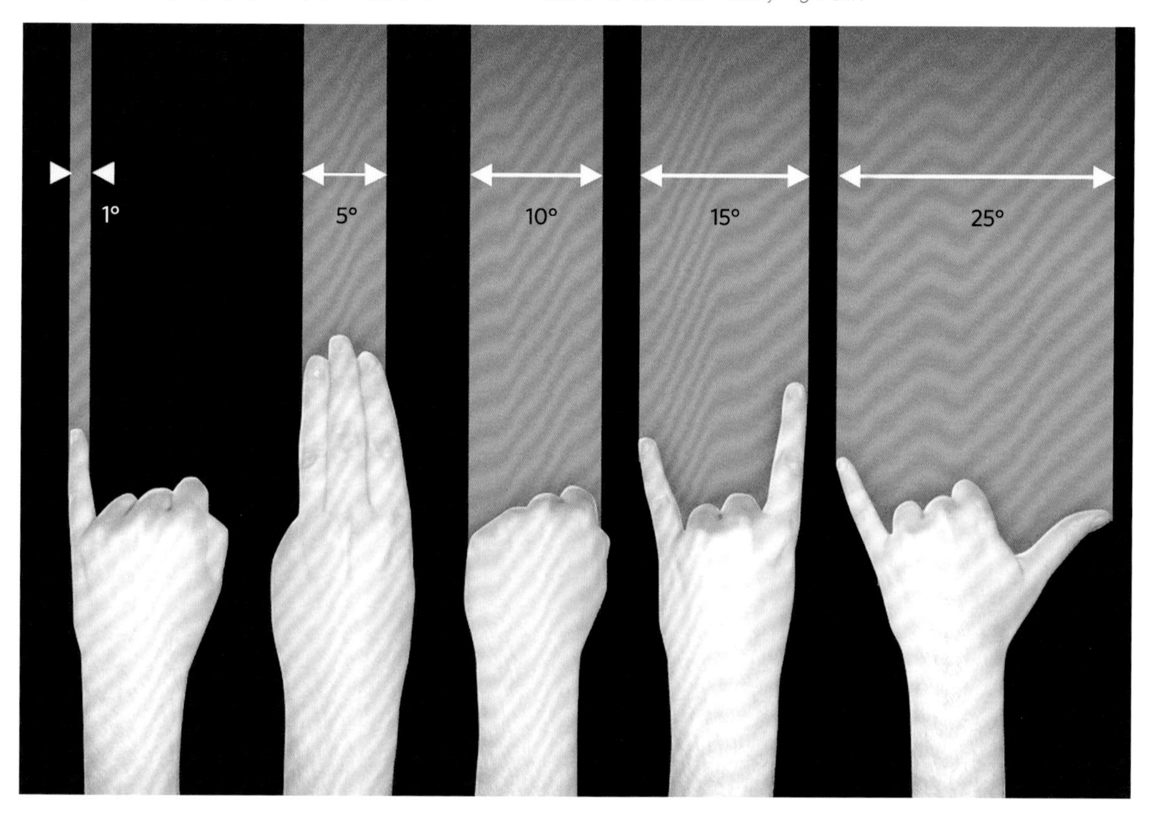

活动：练习使用手指和拳头在天空上测量距离

向天空伸直手臂，伸出中间三根手指——这就是 5°，也是北斗七星勺子凹口最后两颗星的距离。从一个星座跳到另一个的时候，你可以用握紧的拳头丈量距离，一拳约等于 10°。就像切比萨饼一样，角度又可以分为角分。1° 等于 60′，1′ 包含 60″。火星看上去最大时也不会宽于 26″，想要识别它的形状或者看到表面的细节，你需要望远镜。即使是最敏锐的双眼，也只能够分辨出宽 1′左右的天体。金星在天空中可以达到这样的大小，但没有几个人能够不用双筒望远镜就看到它的形状。

▼随着地球每年环绕太阳运动，从地球上看，太阳在空中画了一个大圆圈，这就是黄道。实际上，我们看到的不过是地球轨道的反映，因为绕圈的并不是太阳！黄道经过 12 个黄道星座。由于占星知识的流行，大家对这些星座都很熟悉了。下图：太阳曲折的轨迹（黄道），反映了地球自转轴的 23.5° 倾角。这一倾角使得太阳在夏季的天空中达到最高，在冬天最低。图片版权：鲍勃・金

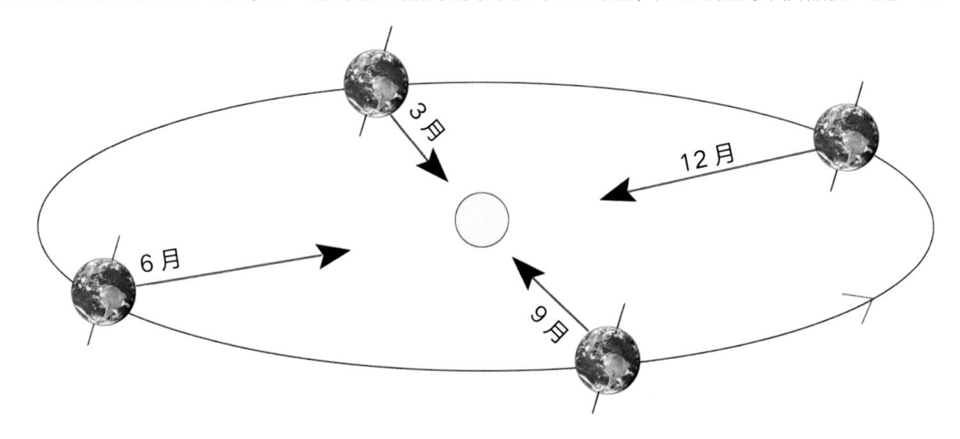

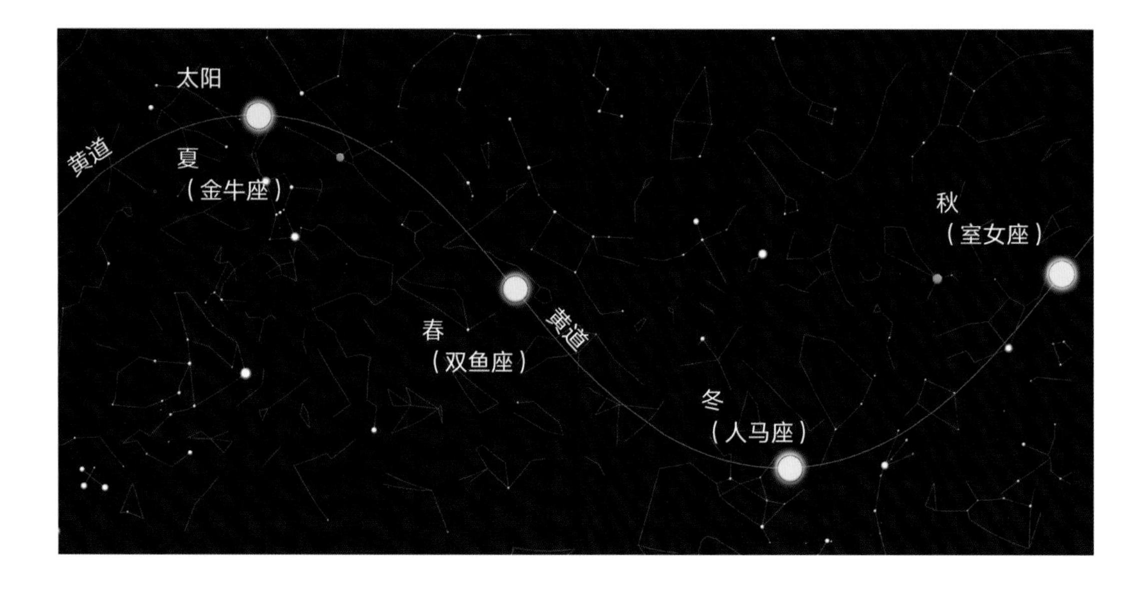

▲2016 年 2 月，裸眼可见的 5 颗行星同时出现在清晨的天空。因为太阳系相当“平坦”，行星和月亮的轨道跟地球轨道几乎在同一个平面内，所以你会发现这些星星总是出现在黄道附近，在 12 个黄道星座里。它们会在前行的过程中相互赶超，在天空中相遇，这时就发生了引人注目的“合”的现象。标注：鲍勃・金；图源：Stellarium 软件

我建议你熟悉一下自己的拳头和手指。在接下来的几章里，身体部位会帮助我们便捷地寻找星座。需要给亲朋好友指出一颗恒星或行星时，你会发现它们就在手边（不好意思，这里刚好双关）。你可以从一颗熟悉的明亮恒星开始，用拳头测量它与另一颗暗星的距离，这个技巧可以逐渐扩展你的观星清单。

每年，地球绕太阳旋转一周。如果在地球画一条线，跟随太阳，经过一颗又一颗背景恒星，那么这条线会在天空中画出一个大圆圈，这就是黄道。我们在地球上看，黄道就是太阳每一年在天空中走过的路径。如果去掉大气层，让天空不被照亮，那么我们在白天和晚上都能看到星星。于是，我们就会看到，太阳年复一年，经过相同的背景星座，沿着黄道行进。

我们每天从自己家走同一条路线去学校或者工作单位，太阳也会年年“经过”同一批星座。这令它们与众不同。我们管这些星座叫黄道带星座。古时候，人们将黄道带——天空中沿着黄道向两侧分别延伸约 8° 的条带——上的恒星分成了 12 个星座，它们的名字耳熟能详：白羊座、金牛座、双子座、巨蟹座、狮子座、室女座、天秤座、天蝎座、人马座、摩羯座、宝瓶座和双鱼座。

对观星者来说，幸运的是，太阳系差不多跟佛罗里达州一样平坦，各个行星的运行轨迹和地球轨道几乎处于同一平面。也就是说，漫游中的行星就像太阳一样，总是在黄道上的黄道星座中行进。顺便说一下，英文中的 ecliptic（黄道）从 eclipse（日食／月食）这个词演变而来。月亮的轨道与地球的轨道平面相比倾斜了 5°。围绕地球转动的时候，月球会两次经过黄道，一次是在向北的过程中，一次是在向南的过程中。日食／月食总是在月亮刚好处在这两个交点，又正好是新月（此时发生日食）或者满月（月食）的时候发生。当不止一颗行星同时出现在天空时，我们很容易将黄道想象成一条行驶着繁星的高速公路。

现在，既然已经了解了地球的倾斜、自转和公转如何影响我们看到的夜空景象，就让我们潜入星座吧。

第 4 章

深入北斗

在这一章，我们先学习一些与星座有关的历史知识，然后来认识大熊座和它的同伴仙后座、仙王座、天龙座。我们还会学习光年的含义、恒星亮度等级，认识行星与恒星有何不同。

本章重点

- 寻找北斗七星
- 寻找北极星
- 寻找小北斗
- 寻找仙后座的“W”形
- 寻找仙王座 γ 星和石榴星
- 试试眼力，找到天龙座的“菱形”

从本章开始，我会使用 5 个不同的级别评定看到一个星座的难易程度。1 代表最亮也最容易看到的星座，而 5 代表最暗淡、最难以看到的星座。我们从容易看到的星座开始，用它们找到较暗的星群。在星图上，大的点代表亮的星，非常小的点则代表暗弱的星。

大熊座

最佳观星时间：1 月至 8 月

难度级别：1

如果你请一个人列举北半球最容易辨认的星座，对方很可能首先说出北斗七星。北斗星几乎人人都见过，没见过的人也可以在别人的指示下快速认出它来。观星者在一年的很多时间里都可以看到这个星座，因为对于中北纬地区，大熊座是拱极星或者很接近拱极星，这一点十分方便人们熟悉它。每个晚上，它都会出现。但是这里有一件趣事：北斗七星根本不是一个星座。天文学家管它叫星群，也就是由数颗恒星组成的一个易辨认的明亮图案。在北斗周围，还分布着代表头、腿和爪子的星星，这些组成了一个大得多的图案，这就是大熊座。

▲北斗七星很容易辨认，它是大熊座的一部分。图片版权：鲍勃·金

整个天球，包括南半球和北半球，分布着已得到公认的 88 个星座，大熊座就是其中之一。星座大多是由恒星碰巧排列而成的，它们看起来比较靠近但实际上并没有联系。它们与地球之间的距离其实大为不同，但这些星星都太过遥远，这影响了我们的判断。它们看上去处在同一个平面，就像同一张纸上的点。如果我们可以乘着火箭飞上太空，从另外一个方向看同一个星座，这些星星会组成完全不同的图案。

88 个星座中，约有 48 个源于巴比伦时代，由古希腊人和古罗马人传给后世。在他们身后，阿拉伯人保留下了这些人物和动物的形象，并且进行了命名，也添加了他们自己的星群。15 世纪初到 17 世纪，欧洲扩张。为了命名南半球的人前所未见的恒星，海员和天文学家提出了新的形象，比如孔雀座、金鱼座，等等。天文学家和星图绘制者还在明亮、古老的星座中间圈定了其他星座。有些用奇异的动物和地方来命名，还有一些用来纪念当时的高科技，比如天炉座（化学炉具），还有望远镜座（望远镜）。

这些星座有的保留至今，有的已经不再被人提起了，比如青蛙座、猫头鹰座还有乌龟座。它们从来没被广泛认可过，很快就遭到淘汰。如今我还会怀念它们，我很乐意牺牲掉唧筒星座，让这些星星换回猫头鹰座的名字。唧筒的意思是气泵。每个星座都有一个故事。最早的 48 个星座大多数都是纪念神、英雄和奇兽的。黄道带的 12 个星座中有 8 个是人或半人半兽。英文中 zodiac（黄道带）这个词和 zoo（动物园）有着同样的词根，含义是“动物的圈”。

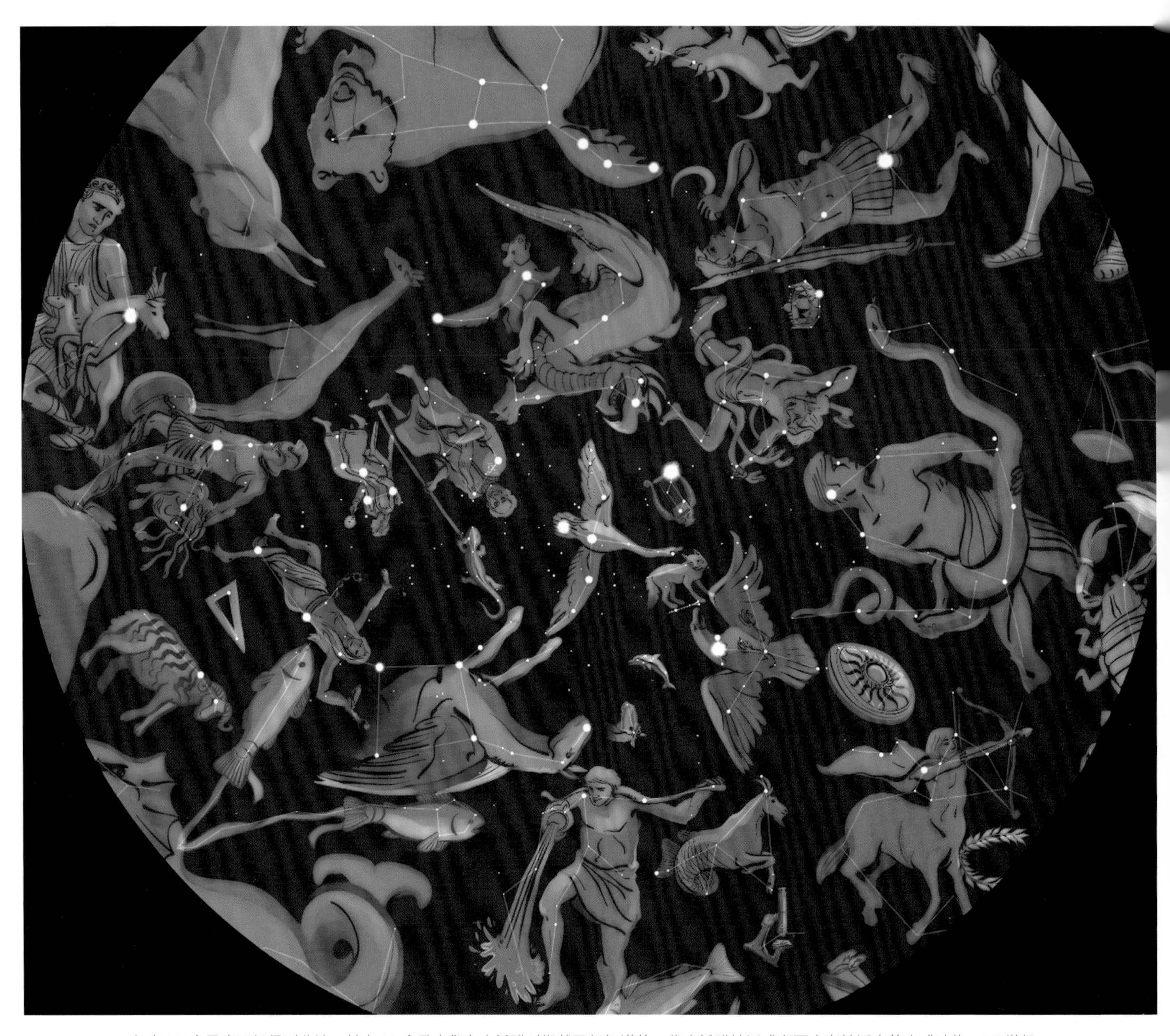

▲有 88 个星座已经得到公认，其中 48 个是人们在古希腊时期就已经知道的，代表希腊神话或者更古老神话中的人或动物。16 世纪和 17 世纪，天文学家和星图绘制人员添加了新的星座。图源：Stellarium 软件

关于星座，我听到的最大的怨言是，它们看起来和名字不符。这是有原因的。第一，由于光污染，我们通常看不到较暗淡的星，而那些星可能让星座的整个形象更契合它们的名称。大熊座就是一个典型的例子。北斗七星的七颗亮星可不像一只熊，但是如果将周围的暗星一并囊括的话，相似度就不低了。注意，指出这些简单形象的人，可是一生都住在黑暗天空下。第二，人们已经尽力去找最近似的形象了，这里多少需要一点想象去填补不足。

其实，有些星座看上去很像它们的名字，比如我马上就会想到的天龙座、海豚座和天蝎座。至于其他星座，比如宝瓶座像不像汲水者，白羊座像不像公羊，就看你是否愿意相信它们名副其实了。看到其全貌的时候——包括双腿、两个脚趾的爪子还有勺柄变成的尾巴——大熊座确实能让人想到一只熊，而且是非常大的一只。大熊座是第三大星座。

▼*由于地球环绕太阳转动，所有的星座都随着季节而迁移，北极星附近的也一样。冬天，北斗七星竖立，出现在东北方的天空，春天，它几乎来到头顶，夏天，这个星群转移到了西北方向的天空，等到秋天来临，整个大熊座到了北方的低空，踩在树顶上。北斗七星勺子凹口顶端的“指示星”，一年之中总是指向北极星。标注：鲍勃·金；图源：Stellarium 软件*

活动：寻找北斗七星

北斗七星是一个拱极星星群，夜以继日地绕着北极星旋转。冬天，它仿佛在北天底部经过了一个秋天的休眠，急着要回来一样。此时，它出现在东北方向两三个拳头高的天空，勺柄竖起。如果一整晚都留意北斗七星的位置，你就会看到地球的自转如何将它“提”得越来越高。在凌晨时，北斗七星来到了头顶，接下来又逐渐降落，清晨时来到西方。这里还有一个观赏北斗七星旋转的方法：等待地球绕太阳的公转慢慢地将这些星旋转，看它们一夜一夜、一周一周升得越来越高。到了 4 月，大熊在日落时分时几乎站在头顶。8 月，它绕到了西北方的天空三四个拳头的高度上。然后等到红叶飘零的时候，大熊回到了它在北方地平线上的巢穴。这循环令人愉快，也给了我们很多机会去看到熊先生的全部轮廓。

▲ *在勺柄弯曲的地方，是明亮的开阳和它的伴星辅。它们是非常适合裸眼观察的两颗星。如果你能够比较轻松地将它们分辨开来，那么你的视力很棒；如果不能的话，你可能需要眼镜了。标注：鲍勃·金；图源：Stellarium 软件*

马与骑手

最佳观星时间：3 月至 4 月

难度级别：3

像天空中的很多亮星一样，北斗七星中的每一颗都有正式的名称。大部分恒星的英文名取自对应的阿拉伯语名（或者其变体），北斗七星也不例外。位于勺柄弯曲处的开阳星英文名为 Mizar，来自阿拉伯语，本义是“大腿根”。如果你的视力不错，就能看到开阳略暗淡的伴星，辅。两颗星紧紧挨着，看上去组成了一对双星。它们确实是一对双星，由万有引力束缚在一起，相互绕转。这两颗星也被称为“马与骑手”，看上去名副其实，而且阿拉伯文化中有相应的故事。从古时候起，这对双星就被用来测试人的视力。一句中世纪的拉丁语谚语中也提到了辅：“他看到了辅却没看到满月”（Vidit Alcor，at non lunam plenam），指纠缠于细枝末节而忽视重点。

▼ *天体太过遥远，天文学家不再使用千米和米，而是使用光年这样的单位。图源：NASA / ESA（European Space Agency，欧洲航天局）；图片版权：鲍勃·金*

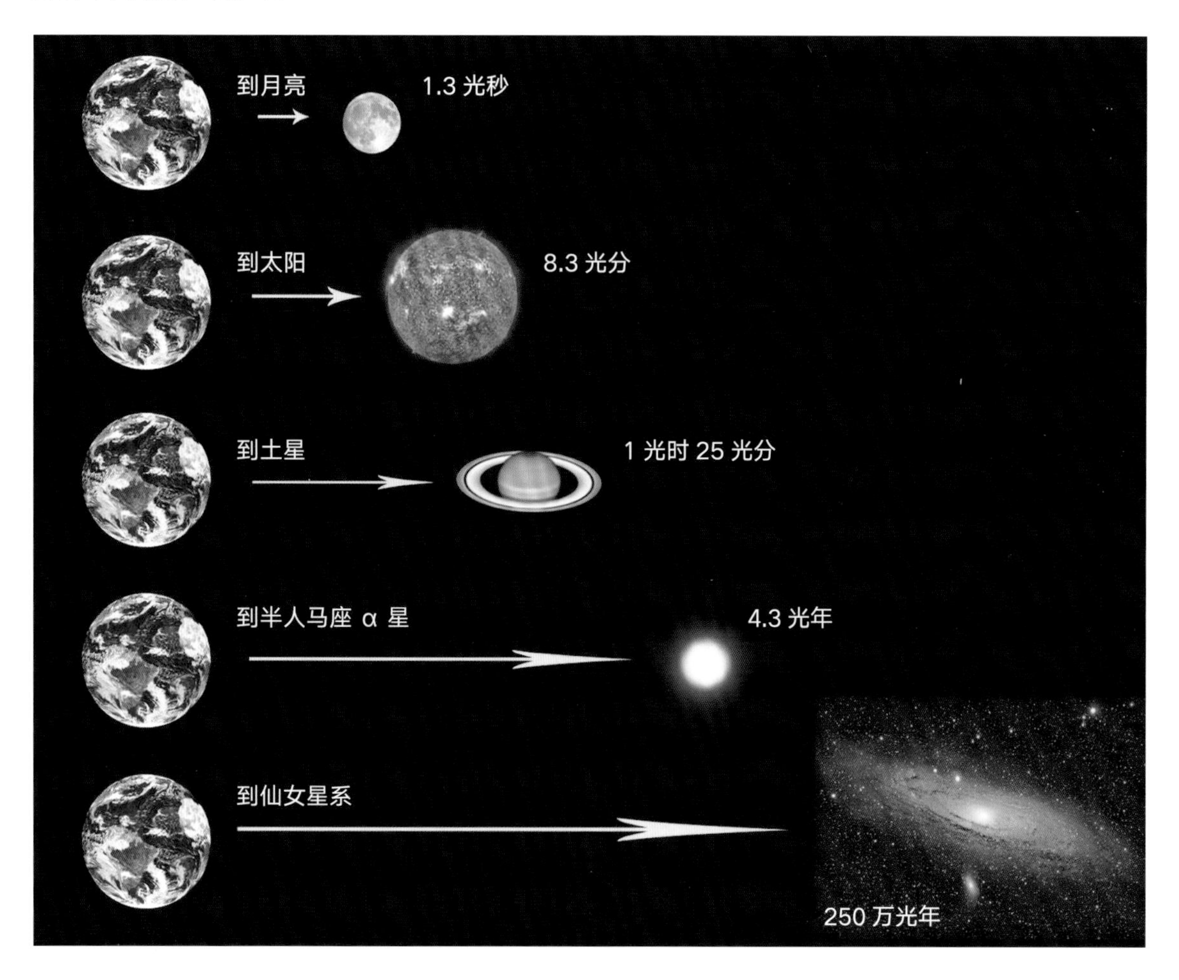

如果我们的眼睛可以像 100 万毫米的长焦镜头一样进行放大，我们会看到辅本身也是一颗双星，而开阳共有六颗星！北斗中的开阳、玉衡、天权、天玑、天璇，一起组成了一个疏散的星团，在太空中移动。这个星团叫作大熊座星协，其中的星距离地球大约 80 光年远。天枢和摇光与这个星协无关，它们只是看上去和北斗中的其他恒星碰巧相近，但却朝着太空中完全不同的方向前进。全部七颗星都绕着银河系中心旋转，它们的运动会逐渐改变北斗七星的形状，在遥远的将来让它变成另一个模样。

星星遥远得不可思议，使用千米作为距离单位会出现太多个 0。天文学家喜欢用的单位是光年，即一束光在 1 年中前进的距离。光的速度是每秒 30 万千米，1 光年约等于 96000 万亿千米。以人类的标准来看，这是非常遥远的距离，然而对于恒星来说，这却是微小的一步。南门二，即半人马座 α 星，是离太阳最近的恒星，距我们 4.3 光年远，也就是 41.8 万亿千米。现在你知道我说的 0 太多是什么意思了吧?

月亮只有 1.3 光秒远，而太阳有 8.3 光分远。如果太阳上发生了重大灾难，我们在开始的 8.3 分钟里什么也不会知道，直到光到达地球。而天狼星如此明亮也不仅仅是因为它比太阳亮 26 倍，还因为它只有 8.6 光年远。天鹅座中的天津四几乎是裸眼可见的最遥远的亮星，它距离我们至少 1400 光年远。下次你看到它的时候，想一想接触你虹膜的星光，它在公元 600 年，罗马帝国衰落不久之后，已离开了那颗恒星。

小熊座

最佳观星时间 : 全年（勺头站得最高的时间是仲春至夏末）

难度级别 : 3

活动 : 寻找北极星

好消息是，大熊离小熊不远。北斗七星勺子凹口前方的两颗“指示星”指向北极星，我们从这里就可以非常方便地找到小北斗其余的部分。伸出手臂，沿着指示星所指的方向延伸三个拳头的距离，你就找到了北极星。它在北方天空的正中央，是小北斗勺柄的端点。这个星座的拉丁名叫 Ursa Minor（意为小熊），它比大熊座要暗淡得多，因此也更难看到。也许是因为北极星很出名，很多第一次观星的人都以为它一定是天空中最亮的星。事实远不是这样，说它是第 48 亮还差不多。

北极星亮度虽不足，位置却很完美。它占据着北天枢轴的位置，赤道以北的所有恒星看上去都在绕着它旋转。北极星的亮度是＋2 等，跟组成北斗七星的恒星相同，所以它和大熊座一样，在郊区就可以看到。但是小熊座的其余部分就不一样了。小勺柄由 4 等星组成，要在黑暗的天空下才能看得到。勺头的帝星跟北极星亮度相当，相对容易看到，但和它毗邻的太子星要暗 1 等。它们一起组成了一个小星群，叫作“北极守护者”。

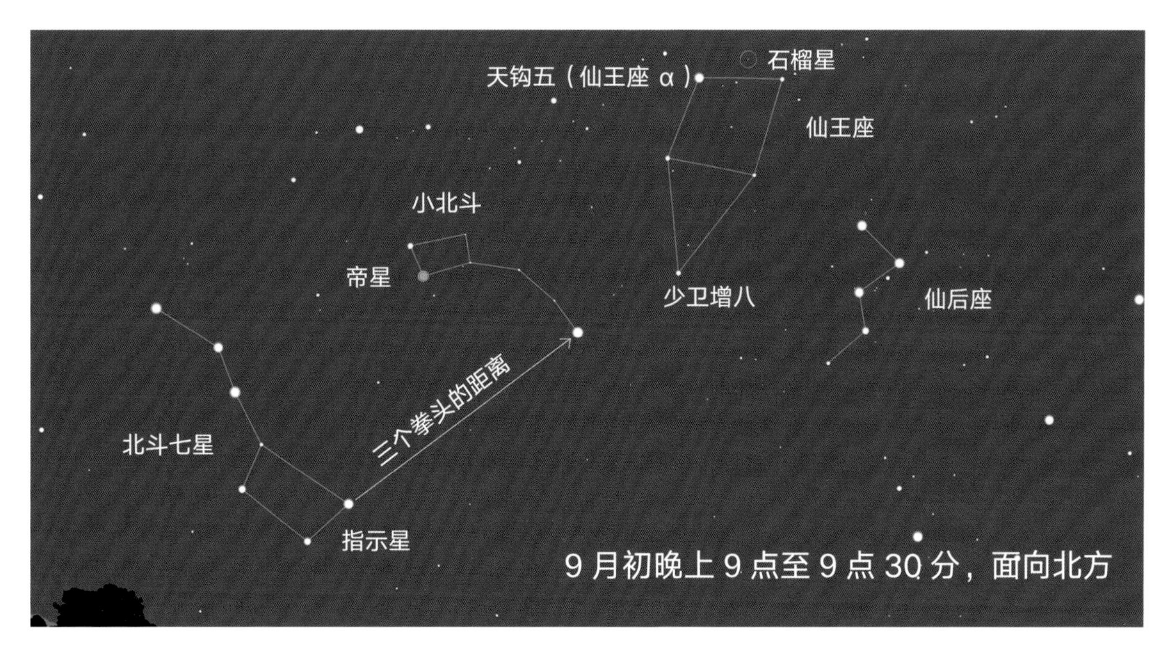

▲ *这幅图展示了 9 月初晚上 9 点左右向北看到的天空，并且标出了北斗七星、小北斗、仙后座和仙王座。来找一找石榴星吧，它在裸眼可见的恒星中个头极大，位于从仙王座 α 星向外（右）三根手指处。从北斗七星的两颗“指示星”画延长线，你就能找到北极星。标注：鲍勃 · 金；图源：Stellarium 软件*

星等

我们通过小北斗的相对暗淡来理解星等的概念。星等是一个天文学术语，用于描述天体的明亮程度。星等是在公元前 129 年由希腊天文学家喜帕恰斯提出的。他制作了最早的恒星位置一览表，将最亮的恒星称为 1 等星，因为肉眼看上去它们最大也最亮。下一级别是没有这么亮的恒星，称为 2 等星，一直到 6 等星。6 等星是喜帕恰斯所能看到的最暗的恒星。在电气照明被广泛应用之前，任何视力不错的人碰到晴天都可以看到 6 等星。而我们现在大多数人住在城市附近，这里的平均亮度极限——你可以看到的最暗的星——是 3 等或 4 等星。城市居民能看到 1 等星就算幸运了！

相邻星等之间亮度相差 2.5 倍，也就是说 1 等星比 2 等星亮 2.5 倍。因此，1 等星比 6 等星要亮 2.5×2.5×2.5×2.5×2.5 倍，约为 100 倍。伽利略发明了望远镜，将亮度等级从裸眼可见的 6 等，扩展到了约 9 等，而哈勃空间望远镜则可以看到 30 等星。

在另一端，随着天文学的成熟，天文学家发现并不是所有的亮星都同样亮，有些比其他的更亮。即使不太认真的观星者也能注意到这一点。而现在除了负数的领地，更亮的星已经无处划归了，人们只好将星等从 1 等扩展到了 0 等甚至负数等。

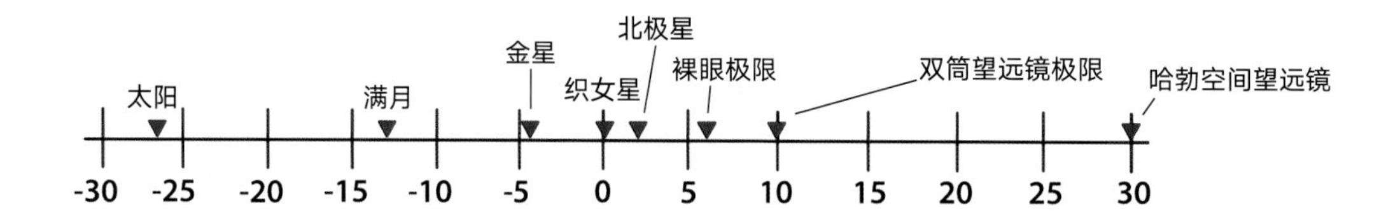

▲ *我们使用星等来衡量一颗恒星的亮度。在黑暗无月的夜晚，裸眼可以看到的最暗的星是 6 等星。恒星越亮，星等数字越小，所以 1 等星比 6 等星要亮得多（约 100 倍）。最亮的恒星的星等是负数。图片版权：鲍勃・金*

以更现代的亮度等级去衡量，火星的星等在 +2 等到 −3 等之间，最暗时大约跟北极星相仿，最亮时则比全天最亮的恒星天狼星（−1.5 等）还亮。火星的亮度之所以会发生如此大的变化，是因为火星与地球的距离时近时远。在所有行星中，最亮的是金星，可以达到 −4.9 等。而满月最亮时可以达到 −13 等，仅次于 −27 等的太阳。在乡间，典型的裸眼可见的最暗星是 +6 等星。总共算起来，在全世界全年共有 9096 颗星在黑暗天空中是裸眼可见的。我知道，当你去野外黑暗的地方露营时，满天繁星看上去好像十倍于那个数字，但那的确是官方统计的结果。

尽管有些违背直觉，但负数星等数字越大，星星就越亮，而正数星等数字越大，星星却越暗。确实有点怪，但是我相信你试个几次就能掌握了。一个物体的亮度和它与地球的距离有很大关系。即使是像行星、月亮这样的小个头天体，或者是原本暗淡的恒星，只要离得近也可能看起来很亮。而一颗闪耀的超巨星，即便比太阳亮几百倍，也可能因为离得太远而看起来暗淡。当我们看绘制着恒星和星座的星图或星表的时候，要记住，“点”越大，这颗星就越亮。

北极星是一个很好的例子，可以证明距离的欺骗性。这是一颗黄色的超巨星，比太阳大 45 倍，亮 2500 倍，可是因为距离我们 430 光年远，它看上去十分普通。倘若它的距离是现在的 1/4，它就会是全天最亮的恒星。

活动：寻找小北斗

除非你向南来到北纬 20° 以下的地区（墨西哥南部，中美洲），不然北极星和它近旁的伙伴们永远都不会落下。到了北纬 20°，太子星会在冬天短暂地落到北方地平线以下。除了这一种情形之外，任何感觉到小北斗正看着你的晚上，它都在那里。你可以使用指示星找到北极星，然后用星图来追踪小熊座精细的外形。这里有一个便捷的经验法则：两个北斗的勺子会向对方“倾泻”。春天，北斗七星的勺子在上面向小北斗的勺子倒水。秋天的时候，它们的角色就换过来了。

离开熊宝宝和熊妈妈之前，我们来看一看帝星，它也被称为小熊座 β 星。希腊字母是由德国星图编制者约翰・拜耳（Johann Bayer）引入的，用来给星座中的亮星命名。北极星也被称为小熊座 α 星。每个星座最亮的星被称为 α 星，第二亮的则是 β 星，第三为 γ 星，以此类推。

大部分恒星看起来是白色的，这是因为它们实在太暗，无法刺激负责颜色视觉的视锥细胞感受器。帝星是少见的显露颜色的星。虽然远远比不上猎户座红彤彤的参宿四，但是仔细观察后你就会看到，它泛着微微的红橙色。这颗不事张扬的恒星是一颗巨星，比太阳大 42 倍，亮 450 倍，距离地球 131 光年。

仙后座

最佳观星时间：8 月至 2 月

难度级别：1

活动：寻找仙后座的“W”形

几乎所有人都能找到仙后座的“W”形。我只需向天空一指，问：“看到五颗星星组成的锯齿了吗？”即使你以前从未见过这个星座，也会立即认出它。回到北斗七星的指示星，重新向北极星画一条线，但这次不要停下，继续向前大约三个拳头，你就会迎头撞上仙后座。

这个星座以希腊神话中自大的王后命名，王后曾吹嘘自己的美貌，并给自己的女儿安德洛墨达（Andromeda）惹上了大麻烦（之后再详述这一点）。它首次在傍晚的天空中现身是在 7 月，出现在东北方。到了 12 月，你要把头使劲往后仰，才能欣赏王后的美。而当你这样做的时候，会发现“W”倒过来变成了“M”。

仙后座不偏不倚地坐在银河正中。银河像一条雾蒙蒙的丝带，从一个半球到另一个半球，环绕着整个天空。它雾蒙蒙的外表，掩盖了藏身其中的数十亿颗恒星。其中大部分恒星遥远而暗淡，它们的光芒混合成了连续的光雾。星团和星云（正在膨胀的发光气体壳）不时打断光雾，掩藏起更深处的恒星。晚秋，仙后座来到头顶高处时，使用双筒望远镜的观星者会发现“W”形是一片值得探索的沃土。

仔细看看“W”形中间那颗仙后座 γ 星。它由灼热而扁平的气体盘包围。气体盘发出闪耀的光，并且常常爆发，导致这颗星突然变亮然后再逐渐暗淡，星等在 1 等到 3 等之间变化。目前，它稳定在 +2.2 等，但是谁知道它什么时候会再次爆发呢？

就像北斗七星的爬升会提醒我们春天快来了，傍晚东北方天空中“W”形的归来意味着秋季的降临。

▲ *就像北斗七星一样，仙后座在一年之中（或是在漫漫长夜里）也会改变朝向。春秋的时候，它像一个锯齿形，冬天是“M”，而夏天则是“W”。图源：鲍勃·金 / Stellarium 软件*

仙王座

最佳观星时间：6 月至 12 月

难度级别：3

仙王座是王后身旁宝座上的国王，位于小北斗和仙后座之间。这五颗暗淡的恒星排列成一个五边形，总让我想起小孩子画的房子。仙王座看起来比仙后座暗淡，所以被很多观星者忽视了。国王似乎总是在王后面前黯然失色。

▲ *恒星大小不一，有城市一般大小的中子星，也有像石榴星一般的红超巨星。石榴星的直径是太阳的 1650 倍。如果将它放在太阳的位置，这颗浮肿的星球差不多能碰到土星轨道！本图部分信息由鲍勃·金标注。图片版权：戴夫· 贾维斯（Dave Jarvis）/ 维基百科*

活动：寻找仙王座 γ 星和石榴星

要拜访国王陛下的话，请从北斗的指示星出发，到达北极星后，再向前一个拳头处就是第一颗明显的恒星。那就是少卫增八星（仙王座γ星），它是一颗 3 等星，组成了五边形的一个顶点。继续向远离北极星的方向前进两个拳头，你会看到更亮的天钩五。现在将暗些的星连接起来，形成五边形。请再次好好观察少卫增八星，在它的光芒里，隐藏有一颗和木星差不多大的行星，你可以脑补一下，它名叫仙王座 γB 星，围绕着其恒星旋转，周期为 2.5 年。它是截至 2016 年人们发现的 3400 颗地外行星中的一颗。

找到了仙王座，就去拜访一下石榴星吧。虽然它看上去是个普通的光点，但想到它的真实面目十分庞大，你就知道它值得一看。它也被称为仙王座 μ 星，是一颗红超巨星（猎户座的参宿四的同类），而且几乎是整个星系最大、最明亮的恒星。它是貌不惊人的 4 等星，但这是因为它在距离我们 1800 光年之外的地方。如果我们可以把仙王座 μ 星运到我们的太阳系，并且放在太阳的位置，那么它的表面几乎可以碰到土星轨道。尽管裸眼看不出颜色，但是使用双筒望远镜，你很容易看出它像燃烧着的橙色灰烬。

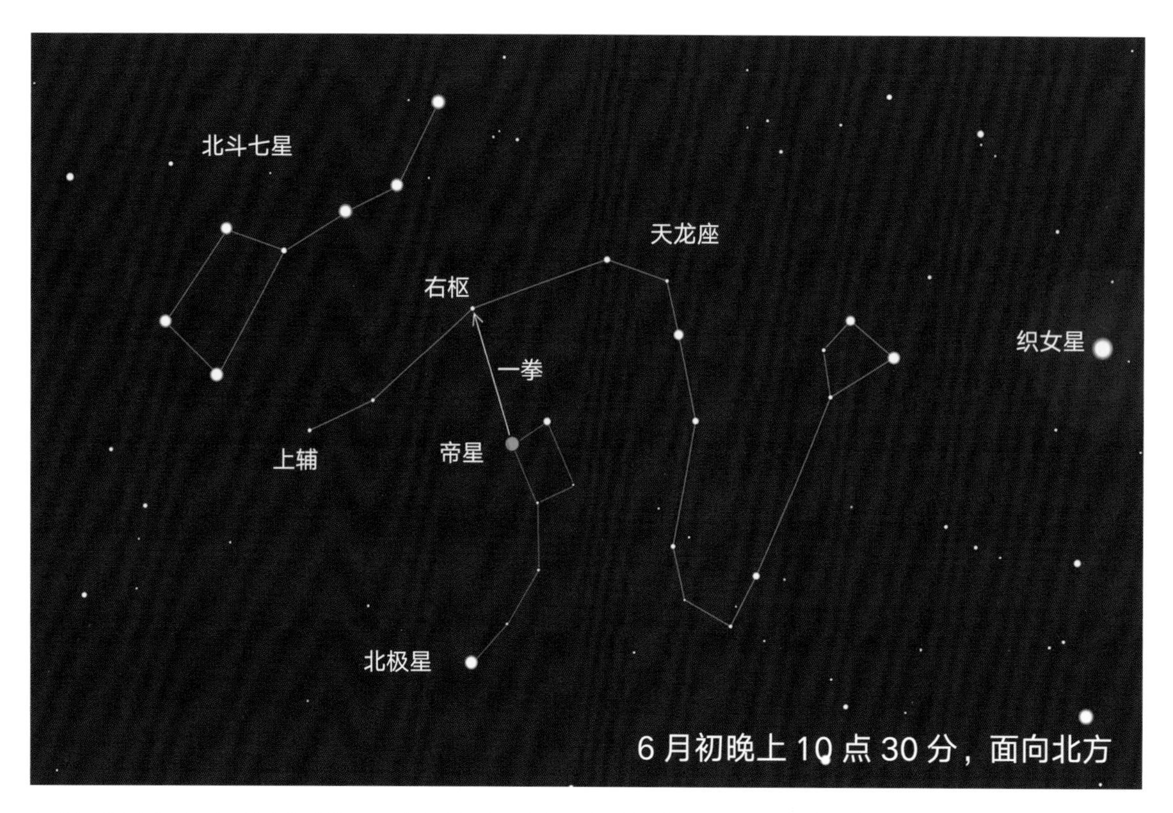

▲ *想要找到右枢星，你需要先找到北极星，然后找到小北斗勺头的帝星。右枢就在从勺子顶端往北斗七星方向一拳的距离。虽然只有 + 3.6 等，比帝星要暗，但是在郊区的天空并不难看到。几千年前，埃及金字塔正在崛起的时候，右枢曾经是北极星。标注：鲍勃·金；图源：Stellarium 软件*

天龙座

最佳观星时间：5 月至 10 月

难度级别：3

不管是在小朋友中还是在成年人中，这个星座都大受欢迎。这可能是因为我们都悄悄地爱着龙吧，但即便你不爱，你也会同意，这个星座看起来和它的名字十分相符。

我们之前了解过，地球的自转轴指向北极星，但是在公元前 2700 年左右，它却正对着天龙座的右枢。如果不嫌太暗的话，在建造埃及金字塔和巨石阵的年代，右枢是一颗非常棒的星。它正是古人的指北星。

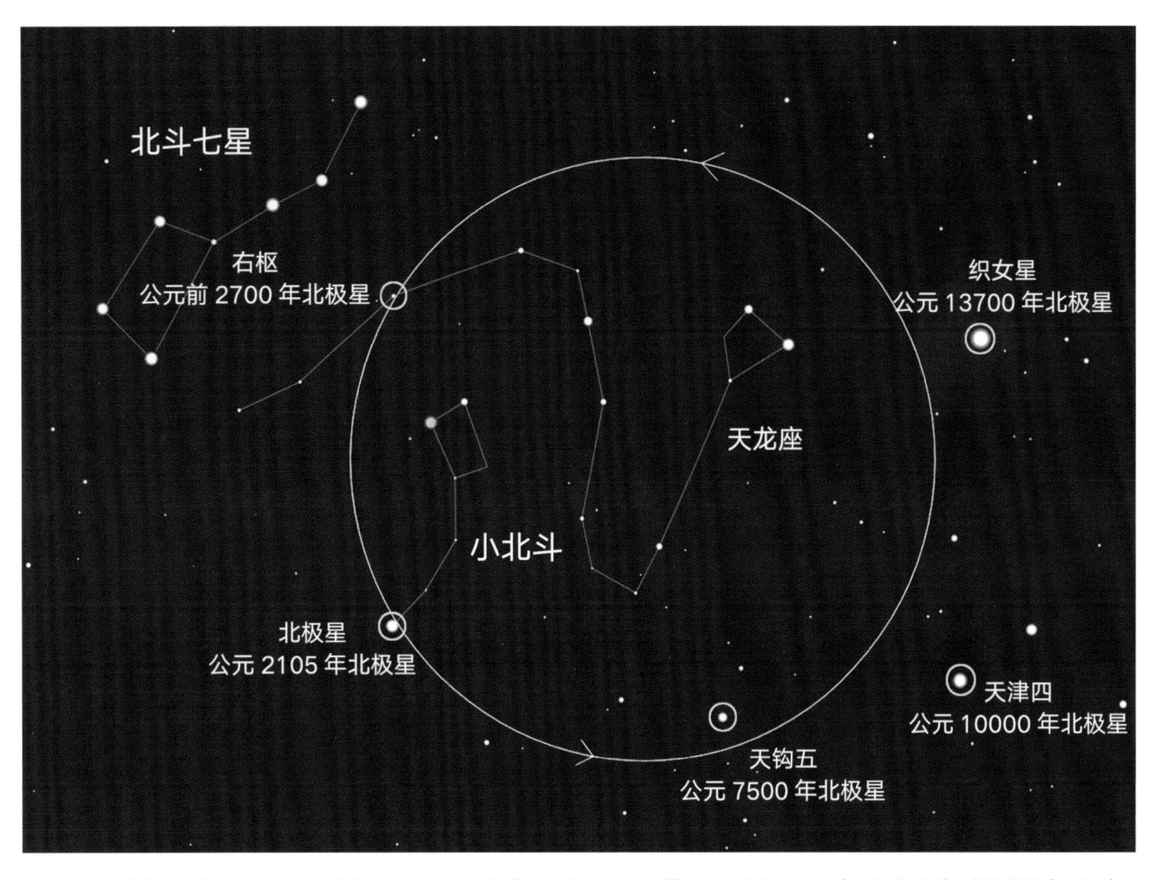

▲ *虽然地球自转的倾角保持不变，但自转轴会因进动而在北天画出一个大大的圈，周期为 26000 年。很久以前，自转轴指向右枢（以前的北极星），12000 年之后，它指向明亮的织女星。标注：鲍勃·金；图源：Stellarium 软件*

活动：试试眼力，寻找天龙座的“菱形”

6 月和 7 月没有月光的晚上，是捕猎天龙的最佳时机，但一年中的其他时间也可以看到这个星座。我们先找天龙座的尾巴，尾巴的标志是暗淡的 4 等星上辅。它也在北斗指示星的这条直线上，约莫在一个拳头远的地方。注意到了吗？我们用北斗七星寻找所有拱极星座。在接下来的每一组季节性星座里，我们还会使用这个策略：从一个明亮而熟悉的星群开始，寻找周边的目标。

从上辅星，沿着同样暗淡的恒星组成的小径，绕过小北斗旁侧后再向回转，来到一个小小的不规则四边形，这就是天龙的头。这个四边形的样子足够特别，于是获得了“菱形”的名号，这也是拱极星中一个人们比较熟悉的星群。在最适合观察天龙的春夏时节，明亮的织女星就在菱形南侧一拳半的距离外闪烁。于是织女星提供了寻找天龙的另一个办法：从织女星的方向朝着北斗七星的方向寻找。

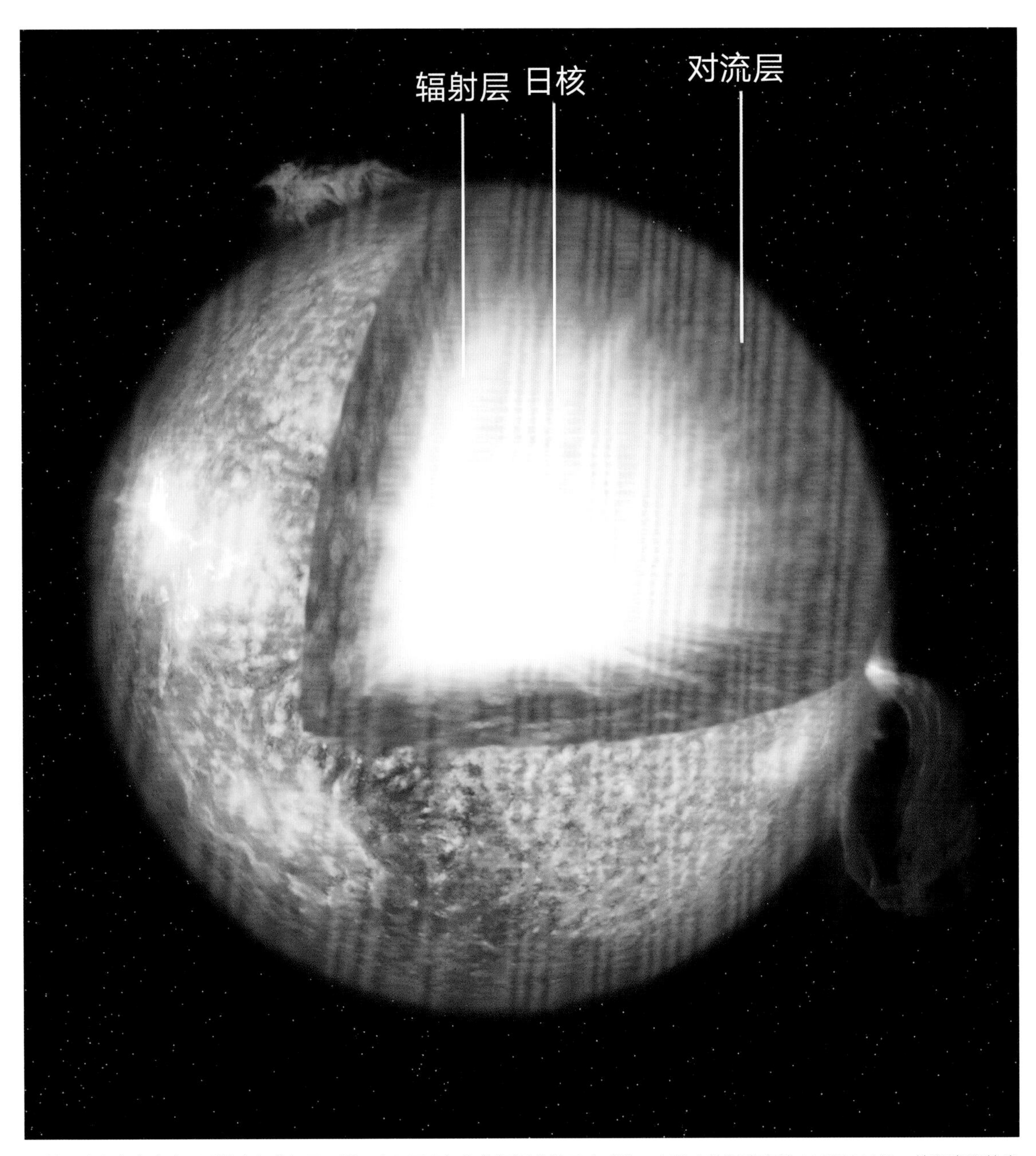

▲ 就和我们在夜空中看到的大部分恒星一样，太阳是由炽热的氢组成的巨大球体。太阳内核温度高达 16666000℃，核聚变释放出的能量向外辐射，通过辐射区和对流区，在数万年后才能到达太阳表面。行星、卫星和彗星反射了太阳的光芒，所以我们才能看到这些天体。而太阳的热，也使得地球适宜生命居住。图片版权： ESO（European Southern Observatory，欧洲南方天文台）

地球的自转轴经历周期性的晃动叫作进动，这类似于速度较慢的陀螺中轴的运动。一次完整的晃动要用上26000年的时间。北侧地轴就像一根指向北极星的手指，因此自转轴晃动时，它所指的方向也就发生了变化。目前，地球自转轴的北端几乎正好指向北极星，但是在公元前3900年至前1900年，它指向右枢。

公元前1900年之后，最靠近北极的亮星是帝星，到了公元500年则变成北极星。自从北极星加冕，地球的自转轴就在稳定地接近它，现在天穹的正北与北极星之间的距离只差不到1°。到了最为接近的2105年，二者的距离只比0.5°小一点。在那之后，自转轴会慢慢晃向仙王座少卫增八星的方向，这颗星我们刚刚介绍过。旋转继续进行下去，到了公元20300年，它会回到右枢。

太阳与月亮的万有引力联合起来，对地球赤道的隆起产生扭曲和拉伸，于是有了这种转陀螺一样的效果。我们的行星并不是一个完美的球体，赤道略宽，两极略窄。月亮和太阳对中间隆起的吸引产生了自转轴的进动。

你可以去注意一下北极星的旋转变化，再过26000年它才会回到现在的位置。

燃烧的炽热气体球

既然已经见识了几颗恒星，我们接下来就了解一下它们与行星有何不同吧。恒星是发光的炽热气体球，主要由氢和氦组成，由万有引力吸引在一起。恒星炽热的内核温度极其高，氢原子在这里融合成为新元素，氦。此过程中有能量释放，类似热核炸弹中产生能量的过程。但是跟炸弹不同，太阳不会爆炸，因为上层气体的重压将爆炸力遏制住了。而内核产生的热量和压强可以防止重力将太阳压垮。每一颗恒星的存在都依赖于内部热量与重力的平衡。

太阳内核的核聚变反应将7亿吨氢转变为氦，其中440万吨变成了纯粹的能量。这是每秒发生的事！然而，太阳有足够多的反应物供它进行聚变反应，可以继续40亿年。小的恒星使用燃料更节约，寿命长得不可思议，而超巨星消耗掉氢和氦的速度如此之快，以至于它们只需要1亿年甚至更短时间就会变成超新星。

如果我们能够看进恒星内核，就会发现那里十分黑暗，因为那里产生的能量没有一点在可见光的光谱范围内，全都是从致命的伽马射线开始的。这些短波长、高能量的光脉冲离开内核的过程像爬虫般缓慢，并且会释放能量，变成X射线、紫外线，并在到达表面时变成可见光和热量。据估计，一个炎热的夏日午后照射在你背上的阳光，可能在长达100万年前就开始了它的征程。

太阳是一颗普通大小的恒星，直径为140万千米，表面温度约5500℃。恒星的大小各不同，有奇特的、城市般大小的中子星，也有比太阳还大1000倍的红超巨星。所有的恒星都通过受控核聚变产生光和热。但除了太阳，它们都太远，即便在最大的望远镜里，也仅仅是一个光点。行星通常环绕恒星运动，不能自己发光，不能燃烧产生热和光。

实用网址

- 齐佩瓦人的星图与星座：web.stcloudstate.edu/aslee/OJIBWEMAP/home.html
- 星座历史：modernconstellations.com/constellationhistory.html
- 恒星的定义：science.nasa.gov/astrophysics/focus-areas/how-do-stars-form-and-evolve/

第 5 章

四季星光

我们将踏上一场夜空的四季之旅，去熟悉那些最明亮的星座与星群。我们会学习如何找到裸眼双星、星团、星云，以及我们的眼睛能看到的最远的物体——仙女星系。有些夜空珍宝很容易看到，另外一些需要你下定决心，迎接挑战。

本章重点

春天

- 打开星图，到户外去寻找明亮的星座、星群以及有趣的恒星
- 寻找狮子座的尾巴
- 寻找蜂巢星团
- 仔细看一看室女座的杯子
- 欣赏月掩星
- 寻找牧夫座

夏天

- 寻找托勒密星团
- 寻找织女星的双星
- 体会星云之美
- 探索北十字

秋天

- 寻找海豚座
- 寻找南鱼座
- 遇见飞马座与南鱼座之间的星群
- 寻找仙女星系
- 寻找大四边形
- 寻找垒壁阵四和牛宿一
- 探索白羊座

冬天

- 寻找泰莱塔（昴宿二）、普勒俄涅（昴宿增十二）和阿特拉斯（昴宿七）
- 寻找毕星团
- 寻找天狼星
- 寻找六边形
- 看一看大陵五的最低亮度
- 寻找金牛座 θ 双星
- 寻找猎户座和参宿四
- 寻找天空中的蹄印

准备好去认识星空的其他成员了吗？我选择了中北纬地区可见的星座，既包括容易看到的，也包括隐藏着有趣历史的。有经验的观星者会注意到，星图里省略了一些较暗的星，尤其是那些永远不会离地平线太远的星。这样做是为了降低新手认识基本星座的难度。

星图的使用方法和第 2 章介绍的活动星图一样。圆圈的边缘代表环绕你一周的地平线。星图的中央标着头顶的位置，即天顶。我们将星座按照季节分组。由于地球的自转和公转，星星时刻都在移动。我描述它们的位置时，选择了季节的中间时段，也就是春、夏、秋、冬各开始大约 1 个月之后，当暮光消失，天空完全进入黑暗的时候。

星座的高度又叫地平纬度，这取决于观星者的纬度。这里的星图和描述的景象，针对的是北纬 40° 的观星者。北纬 40° 这条想象中的线，刚好横切美国中央、南部欧洲、中国中部和日本中部。如果你住在美国或者欧洲的北部，南天的星星看起来会更接近地平线，但观赏拱极星的视野会更好。南方人则能看到南天恒星升得更高，而且还会看到更南边的、在北方看不到的星。

最适合寻找星座的夜晚，要么没有月亮，要么月光昏暗。明月会让天空只剩下最亮的星，使星座的轮廓难以辨认。不过，有些人还是喜欢在研究星座的时候有一点月光，方便“屏蔽”那些最暗淡的星。蛾眉月或者半月是不错的折中选择。如果你要欣赏银河，仍是无月的夜晚最为适合。

活动：打开星图，到户外去寻找明亮的星座、星群以及有趣的恒星

选出当季的星图，到外面去看一看。如果想看看南方天空有什么的话，你就面向南方，将星图转过来，使上面标定的南朝下。沿着圆圈边缘的星座会出现在低空，那些正好离星图中央和边缘距离相等的星星会最为方便观赏，而处于星图中央的星星则会出现在高高的头顶。

现在请向右转 90°，面对西方的天空，将星图顺时针转动 90°，让西来到底部。你可以将星图中的星星连成的图案，与真正的星座对比。请再转 90°，面向北方，转动星图，让北来到底部。最后再转一次，你就对着天空转了一整圈了。

春季星空

具体时间：3 月下旬晚上 11 点 30 分
4 月下旬晚上 9 点至 10 点
5 月中旬晚上 9 点 30 分

在我住的地方，冬天似乎无限漫长。春天来临，冰雪消融，路面泥泞，阳光日渐增加，驱逐了刺骨的严寒。遥远的小溪和河流刚刚吞下新鲜的降雨和融雪，整晚都咆哮着。春天总能给我们的生活带来乐观和勃勃生机。至少有一件事情是肯定的——天气更加温暖了，在蚊子出现之前，观星都会是一件非常舒服的事。

冬季星空在 4 月中旬落幕，地球永不停歇的公转将冬天的星星推搡到西方去了。日落时间更晚，暮光时间更长，再加上夏令时，夜晚到晚上 9 点之后才会正式开场。

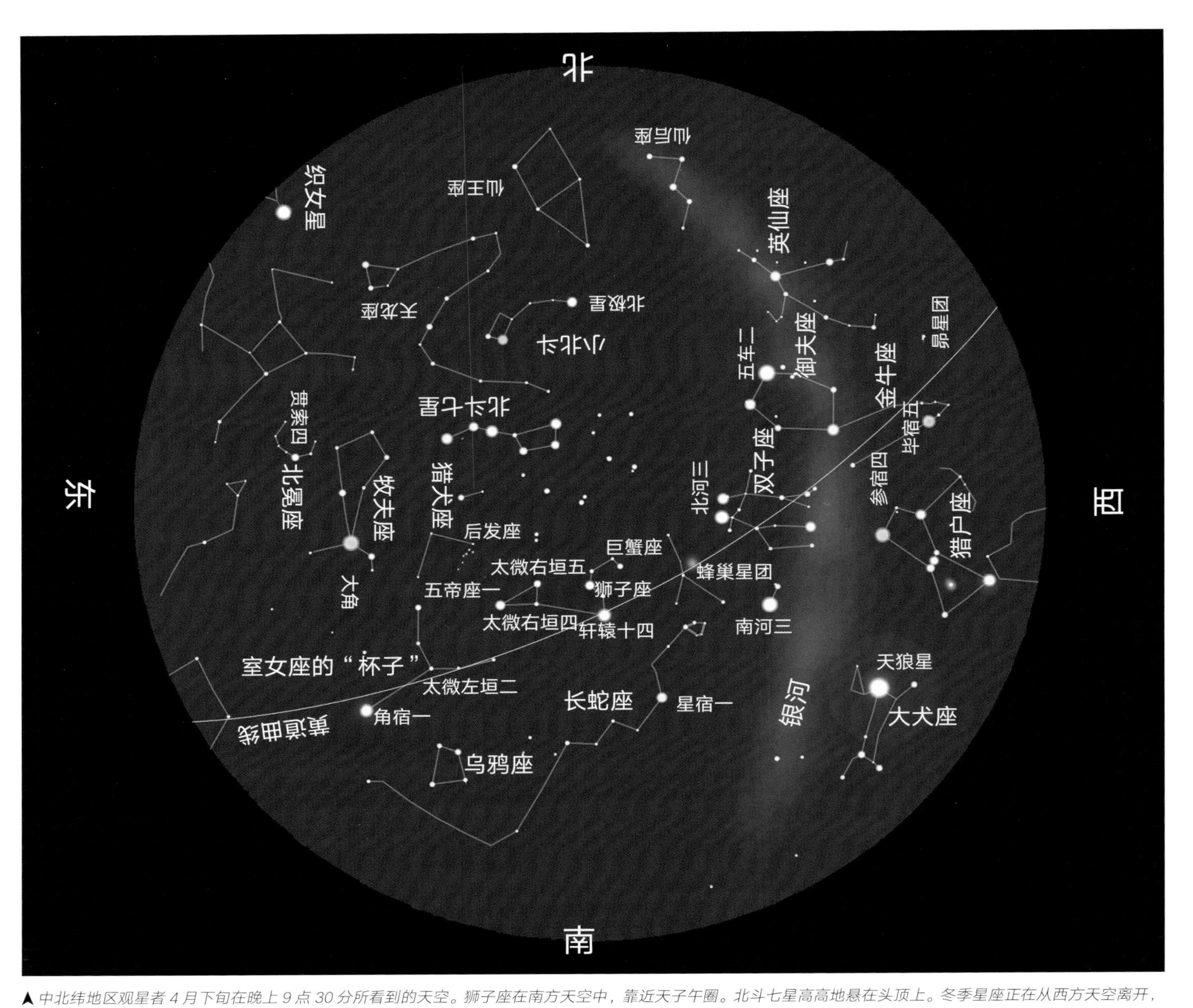

▲中北纬地区观星者4月下旬在晚上9点30分所看到的天空。狮子座在南方天空中，靠近天子午圈。北斗七星高高地悬在头顶上。冬季星座正在从西方天空离开，一系列春季星座主导着东方的天空。在3月下旬的晚上11点，或1月下旬的凌晨2点，以及11月下旬的黎明时分，你可以看到同样的星出现在同样的位置。标注：鲍勃·金；图源：Stellarium 软件

刨除明亮的行星不算，首先抓住你眼球的星星中，一定有天狼星。它在西南方天空，像白钻石般闪烁，属于大犬座。狗的头顶两拳半的距离外，你可以看到另一颗稍显暗淡的星，南河三，它位于小犬座。狗狗们正在撒欢奔跑，周围有猎人（猎户座）和公牛（金牛座），以及受人喜爱的昴星团。昴星团也呈勺子形，它的另一个名字是七姊妹星团。转过头来面向西北方向，你会看到另一颗亮星闪烁在地平线和天顶之间，那是五车二，御夫座五边形中最亮的星。五边形左侧两个拳头的距离之外是北河二和北河三，这是双子座的兄弟俩。这两颗亮星几乎平行于西方地平线，兄弟俩瘦长的腿垂在下面。

这些都是最后的冬季星辰了。当春天变成温和的夏天，它们会向西去，给春天的星辰腾出地方。等我们学习冬季星空时再来仔细研究它们。

4 月下旬的晚上 9 点 30 分，面向南方向上看，你会发现从地平线去往天顶的 2/3 处，从狮子座最亮的星轩辕十四向上，由较暗的恒星伸展出了一个反向的问号。这个星群叫作狮子座，镰刀就是那收割谷物用的弯刀刃农具。不管是问号还是镰刀，这些星的曲线画出的就是狮子的头。

活动：寻找狮子座的尾巴

想找到狮子尾巴的话，你可以将手伸向天空，握拳，然后从轩辕十四向左测量一个半拳头，来到 3 等星太微右垣四。它与附近另外两颗更亮的星一起组成了一个完整的三角形。这两颗星分别是太微右垣五和东侧的五帝座一。这个三角形代表了狮子的臀部和尾巴。将这三者向回用一条想象的线跟轩辕十四相连，你大概可以构想出一只正在小憩的狮子。

狮子座（难度 2 级）是黄道带星座中最亮、最容易辨认的星座。就像我们之前了解过的，行星都在黄道高速公路上行进。就算第一次没看到，你也总有一天会在狮子座中瞧见行星。它们迟早要来拜访雄狮。

黄道紧贴轩辕十四的南侧经过，行星会有规律地和这颗星相合。而个头大得多的月亮偶尔会直接从轩辕十四上面经过，将它挡在视线之外，这样的事件叫作掩星。随着月亮靠近，原本就比一个光点大不了多少的恒星会突然消失。看上去令人惊奇，但月亮这种没有空气的星球就是会带来这种效果。如果月亮有密实的大气，恒星就会逐渐变暗，然后消失。掩星结束时，恒星从月亮的另一侧重新出现。掩星过程可能持续几分钟到一个多小时，这取决于恒星穿过月亮时的路径。

其他会被月亮掩食的恒星还包括室女座的角宿一、天蝎座的心宿二以及金牛座的毕宿五。如果你想获得即将发生的月掩星事件的完整列表，可以到国际掩星定时联盟的网站看一看（www.lunar-occultations.com/iota/bsTar/bsTar.htm）。

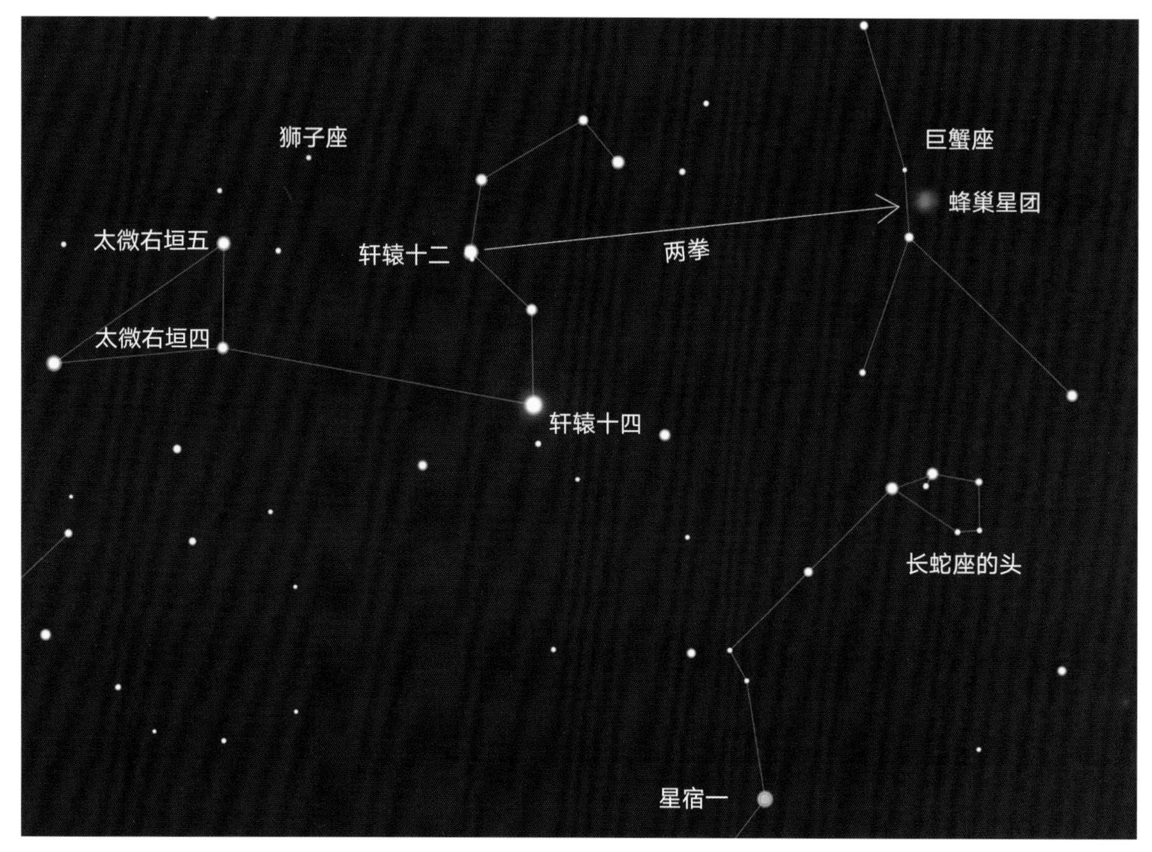

▲ *想要找到狮子座的话，面向南方，将反向问号与东边（左）不到两拳处的三角形连起来即可。反向问号水平向西（右）两拳处是巨蟹座的蜂巢星团。巨蟹座是个暗淡的星座。在郊区或者乡村的星空下可以看到蜂巢星团，它看起来像一小片模糊的光斑。标注：鲍勃·金；图源：Stellarium 软件*

活动：欣赏月掩星

虽然掩星最好使用双筒望远镜或者天文望远镜观赏，但是如果月亮只有月牙并且月光不会完全盖过星光，那么不用任何光学辅助工具也可以观察要掩食的星逐渐靠近月亮——或者看它从月亮黑暗一半的背后重新回到视线里。

你一定要花些时间让自己熟悉狮子座这个春天的重要星座。我们会用它来找到其他相对不明亮的星群。你可以按照自己的步调了解星座，这没什么可着急的。它们整季都在那里，明年也在，数年后仍然在。在几年的时间里，我跟随自己的需求和爱好学习星座知识。大熊座、仙后座和猎户座等明亮的星座开启了我与星光为伴的终生之旅，我随后便开始了解排列在黄道上的黄道带星座。

只要有晚上观察天空的习惯，你只需一年就能了解所有较为明亮的星座和星群。好好欣赏这些星星吧，就像欣赏一朵花、一块岩石、一片挚爱的风景。每找到一个星座，你的努力与决心都得到了一次证明，这是标志着个人发现的一瞬。我仍然记得那个闷热的 5 月之夜，灵光一闪，乱成一团的星仿佛结晶一般显现出了我寻找多日的武仙座轮廓。这可太让人高兴了！

现在，让我们认识一下天空中最长、最大的星座，长蛇座（难度 4 级）。如果你认为天龙座够卷曲了，那还是等你见到这条大蛇之后再说吧。从轩辕十四开始，向西测量两拳的距离，找到紧紧拥抱在一起的五颗“小”星——三颗在上面，两颗在下面——这些星就组成了这只爬行动物的头。从这里开始，向东南方向去，从一颗暗星到下一颗暗星，直到几乎蹭到地平线，这一条线都属于长蛇座。长蛇座还要向东延伸更多，但是想要看到的话，你还需要等地球的转动将蛇尾巴抬到东南方的地平线以上。

沿这条蛇从一颗星到下一颗星，我们的目光在天空中走了好远，现在我们到了乌鸦座（难度 2 级）近旁。乌鸦座在长蛇座的一处卷曲上栖息，它外形紧凑，由四颗 3 等星组成一个压扁的方形，仅仅高出地平线 6°。乌鸦座虽然永远不会像狮子座或者北斗七星一样，爬升得高高的，但是它那紧凑的形状同样会引起你的注意。它就像一只真的乌鸦在哇哇大叫，宣布自己的存在。

▼*蜂巢星团从古代便为人所知，这个星团距离我们 577 光年，对于星团而言，这个距离非常近了。这些星星太过暗淡，而且靠得很近，无法用裸眼单独分辨，使用双筒望远镜可以分辨出几十颗星。图片版权：鲍勃·金*

让我们回到轩辕十四。观星涉及大量弯曲颈部的动作，所以你需要时不时左右活动头部，让肌肉拉伸放松。我已经学会了晃动头部和双肩，这样可以缓解身体僵硬，避免惹上“天文颈”。

活动：寻找蜂巢星团

将视线移到轩辕十四上方一拳之内，你会看到反向问号拐弯处的 2 等星轩辕十二。从这里向西（右）两拳处似乎什么也看不到，但是凝视片刻，你就会看到一块小小的云团般的亮光。欢迎来到蜂巢星团！

并非每个人都看得到蜂巢星团，大城市附近的人很难看到这个星团，薄雾或者高空的云也会影响可见性。但是在无月的夜晚，专注一点，你就能看到蜂巢星团。直视看不到，你可以通过眼角余光来看，这是备受历代观星者推崇的方法，这样可以勉强看到那些极为暗弱的天体。对于暗淡的星或星团，别直接盯着看，请使用眼睛外围的视力去瞧。这样可以使更多对亮度敏感的视杆细胞派上用场。这个技巧在两只眼睛在靠近鼻子的一侧看时最为有效，你可以先用右眼微微向右看，再用左眼微微向左看。

任意一副双筒望远镜都可以将这星团分成像蜂群一样的好几颗星，但是裸眼看来，它就像一片朦胧的雾，跟一颗没有尾巴的彗星似的。对于距离近一些的昴星团（距离地球 444 光年远），你至少可以用裸眼分辨出一部分星，蜂巢星团(距离地球 577 光年）中没有一颗星能用裸眼分辨。这个星团不比昴星团更古老，也更暗淡。一旦找到了这个星团，你也就到达了巨蟹座的核心地带（难度 5 级），巨蟹座是黄道十二星座中较暗淡的星座之一，由 4 等星组成，形状类似一个上下颠倒的字母 Y。找到了你就表扬自己一下吧。

现在左转 90°，面向东方，你会看到一个明亮的橙色恒星正在照耀你。那是牧夫座的亮星，大角星。牧夫座的英文名是 Bootes，这个单词很容易念错。我还记得我十几岁的时候会把它念成 booties（婴儿袜）。这个名字的来源尚不清楚，但可能来自希腊语的“噪声”一词，指牧人向他的动物大喊大叫。古代希腊人将牧夫座称为 Arctophylax，意思是看守熊的人，这可能是因为这个星座一直环绕着北极追寻大熊座的脚步。希腊语的 Arktos 是熊的意思，指大熊座和一切北方的事物。这是 arctic（北极）和 Arcturus（大角星）的词根来源。

等待你注视的另一个星团就在狮子座的另一边。从狮子座尾巴的五帝座一向左上方（东）量两个拳头的距离，你可以找到埃及王后伯伦尼斯二世的头发——后发座（难度 3 级）。这是代表真实人物的几个星座之一，这位王后生于公元前约 266 年。使用眼角余光，你可以找到挤在这个三角形中的 20 ～ 40 颗恒星。

毫无疑问，牧夫座升起的时候，动物们正热闹起来，附近池塘里传来片片蛙鸣，春日还有野禽叫着飞过我们头顶。

大角星是全天第四亮的星星。也许这样说还不够，你可以想象一下，这是一颗橙色恒星，直径是太阳的 26 倍，而亮度是太阳的 113 倍。它距离地球只有 37 光年远，按照宇宙距离来看，它就在我们的后院。它闪闪发光，引人注目。

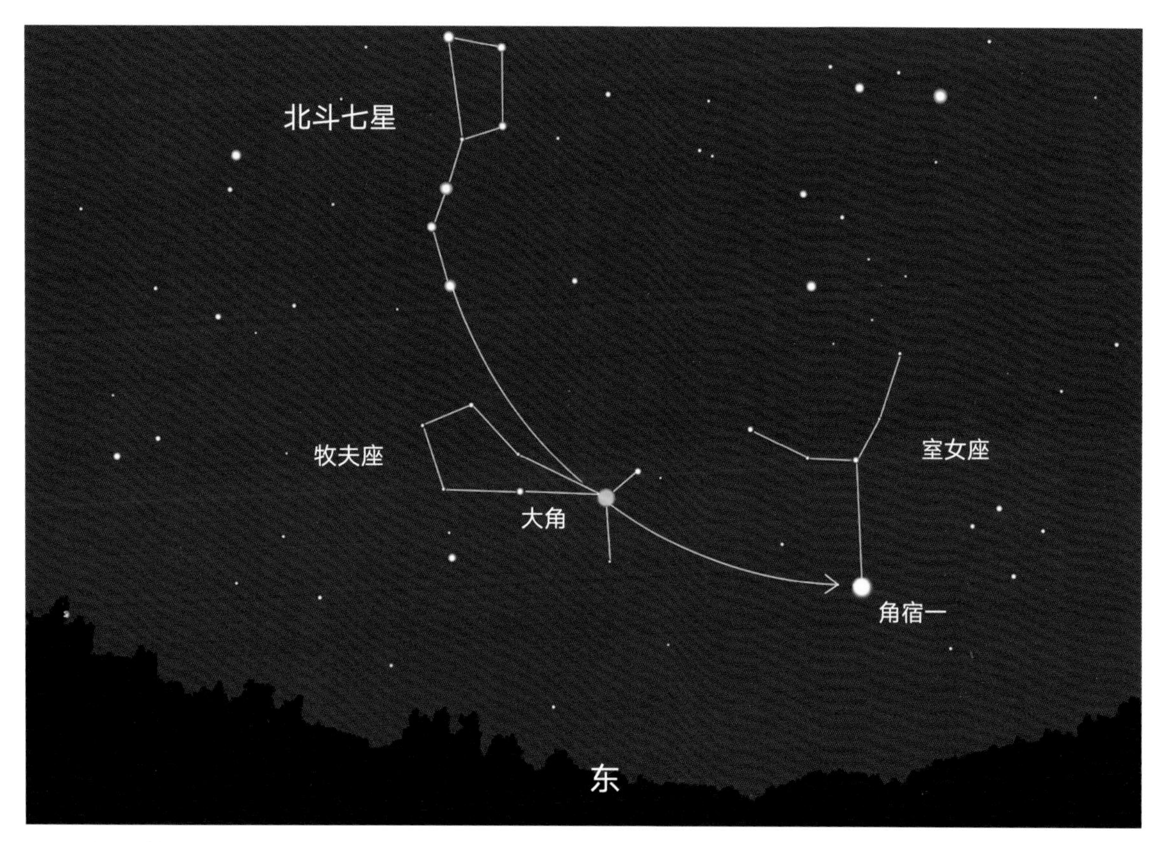

▲要寻找其他的星或者星座的话，最方便的方法就是先找到一个熟悉的星群，比如北斗七星，然后沿它的轮廓向外画线寻找其他星星。晚冬或者早春时节，如果想要找到牧夫座的橙色巨星大角星，你可以从北斗七星的勺柄画曲线到达大角星。让曲线继续延伸，你就找到了室女座最亮的星，角宿一。标注：鲍勃·金；图源：Stellarium 软件

在人类经过了很多世代之后，星座仍保持着它们的形状。如果你跟亚里士多德一起散步，你们在天空中看到的星星排列方式也和现在一样。恒星都在移动，太阳也在以每秒 220 千米的速度移动，但是大多数恒星都太远了，肉眼无法觉察它们的位置变化。不过这里也有例外。

因众所周知的哈雷彗星而闻名的埃德蒙·哈雷（Edmund Halley），将他所处时代（18 世纪）的恒星位置，与古代天文学家托勒密和喜帕恰斯分别于公元前 300 年和公元前 130 年记录的恒星位置相比较，得到了一个惊人的发现：大角星、天狼星和金牛座的毕宿五，与古时候相比都向南移动了超过 0.5°以上。

1720 年，哈雷将他的发现写入英国皇家学会的哲学汇刊。埃德蒙爵士发现的是“自行”，即恒星本身在太空中的运动引起的位移。一般而言，遥远的恒星看起来移动得最慢，而越近的恒星移动得越快。经过漫长的时间，这些运动最终会将星座拉伸变形，这在遥远的将来会让它们变得无法辨认。

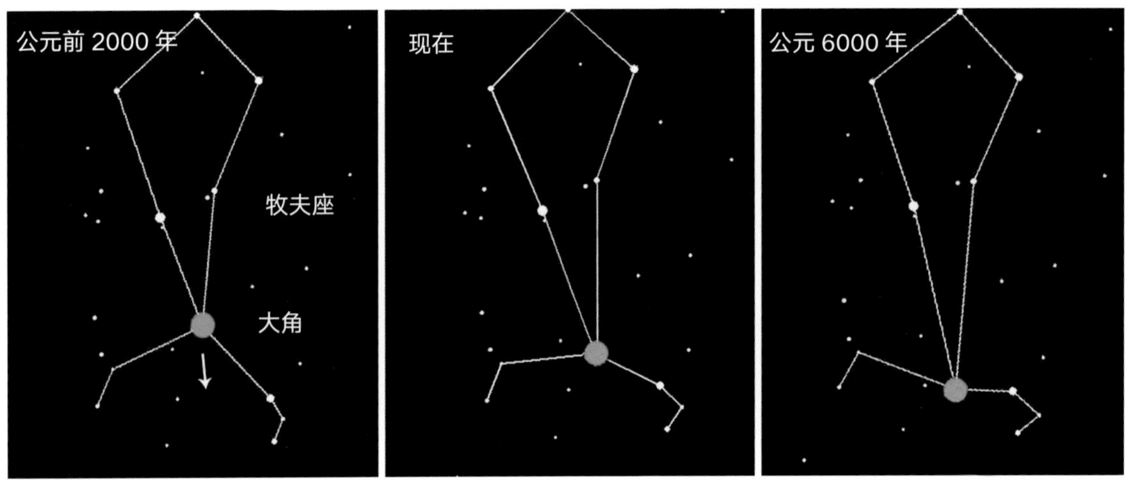

▲ 晚上我们看到的所有星星都围绕银河系中心运动，但它们如此遥远，所以在我们眼中，它们在漫长的时间里保持着静止，不会在星座间随意走动。但是大角星属于少数几个例外之一：跟古代相比，它向西南移动了一小段距离。在遥远的将来，它的运动会将牧夫座“拉长”。图片版权：鲍勃·金

活动：寻找牧夫座

牧夫座（难度 3 级）是大角星的家，它的形状就像一个甜筒冰激凌，或者像 20 世纪 70 年代的领带。4 月，它出现在东方的天空中，侧躺在边上，6 月则高高地矗立在天子午圈。牧夫座由中等亮度和暗淡的星组成，星等范围是 +2.5 等到 +4.5 等。牧夫座从上到下有两个半拳头长，春季躺在东方天空的时候，这也是它从左到右的距离。一旦找到了天空中的领带，你就可以看到，大角星的左（东）下方两拳距离处那些弯曲成特别形状的恒星，它们组成了北冕座这顶北天王冠（难度 1 级）——是王冠、马蹄铁还是向后的字母“C”？选你喜欢的形状吧。

在离开牧夫座和它的伙伴之前，我们先回到北斗七星，找到离勺柄上方一个半拳头远，且平行于勺柄的两颗星。较亮的那颗是常陈一，拉丁文名字为 Cor Caroli，意思是“查尔斯的心脏”。它由哈雷命名，纪念英国国王查理二世。它属于猎犬座。猎犬座是一个小小的星座，看起来更像一只走丢的吉娃娃，但是神话传说却说它是两只几乎要把缰绳拉断的大狗。

准备好向南滑行了吗？只需沿着北斗七星勺柄的弧度，向后弯到大角星，然后继续将弧线延长三个拳头，“刺向角宿一”。这样一串简单的动作就把我们带到了室女座（难度 4 级）的亮星角宿一。室女座是我们要介绍的最后一个春季的典型星座。这条漂亮的捷径从北斗七星出发，可以到达两个最著名的春季星座。室女座和狮子座一样，也是黄道带十二星座之一。太阳在 9 月的时候来到此星座，月亮每个月都会经过，而木星在 2017 年和 2029 年经过，到时候会把这个有些不起眼的星座装点起来。室女座是个大星座，但其中多数星是暗星。最亮的角宿一是 1 等星，它 4 月下旬在东南方天空中从地面向上 1/3 处闪耀着，过一个月就会来到正南方向。

活动：仔细看一看室女座的杯子

我喜欢管室女座最容易找到的部分叫“Y”形或者室女座的杯子。角宿一西北方向一个半拳头处是 4 等星太微左垣二（也叫东上相），也就是这个杯子底部的中央。从这里向东北和西北方向延伸出去的更暗的星，组成了整个杯子的形状。注意看，杯子的形状会到达狮子座尾巴尖的五帝座一下面，这就是找到室女座的另一个方法。

尽管裸眼看去，室女座的杯子像是空的，但它实际上满满地装着 2000 个暗淡、模糊的星系，这些星系距离地球大约 5000 万光年远。它们有些是像银河系一样的旋涡星系，其他的则是包含数万亿颗恒星的巨大的椭圆星系。你可以用双筒望远镜开发室女座的遥远宝藏，但最好的探索方法还是要借助天文望远镜。即使你没有设备，我也建议你凝视这个深渊，愿它让你明白三维空间的深度。

在天空中，第三个维度一直都难以捉摸。星系、行星，甚至连月亮都如此遥远，我们无法感知天空中的深度与距离。星星像天花板上画的点。但是只需手边的几点事实再加上一点想象，我们就可以大致了解宇宙的宏大。我们可以把这巨大的宇宙按比例缩小到容易理解的尺度。如果太阳变成一个垒球，即直径变成 10 厘米，那么地球就缩小成了 1 毫米的针尖，落在离太阳 11.6 米之外的地方。木星则变成了 61 米远处的一颗蓝莓，冥王星到了 402 米之外，宽度仅仅 0.2 毫米。

0.4 千米还可以轻易走过去，试试步行 3200 千米到达半人马座 α 星吧。这是除太阳之外，距离我们最近的恒星。要到达银河系的中心的话，我们需要行进 2010 万千米。从那里，我们又可以看向 1000 倍遥远的室女座星系团。哇，这中间真的有极多的空白。

室女座的杯子也是随着时间慢慢充实的。5000 万年前，地球温暖湿润，两极几乎没有冰，北极地区长满了绿树。原始的印度次大陆正在忙着撞向亚洲，去创造喜马拉雅。每当用心凝视深邃的夜空时，我们的历史——地球的历史——便在我们的想象中回放。

在我们向夏季出发之前，先回到家园近旁来拜访织女星，它可是这个季节最明显的星之一，英文写作 Vega。4 月下旬的晚上 10 点到 10 点 30 分，向东北方略高于地平线处看去，你可以找一个闪烁的明亮光点。这个时节有些地方可能还有些雪，温度徘徊在冰点，织女星会唤醒我们记忆中的夏季银河，以及穿着短袖观星的经历。

▲夜空看上去是平面的，但它其实相当深邃。眼睛看不到的室女座星系团位于室女座方向，狮子座尾巴下面，有 5000 万光年远。每个星系都挤满了星云、星团、恒星和行星，和我们的银河系一样。图片版权：格雷格·摩根（Greg Morgan）

夏季星空

具体时间：6 月中旬晚上 12 点
7 月中旬晚上 10 点至 11 点
8 月下旬晚上 9 点

夏天招人喜欢，因为夏天观星不用穿长靴、外套，不用担心手指冻僵或者鼻子通红。夜晚还弥漫着浓郁的芬芳，如此醉人，让你欲罢不能。青蛙在呱呱地叫着，微风吹拂着森林，树叶拍打着节奏。不同于冬天，此时的观星者们喜欢晚风的吹拂，这既可以让人感到凉爽，又可以驱走蚊子。

7 月，面朝西方，向狮子座、室女座和乌鸦座说再见吧。它们主导的季节已经过去。尽管还会逗留一会儿，但它们很快就会沉入西方地平线以下。北斗七星也转过身去，悬挂在西北方的天空，它仍然较高，但注定会在秋天休眠。牧夫座和北冕座高高站立在西南方的天空，大角星柔和的光芒在整个季节都保持稳定。

日暮时分，一组新的明星登场，在南天排列开来——天蝎座、天秤座和人马座。这三个星座都属于黄道带一族，是太阳在深秋和初冬时的歇脚处。在美国北部，这些星座永远也不会达到天空的高处，就像冬日的太阳也不会升得太高。夏天，满月和太阳交换位置。6 月和 7 月，太阳在金牛座和双子座内的黄道达到最高点，此时白昼变长，阳光更接近直射，而且强烈。满月就在太阳的对面，所以在这些月份里，它出现在天蝎座和人马座这样的低谷地带。

▼在 7 月上旬日落时分面向南偏东方向看天空，你会看到天秤座、天蝎座和人马座统治了一切。7 月和 8 月的夜晚是观赏夏季银河整条光带的最佳时机，光带从南方地平线一直延伸到东北方，就像一束烟雾。在黑暗的天空中，你可以裸眼看到银河范围内亮一些的团块，那就是星团和星云。标注：鲍勃·金；图源：Stellarium 软件

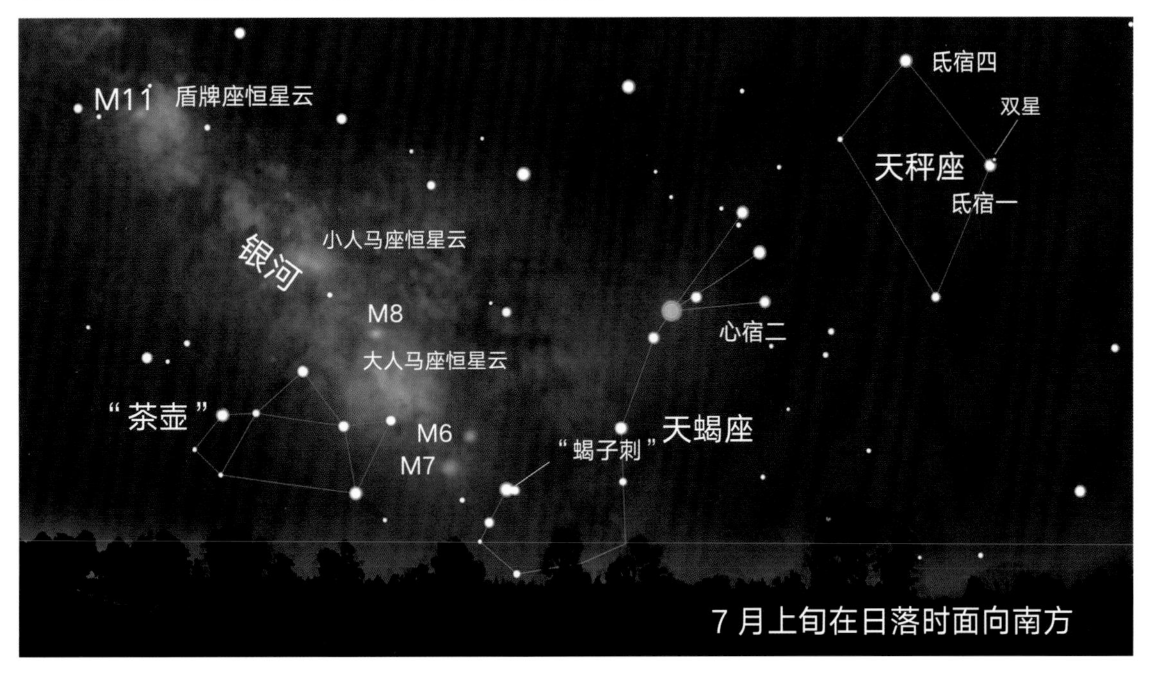

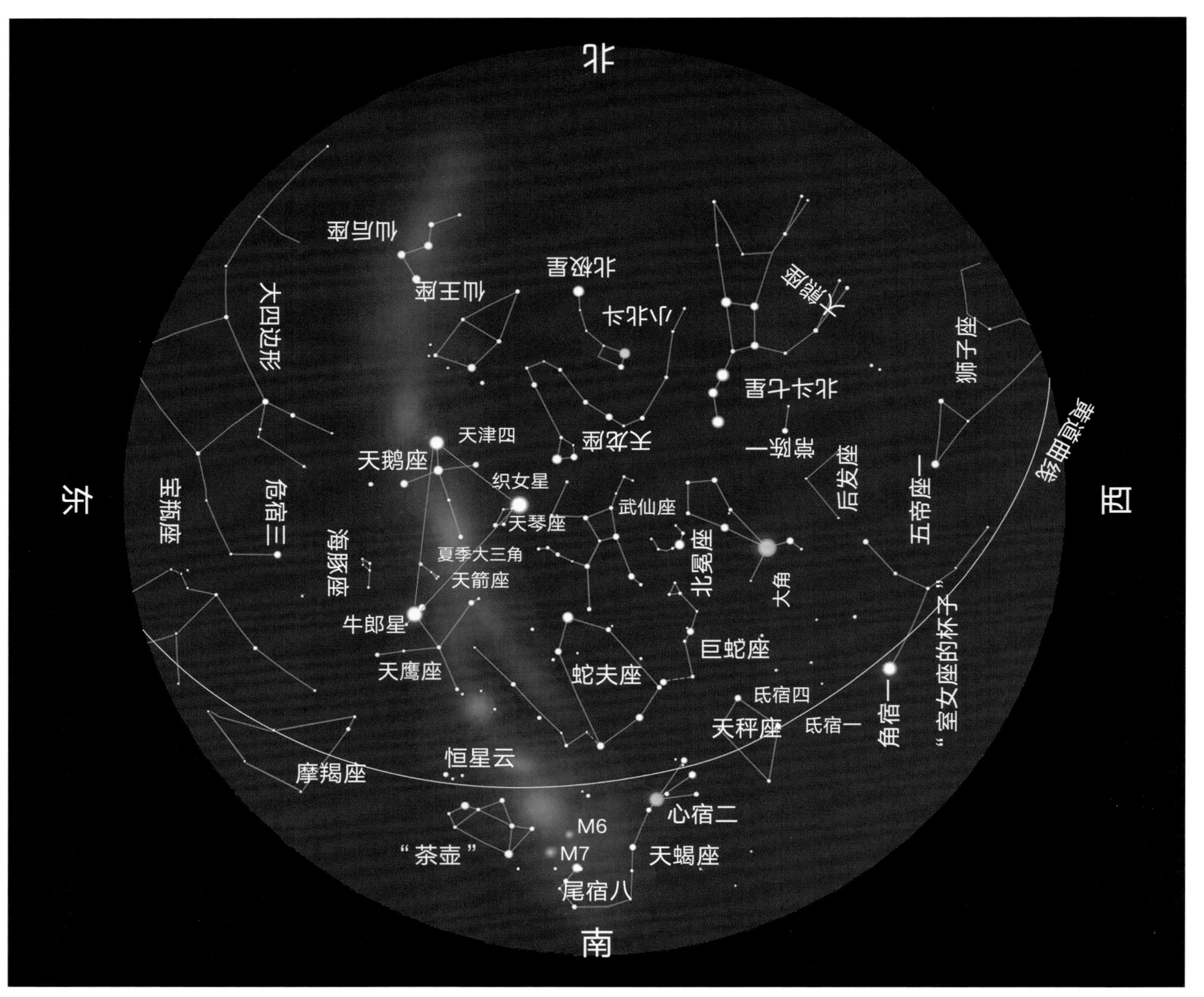

▲这是 7 月下旬晚上 10 点的天空。狮子座已经移到了西方，而天蝎座、夏季大三角和银河在南方和东方竞相争夺我们的关注。大四边形在东方地平线上升起，暗示了秋季将至。在 3 月下旬的黎明时分、5 月下旬的凌晨 2 点，以及 6 月下旬的午夜时分，这些星也都处在相同的位置。标注：鲍勃·金；图源：Stellarium 软件

天秤座（难度 3 级），是一个由 3 等星和 4 等星组成的暗淡的钻石形星座，约一个拳头宽，在黄道上排在天蝎座前面。黄道带十二星座中唯有它代表无生命的物体——一副天平。罗马人是这样看它的，但是古希腊人不是。古希腊人将它叫作 Chelae，意思是“螯”，古希腊人认为它是近旁天蝎座的一部分。在不起眼的天秤座中看出天平的形状也许不太容易，但你至少可以熟悉那两颗最亮的星和它们有趣的名字。它们一个叫作氐宿一，英文是 Zubenelgenubi，来自阿拉伯语，意思是南边的螯；还有一个叫作氐宿四，英文是 Zubeneschamali，意思是北边的螯。是的，天蝎的螯还在！

氐宿一，也被称为天秤座 α 星，是一对双星，距离地球 77 光年。这两颗星距离较远，但用裸眼辨别两者仍算得上一项挑战。你可以在晚春或者夏季的夜晚试着找到它们。我们用裸眼首先看到的是一颗 +3 等星，它的伴星是较暗淡的 +5 等星，在亮星的西北方向即右上角。两颗星的距离约为月亮直径的 1/10。你能看到吗？试试用余光，如果还不行的话，那就用双筒望远镜吧。

天秤座将我们直接引向了天蝎座（难度 2 级），这又是一个名副其实的星座。三颗几乎竖直排列的星，像猎户座腰带的夏季版本一样，组成了天蝎的头部。稍往东一些，我们就遇到了火红的心宿二。由于其颜色和亮度与火星相似，人们一直将这颗星和火星联系在一起。它的英文名 Antares 来自 Anti-Ares，意思是阿瑞斯 (Ares) 的对手。阿瑞斯是古希腊神话中的战神，也是火星的守护神。心宿二的颜色让它成为了火星的对手。

心宿二距离地球 550 光年，但它在我们眼中依然明亮，这意味着这颗星真的十分耀眼。它是一个肿胀的庞然大物，亮度约为太阳的 80000 倍。它是如此巨大，如果放到太阳的位置上，它那冒着火苗的粉红色边缘会吞没火星的轨道。心宿二和更为人们所熟知的猎户座参宿四都是短寿的红超巨星。将来，用完了燃料，它们就会产生超新星爆发。

从心宿二向东南方寻找，顺着天蝎座的“J”形尾巴滑下，我们就来到了蝎子尾刺上的尾宿八和尾宿九。尾宿八是天蝎座的第二亮星。英文名 Shaula，来自阿拉伯语，意为“蝎子的毒刺”。北方人只有在南方地平线清晰时才能瞥见这毒刺。我家的南侧地平线被树挡住了，偶尔在南面开阔的地方看到它，我感觉就像在和这蝎子玩危险的游戏。

▼ *尽管裸眼无法分辨出托勒密星团的单颗恒星，但你可以看到一个又小又特别的鼓包，就在天蝎座尾巴的上方。你可以从双筒望远镜里看到壮丽的景致，分辨出几十颗恒星 。图片版权：Stellarium 软件*

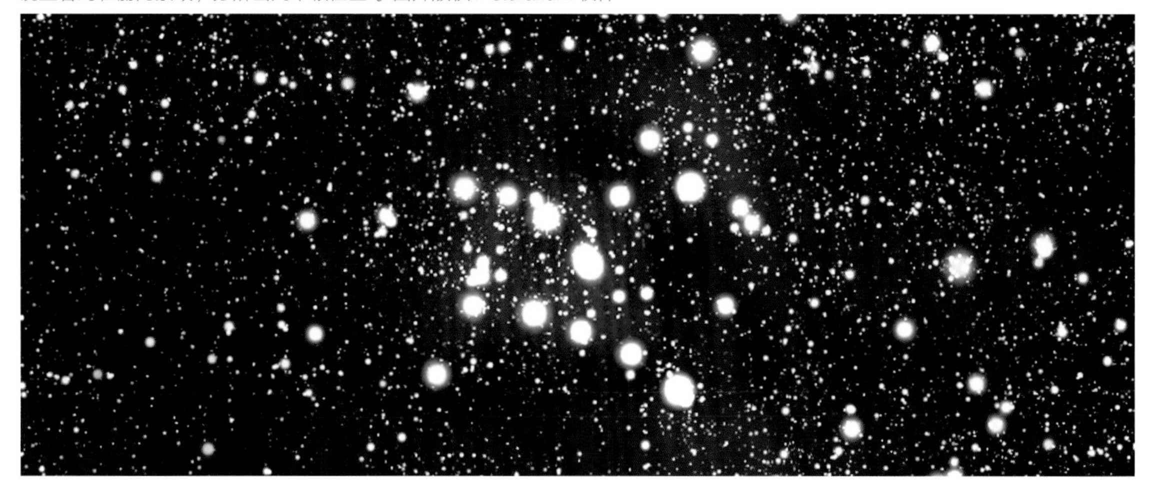

我们还有机会看到明亮的蝴蝶星团和托勒密星团。蝴蝶星团的名字来自它在望远镜中的样子（对，它看起来真的像一只蝴蝶），而托勒密星团则得名于公元 2 世纪早期的希腊-罗马天文学家，亚历山大城的托勒密。公元前 130 年，他将这个后来继承他名字的家伙称为“星云”，裸眼看上去它的确是像星云。这个星团也被法国天文学家查尔斯·梅西耶（Charles Messier）命名为 M7。

活动：寻找托勒密星团

托勒密星团更亮也更大，你会发现它比蝴蝶星团更容易找到。它的大小是满月的两倍还多。两个星团看上去都像是小小的、雾蒙蒙的绵延光斑，就在银河东岸的边界上，银河在这里从天蝎座流向半人半马的怪物人马座（由于高度较低，难度 3 级）。你可以在心宿二东侧两拳稍多一点的地方看到它。

▼ *这是延时曝光拍摄的夏季银河从天鹅座（左）到人马座这段最明亮的部分，呈现了多到不可思议的繁星。中间的暗黑条带叫作银河大暗隙，实际上是星际尘埃在遥远恒星背景上映衬出的轮廓。地平线上的绿色光带叫作气辉，是在白天受太阳照射的大气分子在夜间发出的微光。图片版权：鲍勃·金*

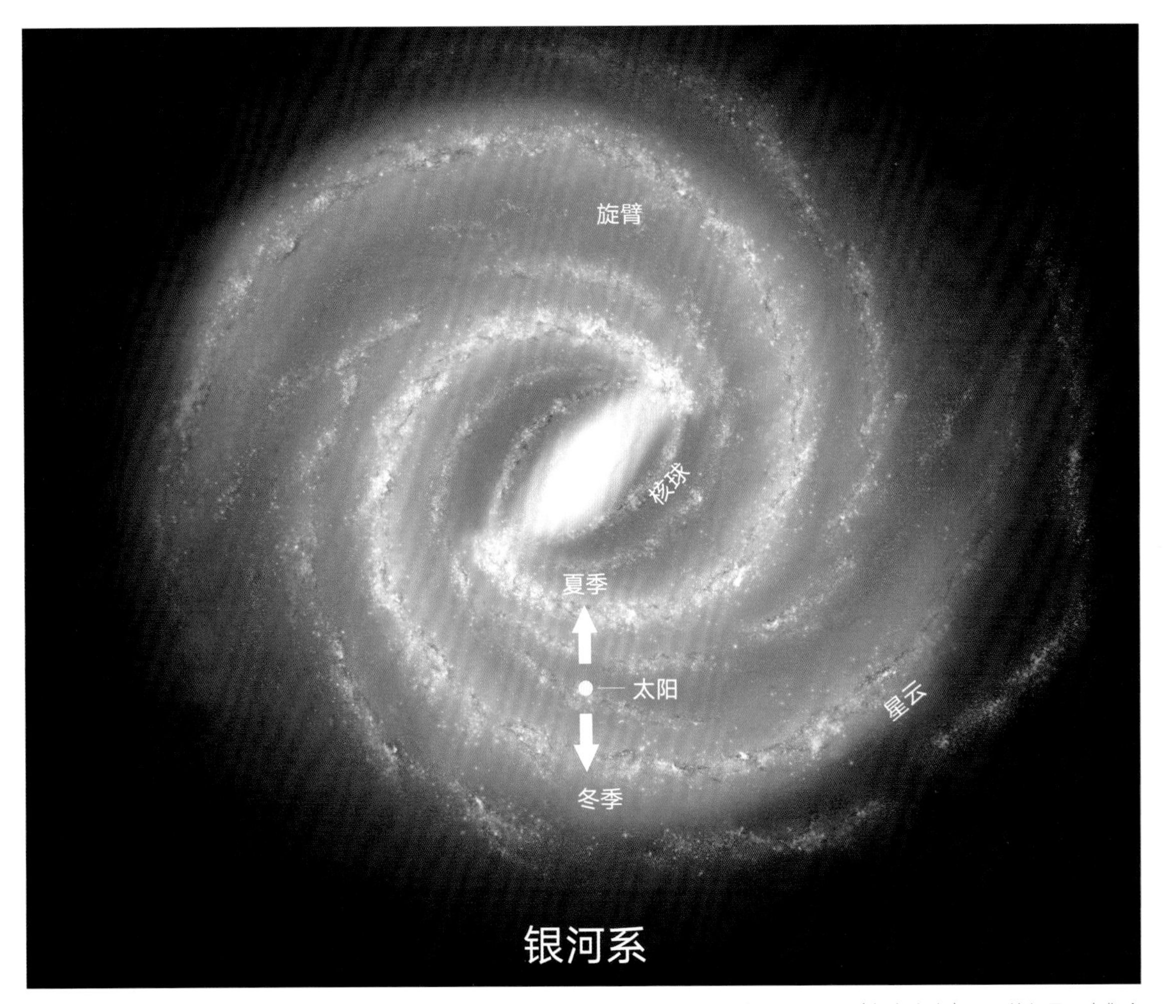

▲ *我们住在一个旋涡星系中，它叫银河系。这里有大约 4000 亿颗恒星、无法计数的星团、星云（粉色斑点）和无数行星，它们全都装在一个扁扁的盘子里。盘子的中心是核球，盘子直径大约有 100000 光年。太阳和太阳系环绕着银河系的中心旋转，大约在中心到边缘的正中间。夏季，我们面向银河系中心，冬季则面向边缘。夏天的银河比冬天更厚、更亮、更容易看到，这也是原因之一。图片版权：NASA / JPL（Jet Propulsion Laboratory，喷气推进实验室）/ ESO / R. 赫特（R. Hurt）*

古人当然可以将它称为神秘的怪兽，但我们大部分人用更加生动的非正式名字称呼它，叫它“茶壶”，这十分契合它的外表。在黑暗的天空下，你甚至可以看到一团像云一样的“蒸汽”从壶嘴冒出来。我喜欢喝茶，这总是让我会心一笑。

这里的“蒸汽”正是银河。这条雾蒙蒙的光带，不时被上面的星团和充满恒星的气体云打断。它从南方地平线倾斜向上，穿过人马座，经过天鹰座、天鹅座和仙后座的“W”形，直到重新与地平线在东北方相遇。有些人将它比作由恒星组成的天空之梁。

为了不使人疑惑，我们现在要澄清一下：银河既是我们所在星系的名字，也是这条贯穿夏季与冬季夜空的乳白光带的名字。从外面看，银河系就像一个扁扁的巨大转轮，直径约 100000 光年，平均厚度为 1000 光年。地球、太阳和太阳系所有行星抱成一团，位于距离银河核心 26000 光年处，并且在一条小旋臂的内侧边缘，这条小旋臂叫作猎户臂。银河系包含多达 4000 亿颗恒星。

看着这个盘，你会发现，不管是中央还是侧边，近处和远处的恒星都在眼前数千光年里堆积起来，制造出厚厚的光带。想象一下，你站在森林的边缘，可以清楚地将近处的树一棵棵分辨开，而更远的树填满了近处树木的缝隙，使树木看起来十分密集。同理，当我们看向盘上恒星最密集处时，难以计数的暗弱恒星堆积起来，成为了无法分辨的光雾。“雾”就是银河这条带子，它系在夏季夜空上。这里充满了恒星，大部分都太暗太远，我们无法一一分辨。这时候，双筒望远镜和天文望远镜就能为我们提供方便了。

如果移开视线，从恒星繁密处向上或者向下，你眼中的恒星就会变少，取而代之的是星系与星系之间空旷的太空。正因如此，它看上去才像一条星光的丝带或者河流，如果均匀分散到整个天空，银河就不是这个样子了。

伽利略用自己制作的天文望远镜做的第一件事，就是观察银河，希望解答一个古老的问题：银河的本质是什么？他在 1610 年革命性的作品《星际使者》（*Sidereal Messenger*）中写下了下面这段话。

“我观察了银河的本性和材质……这个星系，实际上，只不过是无数的恒星成群地聚在一起……更不可思议的是，被天文学家称作‘像云一样’的那些光点，现在可以看出是成群的小星，以美妙的方式聚在一起。”

如果你要成为人类历史上第一个解开这个古老秘密的人，而你能用的工具只有一个小小的镜筒加上两片抛光的玻璃片，想想看，这是多么不容易，也是多么激动人心。在他揭开这个疑难谜题的时候，我多么希望我在现场。他是大声喊了出来，还是安静地领悟了真理？

直到 300 多年后，天文学家才确认了我们在银河系中的位置。在 20 世纪初，美国天文学家哈罗・沙普利（Harlow Shapley）对星团的研究告诉我们，太阳系不在银河系的中心。夏季，日落时我们正面向银河系的核心，也就是茶壶冒出蒸汽的方向。金牛座就在反方向，恒星在这个方向上渐渐减少，最终让位给星际空间。仲夏的时候，它要到清晨才升起。我们眼睛所见的每颗恒星，以及通过大多数望远镜看到的恒星，都属于同一个星系，银河系。

在 8 月的夜晚看向天空，你会注意到，从人马座向北直到天鹅座，有一条黑暗的裂缝将银河系一分为二。这是银河大暗隙，尽管看起来像是空洞的空间，但它绝对不是。实际上，我们看到的是叫作暗星云的星际尘埃云，它们相互重叠着，位于太阳系和更靠近银河系核心的人马座旋臂之间。尽管这些颗粒单个比香烟烟雾的颗粒还小，但是它们聚在一起绵延数光年，足以遮挡更远处的星光，在视觉上造成裂缝。如果有可能将这些在银河上挖洞的尘埃全都用吸尘器吸走的话，银河将会变得相当明亮，足以给物体投下影子。

这些尘埃都来自哪里呢？数代的恒星爆发或者以其他方式演化，将尘埃留下作为临别礼物。这的确是礼物，在你读这段文字的时候，万有引力已经将这些尘埃收集起来，把它们压实，变成新的恒星和行星，就像小孩子滚雪球一样。只要还有能量，自然便会不断地将简单的材料变成更加复杂精妙的东西。据估计，银河系中有大约 1000 亿颗行星，有 73 亿人口居住在我们的星系之中，而一切都是从星际尘埃开始的。

看一看人类的身体吧。你体重的 96.2% 由四种元素组成：氧（65%）、碳（18.5%）、氢（9.5%），以及氮（3.2%）。氢是在宇宙诞生之初大爆炸时形成的，除此之外每一种元素都是在已被遗忘的恒星内部由简单的元素（氢和氦）形成的。在恒星的生命结束时，它们就被释放了出来。恒星的光在我们头顶闪耀，恒星的物质在我们的血管中流淌。我们是重生的恒星，具有声音、情感、愿望与食欲的恒星。

在宏伟的银河之下，这个想法总会进入我的头脑。一些过程将如此简单的开端变为丰富多彩的现在，我们可能了解每一个单独的过程，但这一连串过程的发送依然神秘。

7 月中旬到 9 月下旬是观赏夏季银河的最佳时机，此时它最为壮丽。在没有月亮或者月亮（最好是新月或者蛾眉月）早早落下的夜晚，带上驱蚊水、舒适的椅子和毯子，开车到黑暗的天空下，然后你就可以关掉引擎，在眼睛适应黑暗之后，边看美景边畅饮。

有时候我会带上天文望远镜去乡间，以为我会用它寻找彗星和星系，但大部分时间我只是抬头远眺，任自己在星空下变得渺小，被夜晚吞没。如果看到银河让你感觉到渺小，那么你不是一个人。人类日复一日地处在食物链顶端，有了这样的发现反而令人欣喜。有些人可能会绝望，认为人类在广阔宇宙中如沧海一粟，不再重要。这种想法是对的，也是错的。确实，浩瀚的宇宙让我们折服，但它也给了我们宏大的视角，让我们抛却微不足道的困扰，有力地向前。我们会对困境付之一笑。夜空最好的礼物，就是提醒我们，尺度不代表一切。人类可能是大环境中的一粒微尘，但是我们——与我们的植物、动物还有微生物朋友们一起——在广阔而寒冷的太空中高唱着生命之歌。

▼黑暗尘埃的“池塘”与明亮的云雾般的旋涡混合在一起，它的名字不会让人惊讶：礁湖星云。它是一个巨大的星际尘埃气体云，裸眼看非常暗，位置就在茶壶的右上方。当你一边阅读此处的时候，星云中的尘埃正在重力的作用下形成新的恒星。图片版权：ESO / S. 吉萨德（S. Guisard）

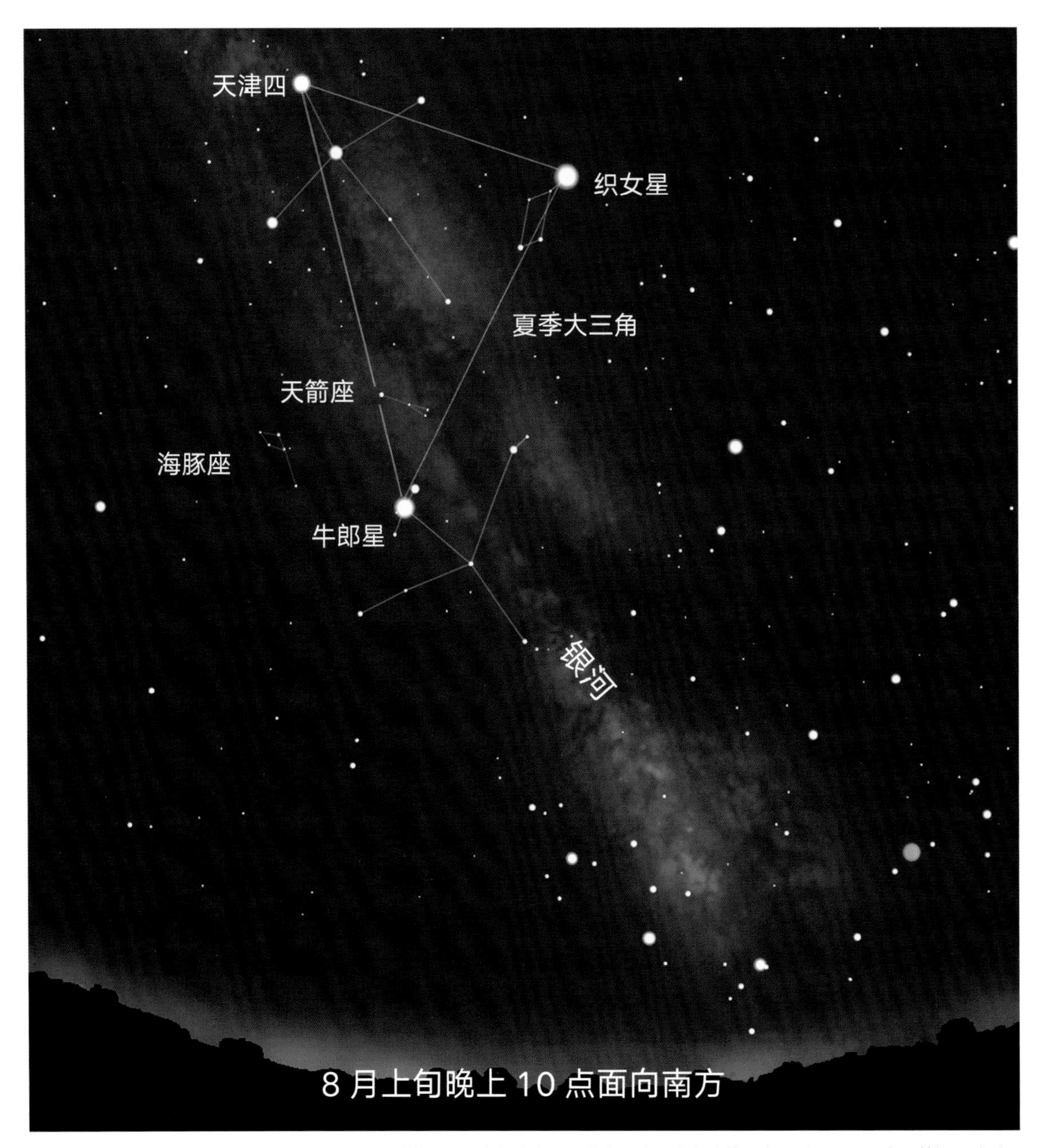

▲ *在夏季和秋季的晚上，夏季大三角是最容易认出的星群。它首先在 5 月的夜里出现在东边的天空，到了 8 月，它沿着银河升到了南天高处。天琴座的织女星、天鹅座（也被称为北十字）的天津四和天鹰座的牛郎星（河鼓二），一起组成了这个巨大的三角，它的顶部比两拳稍宽一点，向下的两条边比三拳多一点。你可以先找到这个星群，然后借助活动星图、星表和 App 找到更多星座。标注：鲍勃・金；图源：Stellarium 软件*

活动：体会星云之美

如果在夏季夜晚仔细地观察这条光带，你就能看出里面有些块状的东西。这种质感来自恒星聚集区（恒星云）、单个的星团，以及藏着恒星摇篮的气体云——星云。其中有些较亮的天体，名字以“M”开头，后面跟着一串数字，这些就是为纪念 18 世纪法国天文学家查尔斯·梅西耶而命名的梅西耶天体。梅西耶将他通过望远镜所看到的天体列在一张表上，这样他便不会再将它们误认作他所挚爱的彗星了。时间过去，有些梅西耶天体有了契合它们形状的新名字，比如 M11 也叫野鸭星团，M8 也叫礁湖星云，还有 M17 也叫天鹅星云。在黑暗天空下裸眼可以看到 M11 和 M8。要看到这些“深空天体”的话，你得先找到黑暗天空，然后使用星图。

茶壶的顶部和把手形成的星群叫作南斗六星，英文名是 Milk Dipper，意思是“银河之斗”。它形似一个长柄勺，伸进了银河。这里最亮的星是 2 等星斗宿四，英文名 Nunki 来自巴比伦文明，它被认为是天空中最早获得名字的恒星。斗宿四标志着我们对夏季夜空南天王国的初次探索进入尾声。

现在让我们将视线抬起，看向织女星、天津四和牛郎星。这三颗亮星组成了日暮时东南方天空中的巨大三角形。

7 月的日落时分，最先出现的亮星之一就是天琴座（难度 3 级）的织女星。除了织女星以外，天琴座的所有星都是暗弱的，但是它们组成了一个紧致的平行四边形，紧贴着织女星的下方。在 7 月和 8 月，织女星和天琴座位置接近天顶，如果你在草地上躺下来，就可以枕着自己的手臂欣赏它们了。

活动：寻找织女星的双星

请试试在织女星东侧寻找 4.5 等星织女二（天琴座 ε 星）。第一眼看过去，织女二像一颗暗淡的恒星，但是如果你继续观察，交叉使用余光和直视，你可能会成功地看到它一分为二，变成两颗同样暗淡的恒星，其中一颗在另一颗的正上方。天文爱好者将它们称为双双星，因为这两颗星每一颗都是双星，如果我们使用中等天文望远镜将它放大 100 倍以上，就会看清这一点。

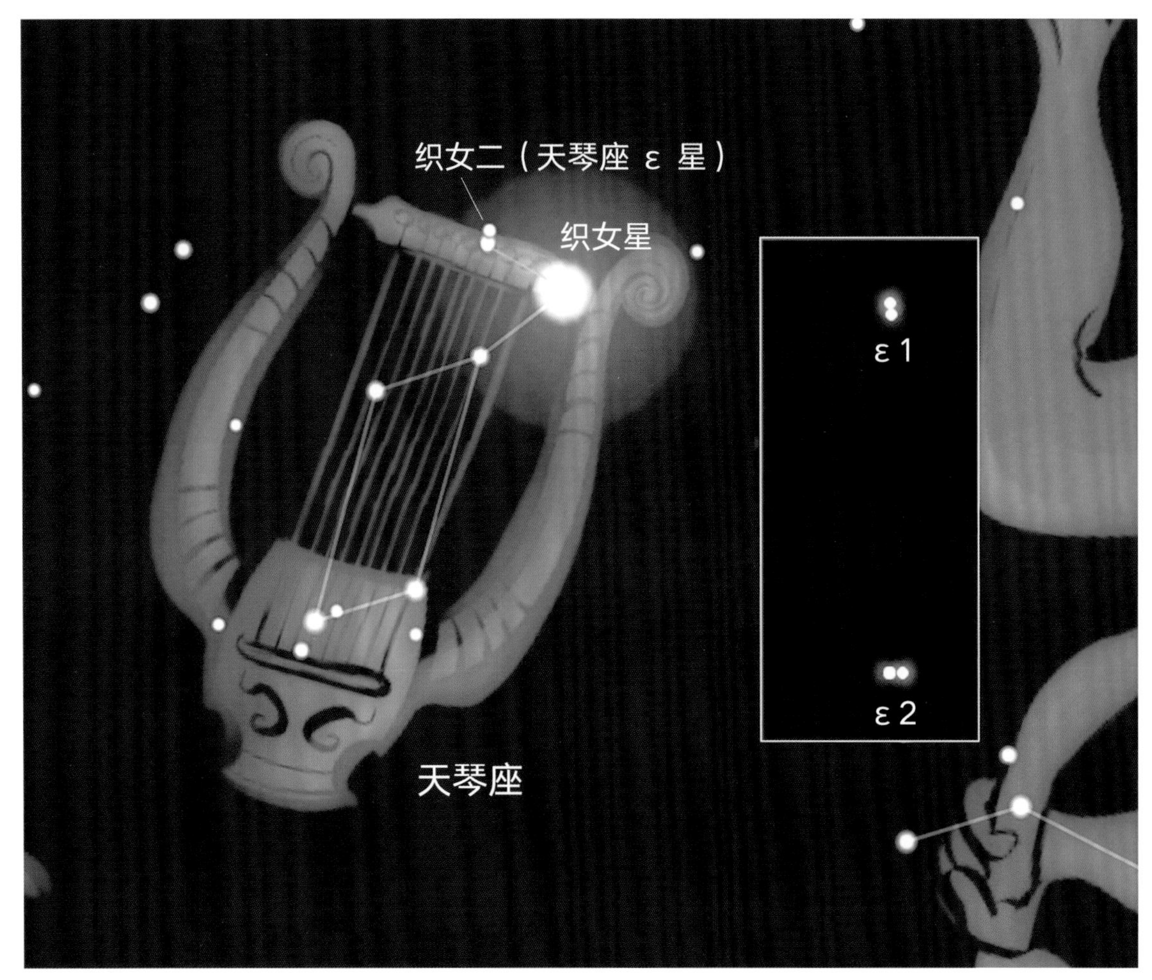

▲ *裸眼分辨天琴座 ε 星的双双星是很大的挑战，你可以在夏夜尝试一下。让自己找到放松的姿势，确保将注意力集中，你可能会看到两颗星。如果看到了，那就请拍拍后背给自己一个鼓励吧！标注：鲍勃・金；图源：Stellarium 软件*

间隔距离仅仅 3.5 弧分——想裸眼看清这颗四重星当真是个挑战。多亏我的小女儿，我才看到了它们。有一次仲夏外出露营，我们在篝火边躺下来看天。织女星在头顶正上方闪烁着，ε 星就在它旁边。我提到 ε 星是双星并且问她能不能区分两颗星。她在没有任何提示的情况下，研究片刻之后就给出了正确的方向。受到她的鼓舞，我也尽最大努力去看，并且收获了惊喜。一颗星立刻变成了两颗星，亮度相同，它们的名字正适合苏斯博士的绘本故事：ε 1 和 ε 2。

每个季节的星都被播下了后面一个季节的种子。8 月下旬的晚上 10 点面向东方，你会看到飞马座的大四边形和仙后座越来越高，急着赶走天鹅座，要在秋叶飘零之时取而代之。

活动：探索北十字

伸出拳头对着天空，从织女星向东（左）略多于两拳的距离，然后稍微往下，你就找到了天津四，也就是天鹅座（难度 2 级）最亮的星。天鹅座也被称为北十字。这个图案有两种形象。如果你当它是天鹅，那么十字最低处的星就是天鹅的头，十字的横梁就是天鹅的翅膀，天津四则是天鹅的尾巴尖。但如果将天津四看作十字的顶端的话，星座的其他部分则立刻从水禽变成了一个符号。

从天津四向下四个拳头处是牛郎星，也是三角形的最后一个顶点。牛郎星属于天鹰座（难度 3 级），周围的星组成了两只翅膀，向银河的两侧伸去。鹰尾巴上两颗较暗的星分别是 3 等星和 4 等星，很像天蝎座尾刺上的那两颗。在黑暗的天空下，你会在这对星右下方看到一块明亮的光斑，这就是盾牌座恒星云，它得名于不起眼的盾牌座(难度 5 级)。20 世纪早期，美国天文学家巴纳德(E.E. Barnard）称它为“银河的宝石”。在盾牌座的方向上，星际尘埃较薄，因此这一小段银河显得相当突出。在黑暗的天空下，你有可能在云团中看到更小、更密集的光斑，即野鸭星团（M11）。

现在我们准备向夏天告别。让我们直接朝向头顶的方向，看向织女星右侧两个拳头的距离，找到武仙座星群的脊梁。这个小小的不规则四边形，像极了上下颠倒的乌鸦座。从四边形的四个顶点向外伸出的恒星，组成了武仙座这位大力士（难度 5 级）暗淡的腿和胳膊。武仙座占据了天琴座和北冕座之间的大片空间。北冕座是半圆形，我们在春天的时候看到过它。

秋季星空

具体时间：10 月下旬晚上 9 点 30 分
11 月下旬晚上 7 点至 8 点
12 月中旬晚上 6 点

初秋是最适宜夜间外出的时节。这时候外面清新凉爽，更重要的是蚊子不见了。你可以解除防备，不用再担心害虫在耳边发出可怕的嗡嗡声，这真是一种解脱。夜晚的空气中传来蟋蟀和螽斯的鸣叫声。轻柔、重复的虫鸣仿佛在给头顶漫步的星辰伴奏。

夏季日落晚，暮光持续时间长，你需要等待很久天空才会暗下来。秋天，太阳落下的时间早得多，暮光持续时间也从两个多小时变成了一个半小时。9 月下旬，观星者可以在晚上 8 点 30 分开始观星，到了 10 月底又可以再提前一个小时。等到霜染白了草和树叶，晚风开始凛冽，你就要在夜晚外出时穿上大衣、戴上手套了。观星时的舒适性是至关重要的。在不舒服的情况下，我们很难使头脑平静下来，享受星空。

秋天里日渐倾斜的阳光、更长的夜晚，以及变冷的气温可能让人忧郁。在闪闪的星光之下，我让自己沉浸于这苦乐参半的情绪中。对于一些人来说，道别是如此艰难。但是这种因季节变换而暂时产生的悲伤也是我们与自然的联系。另外，尽管天蝎座和人马座不可避免地靠近西南方地平线，我们依然知道它们很快就会回来。

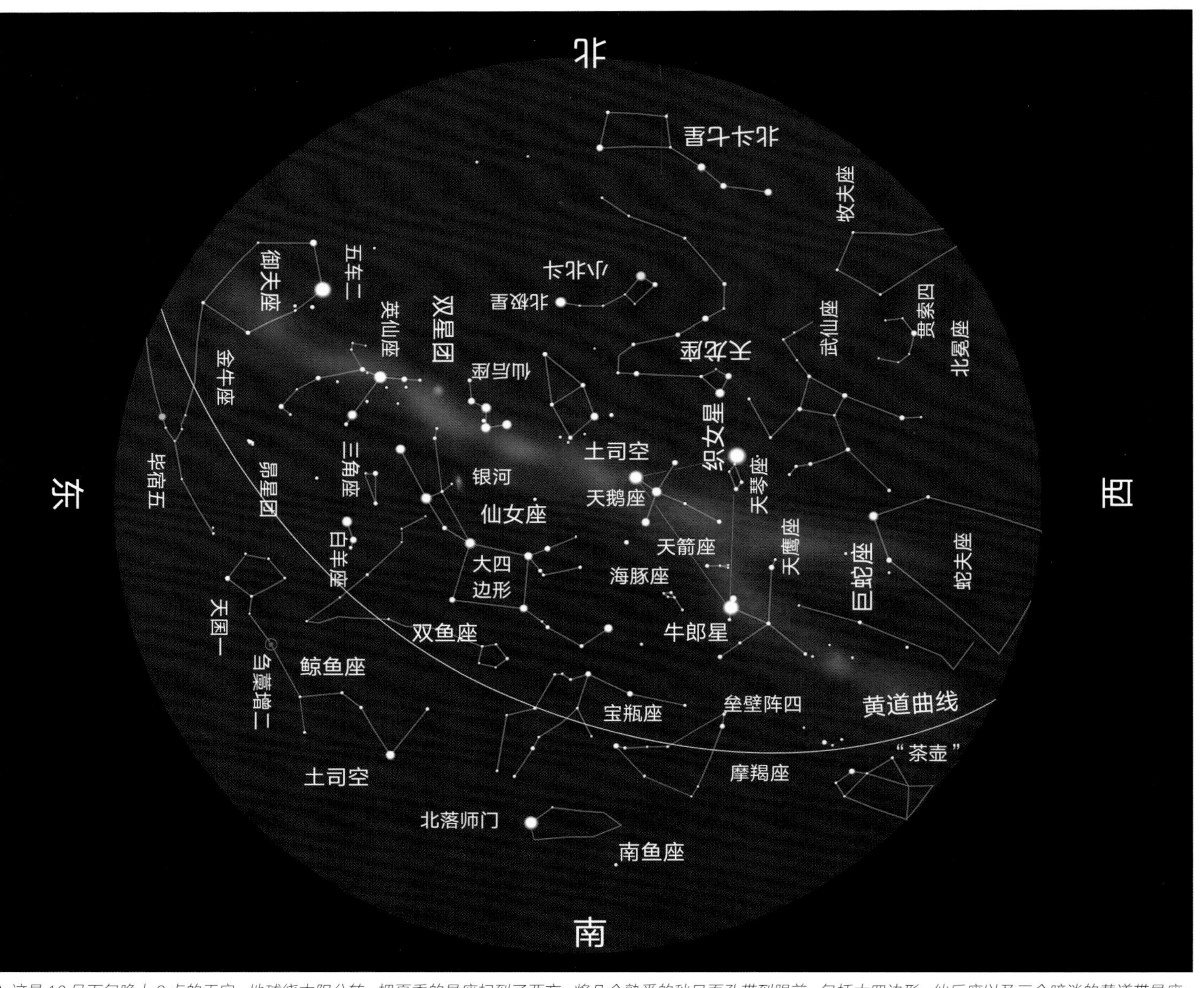

▲这是 10 月下旬晚上 9 点的天空。地球绕太阳公转，把夏季的星座扫到了西方，将几个熟悉的秋日面孔带到眼前，包括大四边形、仙后座以及三个暗淡的黄道带星座：摩羯座、双鱼座和宝瓶座。夏季大三角仍然主导着西南方的天空。7 月下旬凌晨 3 点，9 月下旬的晚上 11 点，以及 11 月下旬的晚上 6 点，你可以在同样的位置看到这些星座。标注：鲍勃・金；图源：Stellarium 软件

▲ 一旦你认识了夏季大三角和它们所在的星座，就可以试一试跳到海豚座和天箭座这两个小一些的星之群落了。从十字底部的辇道增七开始，向东测量两个拳头就到了海豚座。图片版权：鲍勃·金

夏天是欣赏银河的最佳时间，但早秋时节的银河仍然引人注目，它从西方地平线高耸到天顶，就像从烟囱中升起的烟雾，停驻在清冷的夜里。大角星在西北方天空眨眼睛，和它一起的北斗七星，正蹭过北面光秃秃的树顶。仿佛只顾着开心，还不知秋之已至，夏季大三角仍然在西南方天空高高耸立，北十字的天津四靠近天顶。我忍不住再次回到北十字。通过它的帮助，我们会找到两个小星座，这两个星座的形状正符合它们的名字：代表一支箭的天箭座（难度 3 级）和代表海豚的海豚座（难度 2 级）。

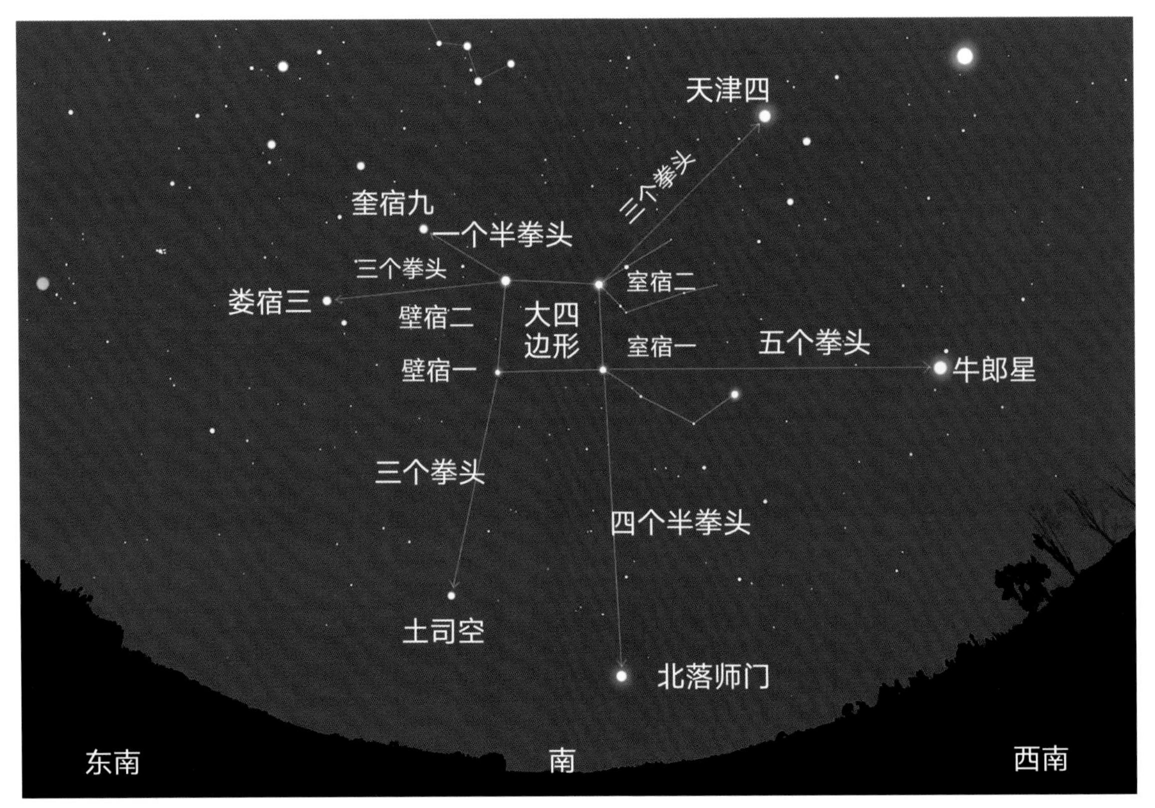

▲ *想找到附近六个星座中最重要的星，大四边形星群是关键所在，从它的底边和侧边画出延长线就可以找到目标恒星。这张星图显示的是 10 月 20 日晚上 10 点左右面向南方看到的天空，11 月 20 日晚上 8 点左右和 12 月 20 日晚上 6 点左右的天空也是这样的。标注：鲍勃・金；图源：Stellarium 软件*

活动：寻找海豚座

面向西南方，找到天津四，然后向下，你就找到了辇道增七。这颗星在天津四下方两个拳头处，位于十字底部，是一颗 3 等星。这颗星下方向东一个拳头处是那天上的箭矢，箭头向上，永远冻结在飞行之中。去找找吧，它由四颗 4 等星组成，是一个小图案。虽然不算亮星座，但是这个星座中的星星更紧凑，比星星位置分散的星座明显一些。

现在再向左滑行一个拳头的距离，我几乎可以保证，你看到小小的海豚座会发出惊叹。你能用五个点画出一个海豚吗？我们那遥远的祖先做到了。如今看来，这海豚还是画得相当漂亮的。从秋季的视角看，这个生灵就像从银河那半透明的水中一跃而起。

现在，我们将注意力转移到南方天空和飞马座四边形。如果你已经认识了北斗七星、猎户座、夏季大三角和飞马座（难度 2 级），那么你几乎可以找到夜空中的一切了。飞马座在 10 月和 11 月高高地飞在空中，在夜幕降临不久后穿过天子午圈。对我们来说，它是找到半打秋季星座的关键。

活动：寻找大四边形

让我们开始 10 月中旬的探索。在晚上 9 点到 10 点，面向南方与东南方之间，努力看向天顶附近，你可以用恒星玩连线游戏，连出一个四边形，每条边大约一个拳头长。这就是飞马座大四边形，代表了古希腊神话中的一匹马的躯干。

飞马座没有特别明亮的星，它们都在 3 等左右，比北极星暗一些，但是大四边形很容易认出。一旦锁定它，你就会看到恒星从四边形右下角的室宿一，向西向南冒出来形成马的脖颈和头，再往前就是代表马鼻子的 2 等星危宿三（英文名 Enif，源于阿拉伯语的“鼻子”）。现在回到四边形，专心看右上角的室宿二，从这里冒出了飞奔的腿，它们从室宿二的上面和下面向四边形的西侧伸展。

你是不是觉得飞马座并不像一匹马？这可能是因为它头朝下颠倒了过来！试试把它翻过来再看看吧。至于为什么会这样，这大概没有人知道。我猜命名者已经尽了最大努力去利用手边的星了。

熟悉了这个四边形之后，你可以在想象中从这里射出几条激光线，借此找到这个季节更引人注目的一些星——北落师门（南鱼座α星）、土司空（鲸鱼座β星）、娄宿三（白羊座α星）和奎宿九（仙女座β星）。其中只有北落师门和土司空是 1 等星，但每一颗星都是所在星座里最亮的。

秋季的星空并不以璀璨闪亮著称。在猎户座和闪亮的冬季星空到来之前，如果你想在看似空洞的天空上认出名字、找到形象，飞马座是最佳入手点。

北落师门有一个更出名的昵称，叫作“孤独者”，因为它是秋季时南方大片天空中唯一的亮星。就像黑暗中唯一的蜡烛，在夜晚正变得越来越冷时，这颗星独自奋力地“温暖”着空荡荡的南方。北落师门带来了暗淡的南鱼座（难度 4 级）。北落师门的英文名 Formalhaut 源于阿拉伯语，意思是“鱼嘴”。

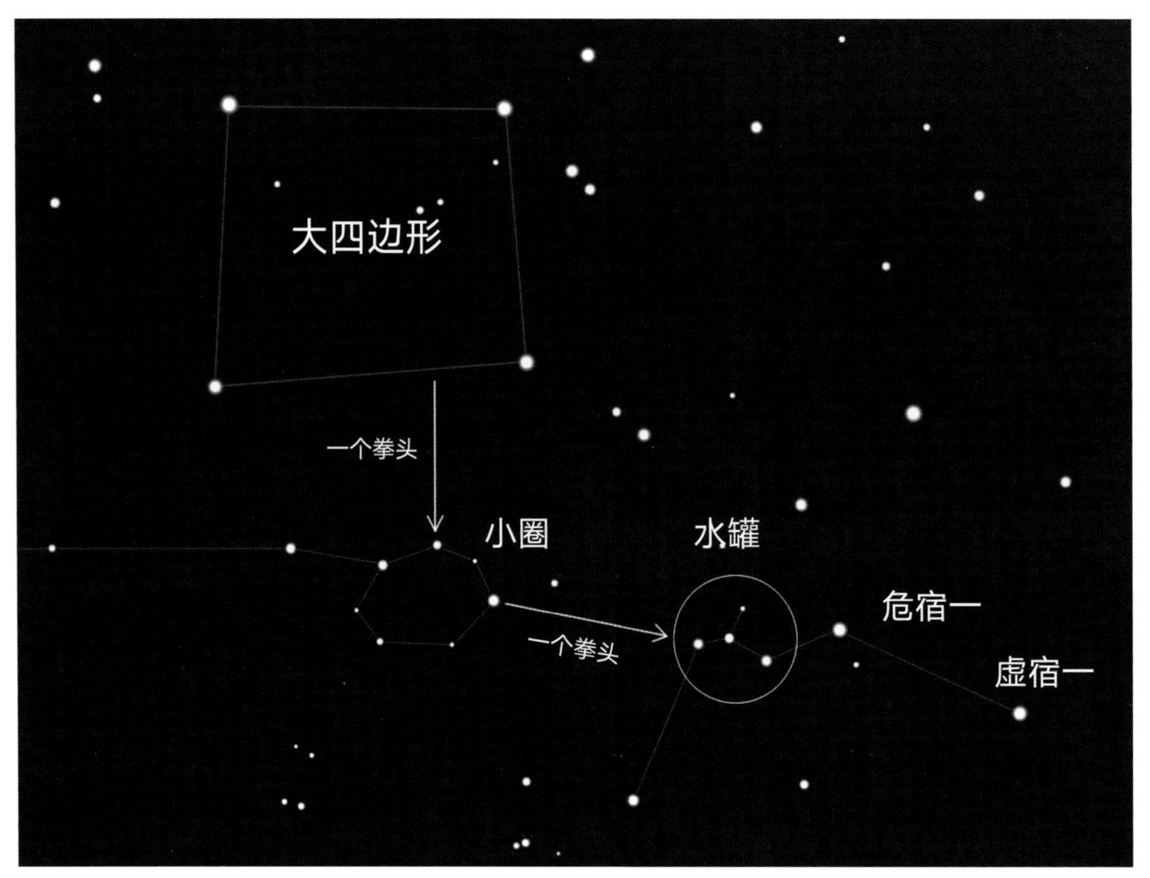

▲ *要找到暗淡的双鱼座和宝瓶座中最容易辨认的星群，你仍然要从大四边形开始。从四边形向下测量一个拳头，找到“小圈”，然后向西（右）一个拳头来到“水罐”。标注：鲍勃・金；图源：Stellarium 软件*

活动：寻找南鱼座

通过室宿二和室宿一沿着四边形的右侧边伸出一条线，向南延伸就到了北落师门。如果你在远离光污染的黑暗天空下，那么你会看到一小圈暗淡的星，从北落师门向西侧延伸，模模糊糊，像一条鱼的形状。北落师门是秋季季节性星座里面唯一一颗 1 等星，不仅如此，它还被一个由尘埃和岩石组成的原行星盘环绕着，可能就像太阳系在 40 多亿年前行星正在形成时的样子。

天文学家在 2008 年通过哈勃空间望远镜在北落师门的原行星盘中发现了一颗新行星，这颗星被命名为北落师门 b。北落师门 b 的质量不到木星的两倍，被尘埃残骸的云团包裹，作为第一颗在可见光下直接拍照留下影像的地外行星，它获得了特别的荣誉。这个笨重的大家伙缓缓绕着母星旋转，大约需要 1700 年才能转完一圈。

活动：遇见飞马座与南鱼座之间的星群

在飞马座和南鱼座之间，你会看到 3 个暗淡而巨大的黄道带星座——代表鱼的双鱼座、代表汲水者的宝瓶座（难度 5 级）以及代表海中之羊的摩羯座（难度 3 级）。尽管它们的观星难度都属于中级或高级，但每个星座都有一个至少可以“领你进门”的星群。我们从双鱼座开始。从大四边形底部的室宿一和壁宿一的中间点向南不到一个拳头的距离，你会看到一个由 4 等星和 5 等星组成的宽约 6° 的套索，这个形状的昵称是小圈。它代表了双鱼座两条鱼中的一条。双鱼座的整个形象沿着一条暗星组成的线继续向东，然后转向北，顺着飞马座的背往仙女星系延伸。这个星座北部顶端的暗星组成了第二条鱼，但需要极强的想象力才能看出来。

宝瓶座中水罐的图案比小圈更为明亮显眼。它在飞马座的鼻子危宿三东南方向一个半拳头处。当我看到它的时候，它的四颗星让我想起了开合跳和星号。从水罐向西，你会看到宝瓶座的 α 星和 β 星，即危宿一和虚宿一。如果你能找到这两颗星的话，那就要感谢你的幸运星了，因为危宿一英文名的意思是国王的幸运星，而虚宿一的英文名的意思是幸运星中最幸运的。也许我应该多花些时间在这片天空上。如果想要看到宝瓶座的剩余部分，你可以回到水罐，然后沿着悬挂在这里的星向南去找。

如果你听说过宇宙会在“宝瓶时代的曙光”中达到宁静与和谐，你大概会好奇这备受瞩目的一天何时到来。从天文学上讲，它开始于公元 2597 年 3 月的春分日（春天的第一天），那时，春分点从双鱼座移到了宝瓶座。这种转变是由地球进动引起的，进动使得北极星每 26000 年转一圈，也使太阳沿着黄道带缓缓向西滑动，大约每 2150 年滑过一个星座。由于占星师和天文学家对于星座边界有着不同见解，所以不同阵营间对于伟大时代的来临还在尝试达成一致。但可以肯定的是，我们没必要指望这个带来宇宙和谐。

活动：寻找垒壁阵四和牛宿一

如果你在晚上较早开始搜寻星座，飞马座还没有越过天子午圈，那么从室宿一向西南方向测量五个拳头的距离，或者从虚宿一向这个方向测量两个拳头，你会碰到一对 3 等星，垒壁阵四和牛宿一，两者相距一根大拇指的距离。这两颗低调的星在西边支撑着一个散乱的三角形，就是这个三角形描画了摩羯座（难度 3 级）的轮廓。请仔细看看垒壁阵四——非常仔细地看。你能看到多少颗星？如果你回答两颗，那么祝贺你！你完成了一个比观赏北斗七星中的开阳和辅要难得多的挑战，但是这比看到天琴座 ε 星还要容易些。

垒壁阵四（摩羯座α星）由两颗星组成，它们分别叫作摩羯座α1和摩羯座α2。α1是较暗的那颗，位于α2西北方向，距离是月亮直径的1/5。尽管外形很有迷惑性，但这貌似双星的一对只是“视觉”双星，或者说，是距离很远的两颗星碰巧排列而成。但它们旁边就有货真价实的一对双星：牛宿一。这两颗星围绕着共同的质心转动，同时又一起行进在太空中。裸眼不能分辨这对双星，但从双筒望远镜中可以看清楚。嘘——，我要告诉你一个秘密。尽管垒壁阵四的两颗星没有关联，但是通过一个小型天文望远镜你可以发现，它们每一颗都是真正的双星。

活动：探索白羊座

回到大四边形，我们现在画一条线，往东大约三个拳头然后略微向南，来找到 2 等星娄宿三，它是黄道星座白羊座（难度 2 级）中最亮的星。白羊座挨着自由伸展的双鱼座，个头儿相形见绌，但是容易看到得多。你只管去找看起来像微微弯曲的食指的三颗星吧。一旦你找到了白羊座，就有另一个星座来给你奖励了——正北方向不到一拳处有一个瘦瘦的三角形，这就是三角座（难度 3 级）。古希腊人给它起的名字是 Deltoton，这个名字来自 deltoid 一词，意思是三角形物体。

现在我们一定讲完飞马座了吧？不，还差得远呢。大四边形的用途简直和瑞士军刀一样多。我们现在让它带我们来到下一站：鲸鱼座（难度4级）。再次从四边形画延长线，这次沿着它的东侧边，向南延伸3个拳头的距离，你就找到了2等星土司空（鲸鱼座β星）。它的英文名Deneb Kaitos源于阿拉伯语，意思是“海怪尾巴的南边”。就像双鱼座一样，鲸鱼座也是自由自在地蔓延开来的一些暗星，它们占据了北落师门东侧，南方天空的大片区域。在土司空向东四个拳头处，你会找到鲸鱼座α星，也就是天囷一。尽管比土司空要暗一些，但它依然被列为了α星，这可能是因为它距离赤道较近。

天囷一和土司空，都会时不时地在刍藁增二（Mira）的光芒下黯然失色。刍藁增二的亮度每年只有几个月能达到裸眼可见的程度，然后便暗弱下去，默默无闻。刍藁增二就在天囷一西侧略超过一个拳头处，但如果发现这里看起来空荡荡的，你也不必惊讶。在11个月的时间中，刍藁增二的星等会从9等（通过小型天文望远镜才能看到）变到2等，有时候还会更亮。如果想知道它近况如何，你可以访问美国变星观测者联盟的网站（https://www.aavso.org/），在“选择一颗星”（Pick a Star）那里填入星的名字，然后点击“检查最近观测”（Check Recent Observations）。

刍藁增二是典型的长周期变星。尽管重量与太阳相似，但长周期变星要大得多，并且会有规律地震颤，其体积也会扩大和缩小，周期固定。在西方，刍藁增二是由路德教派牧师和天文学家戴维·法布里修斯（David Fabricius）于1596年发现的。此前，没有人注意过这颗星，但是人们发现它的亮度在变化，就立马给了它一个拉丁文的名字Mira，意思是“好极了”“令人震惊”。

刍藁增二的半径在太阳的300倍到500倍之间变化，周期为332天。这颗星在最小的时候，也就是被压缩得最紧密的时候最亮，乍一听这似乎很奇怪。缩小的时候，恒星表面辐射的能量会增加，这使它总体变得更亮更热。而膨胀的时候，恒星会冷却。从夏末一直到12月，你可以一直关注这颗奇妙的星。也许你足够幸运，会看到它让星座里其他星都黯然失色的时候。

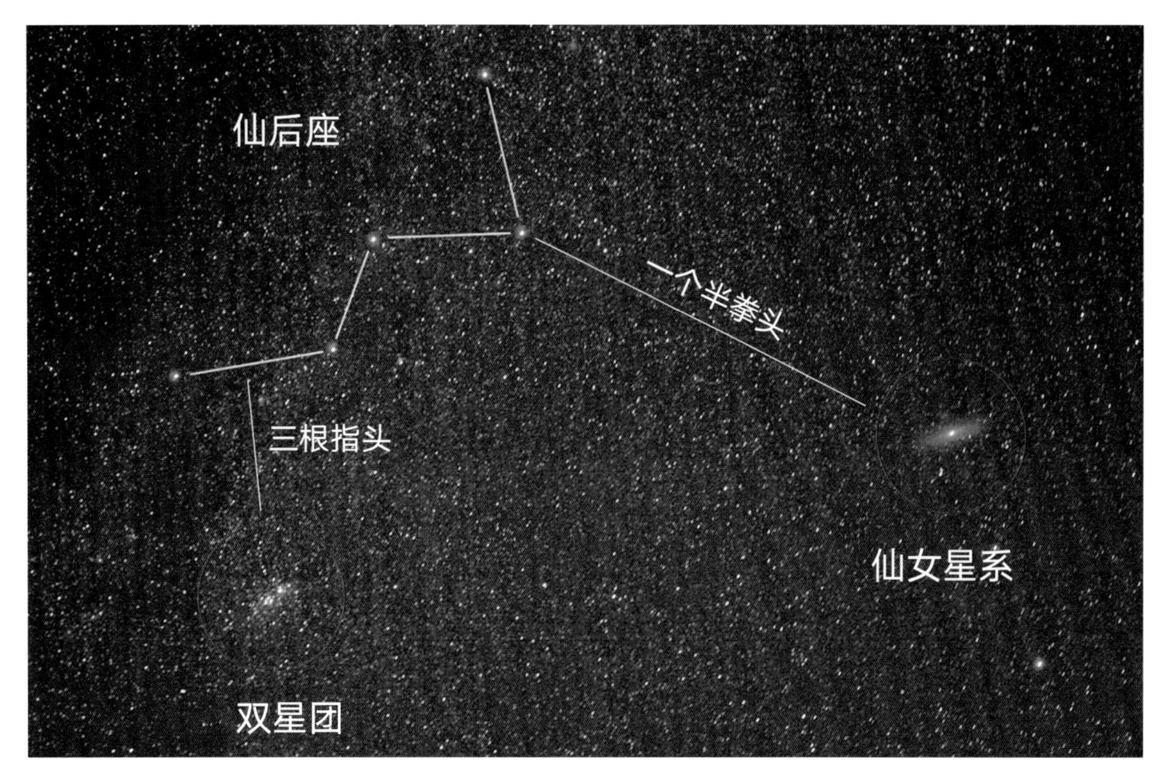

▲ *只要找到曲曲折折的仙后座，你就能很快找到英仙座的双星团以及仙女星系，仙女星系是银河系的邻居，比银河系更大。图片版权：鲍勃・金*

你是否愿意跟我一起离开银河系，去更远的地方旅行呢？现在，我们最后一次回到大四边形，停在东北（左上）角的壁宿二。一直以来，我们只把壁宿二当作四边形上的一点，但是现在要说出真相了。它是飞马座与仙女座（难度 3 级）这位公主所共有的星。正式地说，它应当属于仙女座，而且是其中最亮的星。我们将类似壁宿二这样的星叫作“连接星”，因为它们使两个星座可以互相关联又各自保持完整，就像一对夫妻看向对方的眼睛。另一颗连接星是五车五（金牛座 β 星），由金牛座和御夫座共有。

伊利诺伊大学（University of Illinois）天文学荣誉退休教授吉姆・卡莱（Jim Kaler）将仙女座比作大四边形东北方向的“一串珍珠”。

活动：寻找仙女星系

从西向东，三颗最亮的星——壁宿二、奎宿九和天大将军一——大约两两相距一个半拳头的距离，星等在 2 等左右。如果你将目光停留在奎宿九，然后看向它北侧三根手指稍向西（向上和向右）之处，你会看到一个朦胧的点，就像巨蟹座的蜂巢星团。这是另一个星团吗？算不上。我们已经到了仙女星系，它是距离银河系最近的大星系，也是我们大部分人裸眼能看到的最遥远的物体。

▲这个星系位于仙女座，距离我们 250 万光年远，对于很多人来说，它是可以看到的最遥远的物体。尽管它无比遥远，但它的星等达到了 +3.4 等，即使在郊区也很容易看到，你只需让眼睛先适应黑暗，然后找准方向。图片版权：亚当・埃文斯（Adam Evans）/维基百科

观察这片雾蒙蒙的亮光时，你的目光就来到了距离家园 250 万光年远的地方，约等于 241000000000000000 千米，这里足足有 17 个零。这简直不可思议，对吗？也许我们可以用时间来解释这个数字的意义。你今夜所看到的仙女星系的光，在 250 万年前便离开了那个星系，那时候人类正在学习直立行走并使用工具。确实，自从那束光启程之后，我们的星球上已经发生了太多变迁。

不可思议的是，在适度黑暗的天空下，我们不需要任何光学设备就可以看到它。为这景象沉醉的时候，你可能会注意到星系中的某种结构。中间的部分是仙女星系中恒星更为密集的地方，看起来比星辰少一些的盘的外侧亮得多。用眼角余光来感受一下吧。在黑暗的天空下，这个星系占据了 3°，也就是 6 个并排的满月。如果你想要跟朋友或者家人一起看仙女星系，可以让星图中仙后座的“W”形来引导你。在郊区或者乡村的天空下，只要知道了准确位置，几乎所有人都能看到这个星系。

仙女星系的结构类似银河系，两者都是像巨大的肉桂面包卷一样的旋涡星系，但是仙女星系比银河系大得多，前者的宽度为 220000 光年，里面有万亿颗恒星、数十亿颗行星和数千个星云和星团。离我们远得让人瞠目结舌，即使在大一些的天文望远镜里，所有这些也都混合在一起，变成了不能分辨的星光之雾。

它如此遥远，而它的光又如此古老，有时会有人问我这个星系是否还在那里。“它的恒星会不会在很久之前就消耗殆尽了呢？”放轻松吧，250 万年对于大多数恒星来说不算什么，要知道大部分恒星至少要存在几十亿年，而有一些星星，比如节衣缩食的红矮星，数万亿年才用光核燃料库。

如果你住在仙女星系的一颗行星上，那么从那里看到的天空跟地球上看到的一样，充满闪烁的星辰。你可以根据自己的想象命名任何星座。你可以通过望远镜看到完全不同的星云和星团闪耀在这异域的天空中。假设就跟太阳和行星在银河系中一样，你的行星也位于厚厚的星系之盘中，你可以抬头看到一条雾蒙蒙的光之丝带切开了天空，那就是仙女河。虽然轮廓会有所不同，但它与在地球上看到的银河有很多相似之处。

至少 54 个星系因为万有引力互相吸引着，杂乱无章地聚在一起，组成了本星系群，银河系和仙女星系是其中最大的两个星系。从更大的尺度上看，本星系群是一个巨大的超星系团中的一小部分，这个超星系团的中心在 5000 万光年之外的室女座。就像俄罗斯套娃一样，宇宙一级一级增大，在我们能看到的尺度上，这种层级始于粒子，经过人类、星辰、星系、星系团，终于到达了超星系团。

我们要感谢美国天文学家埃德温・哈勃（Edwin Hubble）敏锐的洞察力。100 年前，很多天文学家认为银河系就是整个宇宙的一切。我们今天知道的一个个星系，曾经被认为都存在于一个单独的星系之中，那就是我们自己的星系。是哈勃发现了仙女星系的遥远距离，敲开了宇宙之门，永远改变了我们的视角。到 20 世纪 20 年代末，我们对银河系的理解达到了现在的程度，它成为闪耀在宇宙黑暗背景上的无数星系中的一个。众多星系就像你夜间在空中看到的众多城市。

冬季星空

具体时间：12 月下旬晚上 11 点
1 月下旬晚上 8 点 30 分
2 月下旬晚上 7 点

到了 12 月，枯叶相互拍打的声音与溪流的汩汩声都停息了。严寒，树木中冰冻的汁液会发出爆裂声。在冬天，你会感觉地球距离外太空比其他时候更近。这不仅因为冬夜和太空一样寂静，也因为环境寒冷。远离太阳和临近的星，外太空的温度只比绝对零度（−273.15℃）高一点。想想看吧，−29℃时在户外待一两个小时，你已经冻僵了。

但是如果你穿得十分暖和，并且在需要的时候用上了暖手宝，那么冬夜是非常好的观星时间。猎户座不是这个季节唯一耀眼的星座。它迎来了一众星座，其中有很多都拥有耀眼的 1 等星。如果计划得当，你可能看到全天最亮的 25 颗星中有 12 颗都在空中闪烁，从西方即将离场的织女星和天津四，到东方逐渐升起的天狼星。

这灿烂的星光让人们有种共同的印象，大家都相信冬季的天空是一年中最暗、最清晰的。犹豫之后，我还是决定戳破幻象。寒冷的确带来了干燥的空气，让吸收星光的水汽变少了，但是这只是一个次要因素。冬季也意味着雪以及悬浮气溶胶的暂时增加。后者的例子包括因为燃烧汽油、石油以及木材供暖而产生的油烟。气溶胶吸收光，而雪反射光。用来照亮街道、溜冰场以及滑雪场的光，不管是否被仔细遮住，都通过雪反射向天空，因而使星光暗淡。即便像便利店灯光一样小的局域性光污染源，在冬天时也因为冰雪而比夏天向天空发出更多的光。

多年观星的我可以诚实地说，最黑暗的夜晚不会在冬天到来。冬天排列在南天的亮星令人印象深刻，但如果你想看到它们远离光污染的本来的样子，那就要去乡间欣赏这让你终生难忘的景象。

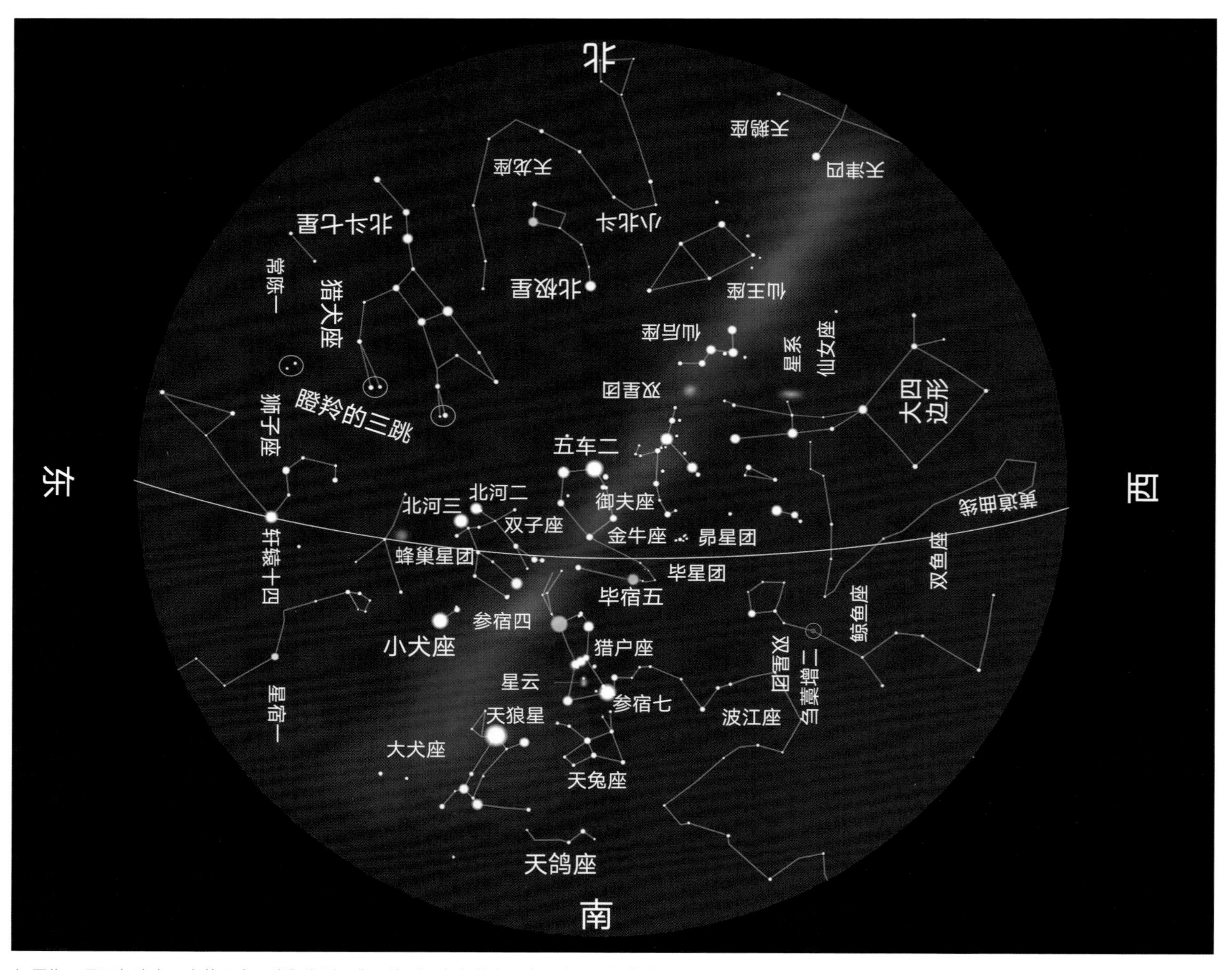

▲ 图为 1 月下旬晚上 9 点的天空。我们告别了大四边形，在东北方天空迎来了回归的北斗七星。冬天有这么多标志性的亮星聚集在南方天空中，这样的景象（与寒冷）会让你目瞪口呆。10 月下旬的凌晨 4 点、12 月的晚上 11 点，以及 2 月下旬的晚上 7 点，你可以看到这些星座出现在同样的位置。标注：鲍勃·金；图源：Stellarium 软件

▲ *观星者期待着明亮又朦胧的昴星团在晚秋和初冬归来。夜里早些时候，你可以在东北方的低空找到它。图片版权：鲍勃·金*

欣赏美景之前，我们先看看哪些星辰要离开了。在冬日夜晚，面向西方，你会看到正在离开的夏季大三角和在一端直直挺立的北十字。飞马座倾斜向一侧，仙女座尾随其后，就像一条系在马颈上的丝带在飘动。如果12 月下旬或者 1 月在黑夜刚刚降临时外出，那么你会看到鲸鱼座出现在南方。从这海怪的头向东北方向两个拳头处是外形似斗的昴星团，这是天空中最美的景象之一。

昴星团代表希腊神话中的七姊妹，她们是擎天神阿特拉斯（昴宿七）和妻子普勒俄涅（昴宿增十二）的女儿：迈亚（昴宿四）、伊莱克特拉（昴宿一）、亚克安娜（昴宿六）、泰莱塔（昴宿二）、斯泰罗佩（昴宿三）、塞拉伊诺（昴宿增十六）、梅罗佩（昴宿五）。这个星团早在 8 月就会在夜晚出现，但是直到晚秋或者冬季才会变得明显。12 月的晚上，我爱观察它们升上东方的天空，就像一把珍珠在寒雾中升起，直到它们来到南边。昴星团的光彩无与伦比。大多数星星都是孤单的，和其他星星没有联系，而星团是簇拥在一起的一群星星，在夜空中格外夺目，吸引着我们的注意。

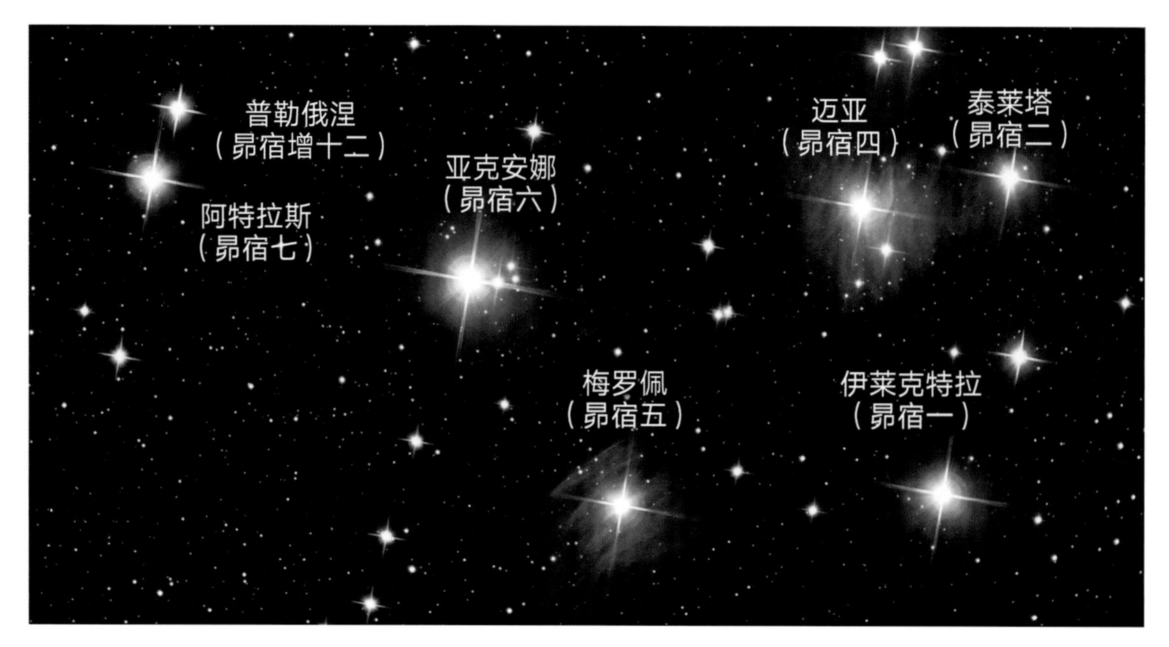

▲ *昴星团代表了希腊神话中的泰坦人阿特拉斯和海仙女普勒俄涅的七个女儿。大多数人一眼看过去能分辨出五颗星星，仔细看可以发现全部七颗星星。其中最难辨认的是普勒俄涅（昴宿增十二）。图片版权：Rawastrodata 网站 / 维基百科*

如果没有旁边的毕星团，昴星团就是天空中最亮的星团了，它一共包含 3000 多颗星。这个星团本身的跨度是 13 光年，距离地球大约 444 光年。它的成员就像一群鱼一样，被万有引力束缚在一起，在太空中游动。

观察这个星团时，新手通常能看到其中的五颗星。这是大多数人一眼看到的情况，很合情理，因为最亮的五颗星——亚克安娜（昴宿六）、阿特拉斯（昴宿七）、伊莱克特拉（昴宿一）、迈亚（昴宿四）和梅罗佩（昴宿五）——星等范围是 2.9 等到 4.2 等，在比较黑暗的观星场所都可以轻松看到。我们能看到更多吗？

19 世纪末 20 世纪初的天文学家和作家阿格尼丝·克拉克（Agnes Clerke）留下了这样的记录："（英国天文学家）卡林顿（Carrington）和丹宁（Denning）数到了十四颗。"而小罗伯特·伯纳姆（Robert Burham Jr.）在他三卷本的《伯纳姆天体手册》（*Celestial Handbook*）中写道："这个星群至少有 20 颗恒星，在条件最好的情况下可以瞥见。"

活动：寻找泰莱塔（昴宿二）、普勒俄涅（昴宿增十二）和阿特拉斯（昴宿七）

观赏昴星团需要黑暗的天空、极佳的视力，以及耐心。你可以多多尝试，看自己是否可以至少看到七颗星。从亚克安娜（昴宿六）画一条经过迈亚（昴宿四）的线，你应该能找到泰莱塔（昴宿二）。一旦知道了向哪里看，星星就不难找了。你可以略微使用余光，看它的旁边，而不是直视它，这样更容易成功。但是想要看到普勒俄涅（昴宿增十二）可就难多了。这不仅是因为它更暗，还因为它紧贴着最亮的阿特拉斯（昴宿七）。你需要完全适应黑暗，还要拿出耐心，并且在直视和侧视之间进行变换。

▲ *在昴星团向东（左）一拳之处，你会直接撞上金牛座的脸颊，它是由“V”形的毕星团组成的。明亮的毕宿五看起来很好地融入了这个星团，但实际上它是一个置身于前景中的恒星。图片版权：鲍勃·金*

昴星团之所以有着朦胧的外表，是因为：(1) 星团本身很紧凑，所以我们眼中会出现它们被朦胧光芒包裹的样子；(2) 其中的恒星太过暗淡，所以我们能看到很清晰的光芒；(3) 星团中有被星光照亮的星际尘埃。如果你已经熟悉了裸眼观赏昴星团，那么我强烈建议你用双筒望远镜看看它更美的样子。你看到更多恒星的时候一定会非常高兴。

活动：寻找毕星团

还有什么比一个星团更有趣呢？有，那就是一个星团旁边还有另一个星团。七姊妹东南方向一个拳头处是你不可能错过的毕星团，这是一个大约三根手指宽的小“V”形。“V”形代表了金牛的脸，其中最亮的橘黄色的毕宿五代表一只闪耀的牛眼睛。毕宿五看起来属于毕星团，但它实际上是一颗前景恒星，只是碰巧跟星团处在同一个视线方向上。我们感激它出现在这里，因为它完成了“V”形。如果没有毕宿五，牛就失去了一只眼睛。

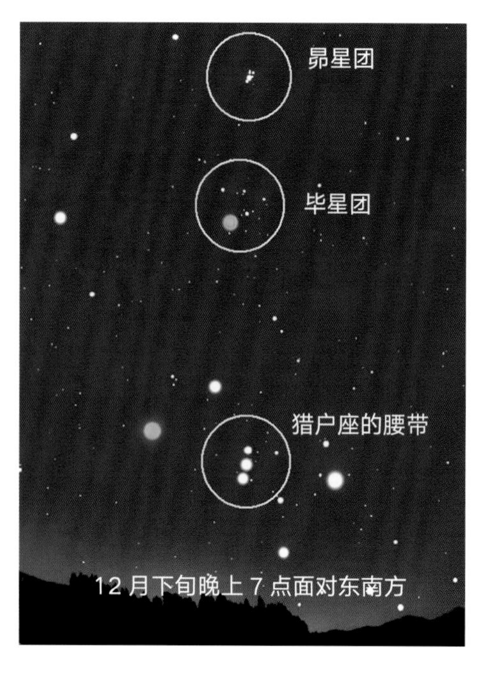

◀ *图中所示时间是圣诞节的晚上 7 点，如果你在猎户座升起时面向东方，你可以从腰带沿着恒星找到毕星团，然后再向上来到昴星团。图源：Stellarium 软件*

毕星团是最亮、距离我们最近的星团。对我们来说，它比昴星团近得多，所以它看上去更大。你从深空摄影照片中可以看到毕星团中的 300 ~ 400 颗星星，裸眼可以看出其中的十几颗，通过双筒望远镜则可以看到大约 100 颗。假装是其中一员的毕宿五在星团的前景上，距离地球仅 65 光年。NASA 的先驱者 10 号探测器曾经在 1973 年传回第一张近距离木星照片，它正朝毕宿五飞去，将在约 200 万年后到达它的附近。希望到那个时候，我可以在地底下补上多年以来因为巡视夜空而缺少的睡眠。

在希腊神话中，毕星团是阿特拉斯的五个女儿，是昴星团同父异母的姐妹。在哥哥许阿斯死后，众姐妹因悲痛而流泪不止，于是宙斯将她们放在天上变成星星。长久以来，人们将多雨的气候与毕星团相联系。希腊人相信，是她们的升起和落下带来了降雨。秋季当中，这个星团在傍晚的首次登场提醒着人们天气的变化和即将到来的降雪。

活动：寻找金牛座 θ 双星

对于裸眼观星者来说，看到金牛座 θ 星（毕宿三）是一项挑战。它就在毕宿五西南一根手指远的地方等候你的顾盼。试一试吧。用上你最敏锐的视觉，直接盯着它看，你就会开心地看到一颗明亮的珍珠变成了两颗。借助双筒望远镜，你可以很容易地将它们区分开，你甚至可能注意到两者颜色稍有不同，一个是白色的，另一个是红色的。

活动：你能看到毕星团里的几颗星？

这里还有一个有趣的挑战：你可以试一试自己能看到毕星团中的多少颗星。在我家，黑暗无月的晚上，在“V”形的轮廓内和近旁，我能够数出大约十几颗恒星。其中还有几颗在外面闪烁着。你能看出多少颗？

毕星团勾画了金牛座（难度 2 级）的脸颊，而金牛座 ζ 星（天关）和金牛座 β 星（五车五），在毕宿五东北一拳半的位置标出了牛角。五车五属于金牛座，但是与代表战车驾驶者的御夫座（难度 2 级）连接了起来，我们在春季星空的西方见过这个星座。1 月下旬的傍晚，御夫座在天顶闪烁着光芒，为了看到它，你不得不把头向后仰，再向后仰。不如就在地上躺下来，或者在热浴缸里看星星吧。

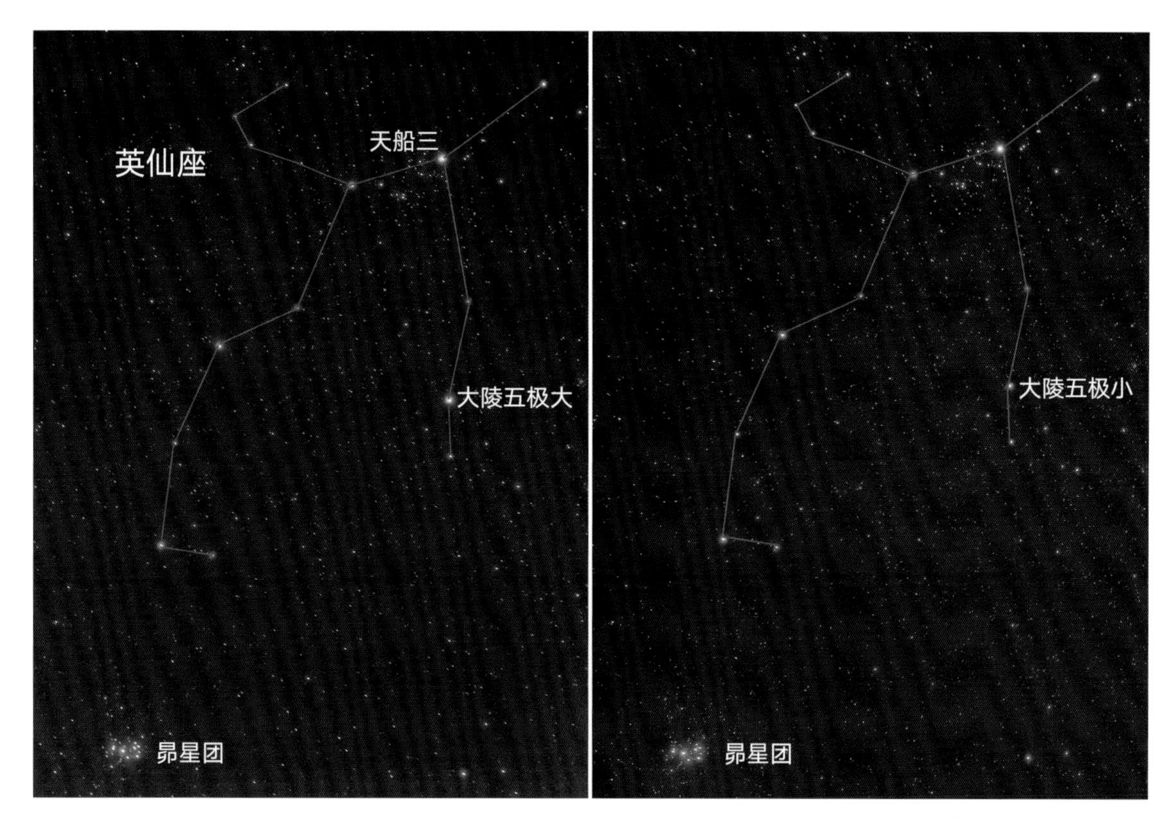

▲你想要观赏恒星食吗？那就留心英仙座中的大陵五吧，它是一对近距离的双星。每隔几天，这颗星的星等都会从平时的 2.1 等（跟北极星一样）变为 3.4 等。这种变化裸眼也很容易看到。图片版权：鲍勃·金

此星座西北角的五车二（0.1 等星）是全夜空第六亮星，只比夏天的织女星暗了一点。关于御夫座的神话故事有点混乱，御夫既没有战车也没有马匹，但右手的确握着缰绳，左肩上还扛着一只母山羊（五车二 ）。在五车二往下两根手指远的地方，你可以找到一个由 3 等星组成的窄窄的三角形，其中每一个都代表了一只山羊宝宝。这个星群名为“孩子们”。

夏天，我们面对着人马座和银河系的中心。冬天，我们则向银河系之外，看向靠近御夫座和金牛座的交界处。这时，太阳系之外，银河系之内的星星和明亮星云少了一些，因此冬季的银河没有了 8 月的壮丽，显得无精打采。你可以在黑暗无月的夜晚，试试看自己能跟着这条窄窄的光带走多远，它从头顶的仙后座，经过英仙座、金牛座的角、双子座、猎户座和大犬座，最终会消失在东南方的地平线。你可以多注意一下银河内和岸边的众多亮星，看看它们如何与银河微弱而朦胧的光形成反差。

从御夫座向西两个拳头处就是代表大英雄珀耳修斯的英仙座。珀尔修斯的伟大事迹是从海怪鲸鱼座的魔爪下拯救了仙女座代表的安德洛墨达公主。公主的母亲，也就是仙后座所代表的埃塞俄比亚的王后，长时间地盯着镜子，夸赞自己的美貌胜过众神的王后朱诺。结果海神尼普顿送来一只海怪去损毁埃塞俄比亚的海岸。而平息海神怒火的唯一方法，就是将公主用锁链缚在海边礁石上献祭。

▼有几种方法可以找到大陵五。你可以用亮星五车二和昴星团连一个三角形，找到天船三，再从那里向南（下）一个拳头，找到大陵五。我标出了附近的恒星，英仙座 κ 星和 ε 星，以及仙女座 γ 星，并且附上了星等。你观察大陵五的掩星时可以将其亮度与这些星进行对比。标注：鲍勃·金；图源：Stellarium 软件

珀耳修斯杀死了蛇发女妖美杜莎，在回家的路上碰巧看到了身处险境的安德洛墨达公主。珀耳修斯与国王和王后达成协议，只要杀死海怪，他就可以娶安德洛墨达为妻。于是怪物被消灭，珀耳修斯和安德洛墨达幸福地生活在一起。每一个秋日和冬日的晚上，你都可以看到这个故事以图画的方式重新演绎一遍。这会不会是所有时代中播放时间最长的一部无声电影？

英仙座顶部或者说北部的一半，形状像字母“J”，下面耷拉着暗星组成的“腿”。他抓着女妖美杜莎的头颅，美杜莎有一头蛇发，任何看到她眼睛的人都会被化作石头。珀耳修斯使用一个高明的计谋砍下了她的头颅。他带了光亮如镜的盾，通过反光看到了美杜莎，避开了诅咒。时至今日，蛇发女妖依然阴魂不散地盘踞在大陵五。大陵五从美杜莎的额头俯瞰地球，这颗星的英文名字是 Algol，源于阿拉伯语中的 al-ghul，意思是“恶魔的头颅”。

这些名字的来源可以追溯到公元 10 世纪，当时的观星者很可能已经发现了大陵五周期性的亮度变化。大多数晚上，大陵五都是 2 等星，但它时不时会变暗 1.5 个星等，这在亮度上是很明显的变化。几乎所有裸眼可见的亮星亮度都很稳定。那么为什么会有这种魔幻的现象？难不成美杜莎还活着？

原来，大陵五包含近距离相互绕转的两颗星，它们是食双星。每隔 2.9 天，较大、较暗的那一颗星从较小、较亮的那一颗星前面经过，遮挡住光芒，让大陵五变暗。整个偏食的过程会持续 10 个小时。经过几小时逐渐变暗的过程，大陵五会有 2 个小时处在最低亮度，再过几个小时，大陵五会恢复亮度。

▼当大陵五变暗时，我们看到的是它那更大、更暗的伴星，大陵五 B，它正经过更亮的大陵五 A 的前面。图片版权：鲍勃·金

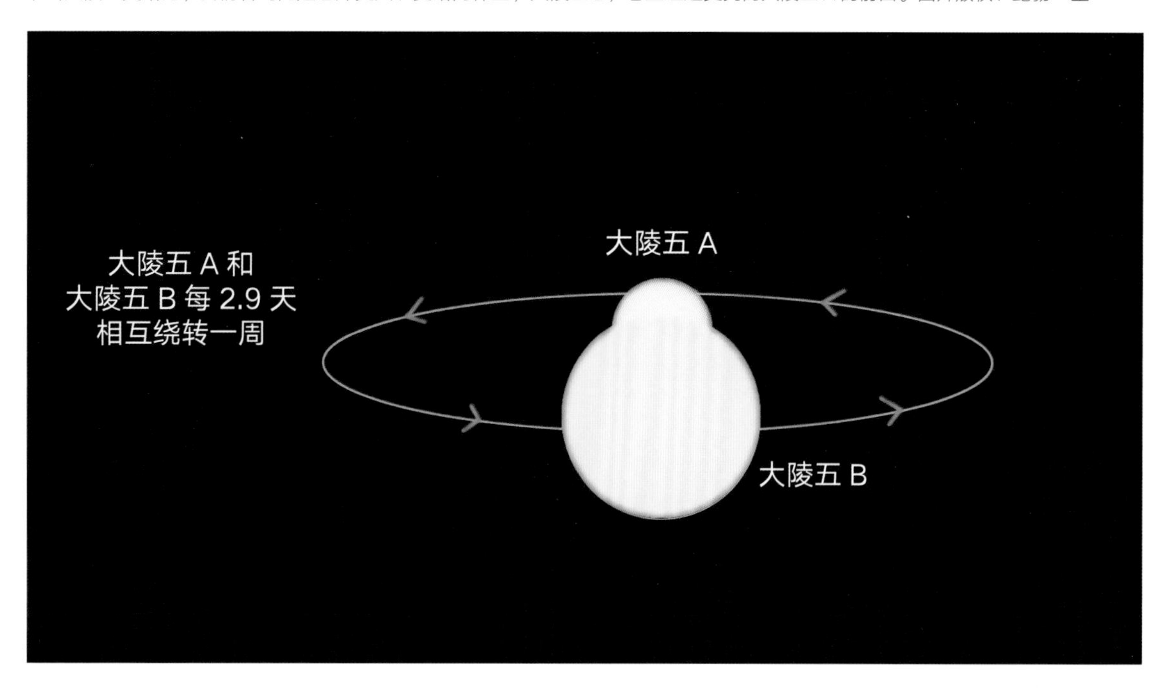

仙后座

双星团

大陵五

英仙座

御夫座

12 月上旬夜幕降临时面对东北方向

◀ 虽然暗淡，但是英仙座是一个很容易找到的星座，它就在仙后座的"W"形下面一个拳头处。"W"形下面三根手指处有一个模糊的点，那是你不容错过的双星团。通过双筒望远镜，你会发现那是两个撒满恒星的紧凑的星团。图片版权：鲍勃・金

你不需要花 10 个小时的时间看一次大陵五的掩食。通常，你会在它亮度迅速下降或上升的阶段看到它。我最喜欢在这个阶段看一看大陵五，晚些时候再看第二次。你会发现它的亮度变化十分惊人，这可是距离家门 93 光年远处的偏食。这是最棒的！

活动：看一看大陵五的最低亮度

如果你想要知道大陵五什么时候处在最低亮度，《天空与望远镜》的网站的大陵五最小亮度计算器可以帮助你。你可以根据结果调整观星计划。

离开英仙座之前，我们再看看双星团。这是一对肩并肩的星团，我们在秋季星空中简短介绍了它。从仙后座的亮星出发，你很容易找到它。只需伸出拳头，放在"W"形的左侧下方（如果"W"正从北方天空穿过中央地带，那就是它的上方），你就能发现一朵小小的、蓬松的云，看起来就像银河中一块较明亮的密集区域。你在郊区不难看到它。古巴比伦人和古希腊人也认识这团云，天文学家喜帕恰斯将它纳入了他的星表。

如果用裸眼观察的话，你只能看到大约两个满月大小的一团光亮，但是你从双筒望远镜里可以看出，这团云实际上是两个壮丽的星团。西侧的星团是 NGC869，它的同伴是 NGC884，两者相隔 300 光年，它们距离地球大约 7000 光年远。

我记不清我看到的第一个星座是哪一个了，但很可能是猎户座（难度 1 级）。我清楚地记得，在 12 月的晚上，我从卧室窗户里看到那腰带上的三颗星向我邻居房顶的方向倾斜着。

多亏了有这三颗星连成一排，这使得绝大多数人都能找到猎户座。这三颗星有许多名字，比如猎户座的腰带、三个玛丽、圣彼得的拐杖，还有码尺。而且它横跨了天赤道（地球上的赤道到天空的延伸），地球上几乎所有的人都可以看到这最知名的星群。从赤道上看，这三颗星就徘徊在头顶的正上方，从中纬度地区看，它们在地平线和天顶的中间，而在极地，你会看到它们贴近地平线。

这腰带中的每颗星都有一个名字，东端的参宿一（Alnitak）和西端的参宿三（Mintaka）两颗星的阿拉伯语名字都可以翻译为"腰带"，而中间参宿二（Alnilam）的阿拉伯语名字则是"一串珍珠"的意思。三颗星都是巨大的恒星，比太阳要明亮 90000 ～ 375000 倍。

▲猎户座是一个无与伦比的星座，对于北半球的观星者来说，它就是冬季观星的标志。在 11 月的傍晚，你会注意到它从东方升起。猎人的星星腰带非常漂亮，并且可以帮我们找到其他星座，比如金牛座和大犬座。图片版权：鲍勃・金

人们熟悉的很多图案，比如夏季大三角或者水罐，都由彼此距离很远的恒星碰巧排列而成，猎户座的腰带也不例外。参宿一距离地球 800 光年，参宿三距离地球 1340 光年，参宿二距离地球 915 光年。粗略地看，它们在同一片区域，但是它们不像毕星团和昴星团里的星星那样，有着更密切的联系。仔细看，你会注意到腰带上的恒星并不是一条直线。参宿二“下垂”了一点，使得这个图案没能完全对称。

活动：寻找天狼星

腰带不仅是天空中最抢眼的星群，还是帮我们找到其他亮星和星座的好帮手。想象一个箭头沿着腰带向上，你会顺着箭头找到金牛座的毕宿五。往反方向延伸，你会来到天狼星，它是夜空中最亮的星，也是大犬座 α 星。

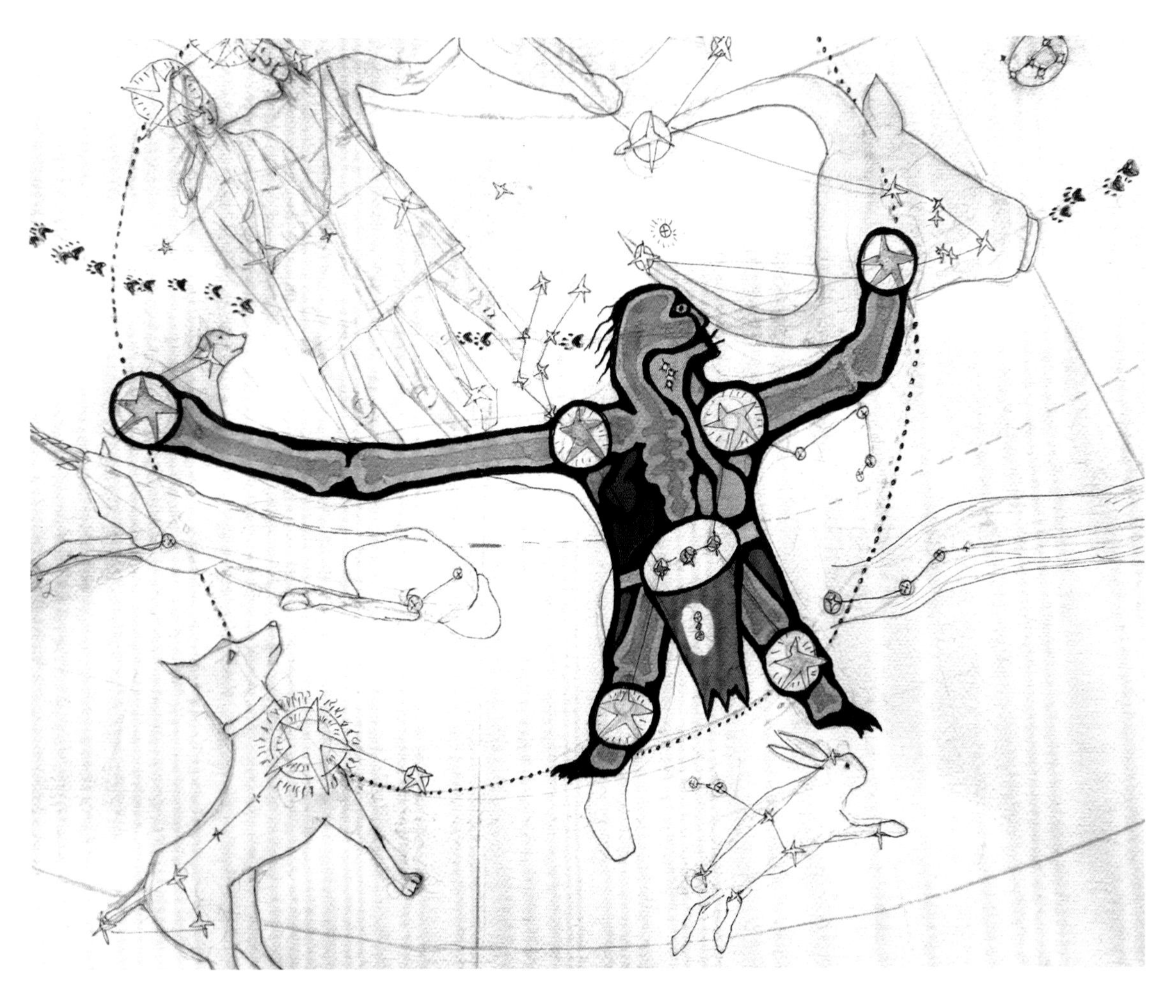

▲我们的 88 个星座来自欧洲和中东的传统，但是还有很多文化也划定了自己的星座。欧及布威族人将猎户座称为“制造冬天的人”，欧及布威星图（Ojibwe Giizhig Anung Masinaaigan）描绘了这一形象。图片版权：安妮特·李（Annette Lee）/威廉·威尔逊（William Wilson）/卡尔·高鲍尔（Carl Gawboy）

腰带位于一个大四边形的一侧，四边形是猎户座（难度 1 级）这位猎人的主要轮廓。鲜艳的红巨星参宿四在他的左肩上，光芒闪耀。得益于迈克尔·基顿（Michael Keaton）在电影《阴间大法师》中的表演，参宿四变得几乎跟人马座 α 星一样广为人知。但它原本的名字已经在误译中变得面目全非，它本来的意思是 Al-jauza 的手。Al-jauza 是由现在猎户座的星所代表的一个女性形象。参宿四的英文名字是 Betelgeuse。这颗星在 643 光年外，亮度是太阳的 105000 倍。它个头巨大，如果放在太阳的位置上，它差不多能到达木星轨道。

▲ 猎户座大星云像礁湖星云一样，是恒星的育婴室，数百颗恒星在这里出生。遥远未来的一天，这个星云中的恒星会让紧紧包裹着它们的剩余气体和尘埃消散，演化成蜂巢星团和昴星团那样的明亮星团。图片版权：NASA / ESA / M. 罗伯特（M. Robberto）/ 哈勃空间望远镜猎户座宝藏项目组（Hubble Space Telescope Orion Treasury Project Team）

它体积巨大，因此成为了第一颗被直接测量出大小的恒星。哈勃空间望远镜拍摄的新照片显示，参宿四甚至不是圆形的，而是带有“热点”斑块的椭圆形。终有一天，这颗过分膨胀的气囊一般的恒星会耗尽它的核燃料，到时候它就会内爆，然后爆炸，成为一颗闪耀的超新星。这可能发生在今天晚上，也可能发生在下周，甚至 1000 年以后。不要害怕，地球跟它的距离足够遥远，我们完全不会受到影响。在未来的那一天，参宿四会如同凸月一般明亮！你可以想象一下：你来到室外，可以看到自己在星光中产生的影子。

参宿七（Al-jauza 的脚）是一颗闪亮的蓝超巨星，与参宿七隔着“腰带”遥遥相对。尽管目前它比猎户座的 α 星（参宿四）更亮，但是它是猎户座的 β 星。这可能是因为参宿四的星等在 + 0.2 等到 + 1.1 等之间变化，变化周期不稳定，长度在 6 个月到 6 年之间。因此，参宿七偶尔可以和参宿四争辉。如果你养成了观察这颗星的习惯，并且将它的亮度与邻近的小犬座南河三（+ 0.5 等星）和毕宿五（+ 1.1 等星）相比较，你就会看到这颗超巨星的亮度变化。

活动：寻找猎户座和参宿四

猎户座的四边形轮廓在城郊就很容易看到，但是更暗的天空可以显露出星座的其他部分，使它的猎人形象更加明显。其他部分包括在参宿四北边构成棍棒的一串星，以及在参宿四西面大约一个半拳头处组成盾的十几颗星。

猎户座当然不只有腰带可以用来寻找其他天体。从参宿七出发，沿着它与参宿四的连线向北五个拳头处就是双子座的两兄弟，北河二和北河三。从参宿五向参宿四画一条线，它会直接指向小犬座中的 1 等星南河三。小犬座由两颗星组成，是一根小棍构成的小狗形象。

在我们离开猎户座之前，还有一件华丽却不起眼的东西值得一看。在黑暗的夜晚看向腰带下面，你会找到三颗暗些的星，它们连起来只有一个小手指（1°）长，那是猎人的剑。你可以通过直视和余光仔细观察中间的星。它看起来有些朦胧，不是吗？

这就是猎户座大星云，最大、距离地球最近的恒星育婴室。

这片小小的雾霭在大约 1344 光年远的地方，跨度约为 24 光年，约等于地球到织女星的距离。它在望远镜中会扩展成一片气体和尘埃之网。星云的浓雾中包裹着很多颗新生的恒星，其中只有一些足够成熟，诞生时包围它们的气体云已经被吹散，闪闪发光的新恒星露出了面孔。大型天文望远镜敏锐地捕捉着穿透尘埃的红外线，帮助天文学家在云团中发现了大约 2000 颗年轻的恒星。其中 4 颗在中心组成了抢眼的梯形四重星。在双筒望远镜中，这个梯形心脏看起来就像星云中的一个亮点，其中的星星是夜空中咯咯直笑的婴儿，据估计，它们的年龄在 30 万年左右。对于恒星来说，这真是非常稚嫩的年纪。太阳已经有 45 亿岁了。梯形发出的紫外线点亮了星云，使氢和氧等发出淡绿色和红色的荧光。

在猎户座大星云中各处，万有引力聚拢着尘埃和气体，揉捏成新的恒星。尽管过程缓慢，但星云毫无疑问在将它自己变成一个星团，就像七姊妹星团、蜂巢星团和毕星团很久之前所做的一样。这些景象要留给将来的人们了。而你可以在下一个晴朗的夜晚出门，去寻找这个恒星育婴室。

▼*在冬季，诸多宝石般的恒星可以连起来组成一个巨大的星群，这就是冬季六边形。1 月到 3 月，你可以在南方天空中找到它。标注：鲍勃·金；图源：Stellarium 软件*

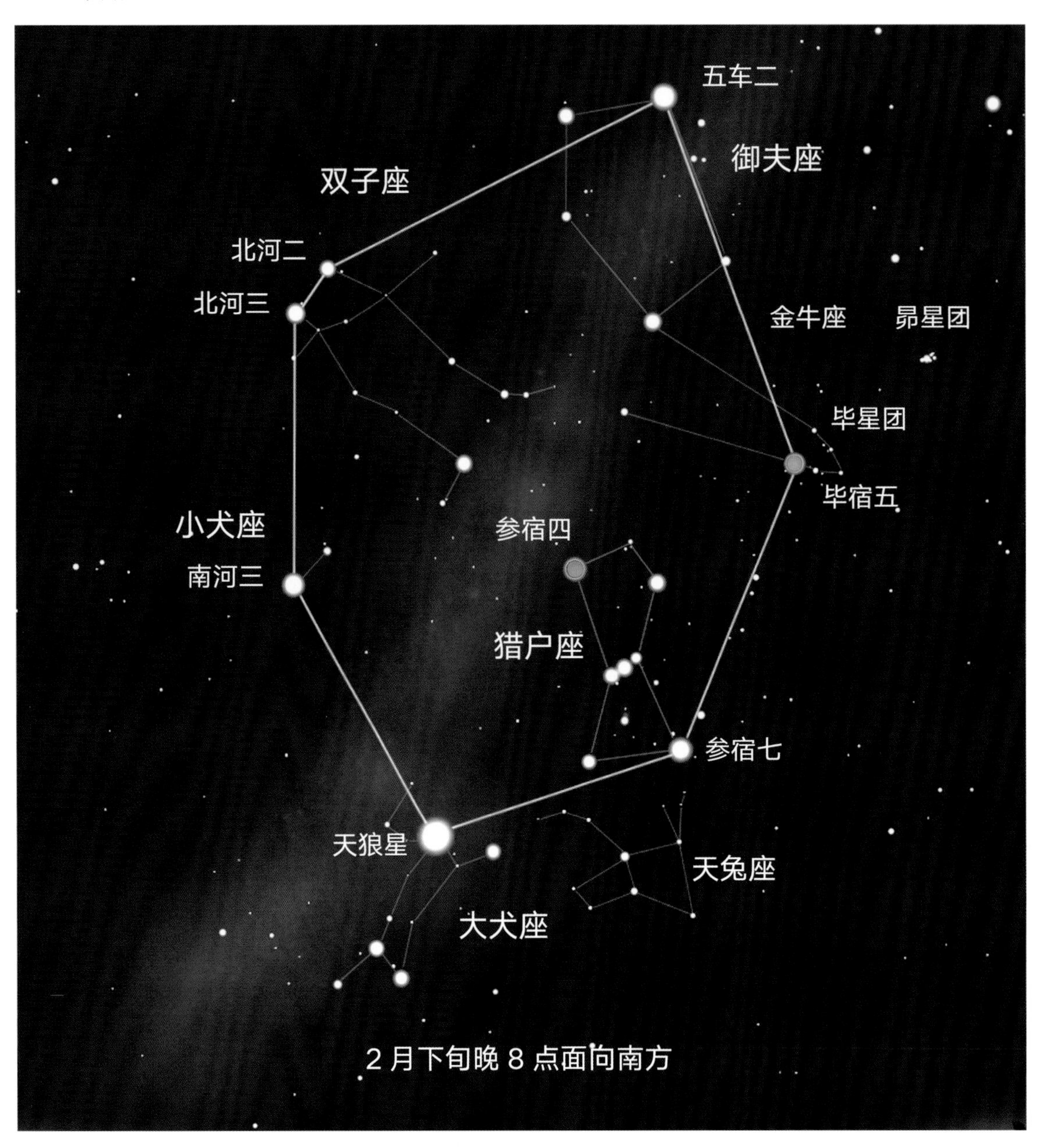

▲ 你可以将上一页的星图和这里的照片进行比较。照片上显示了六个星座和冬季的大部分亮星，整体高六个拳头，宽四个拳头！图片版权：鲍勃・金

我们已经介绍了闪耀在冬季夜晚的所有亮星，现在可以把它们全都连起来，组成一个大星群，这样我们更容易记住它们的名字和在天空中的位置。请允许我在此介绍冬季六边形。

活动：寻找六边形

这个季节九颗亮星中的七颗标围出了一个巨大的六边形，整个图案高六个拳头，宽四个拳头（60°×40°）。当猎户座高高矗立在南方天空时，你最容易看到这个图案——从参宿七开始，经过天狼星、南河三、北河二、北河三、五车二、毕宿五，最后回到参宿七。孤独的参宿四仍然孤零零，被六边形围了起来。

天狼星也叫犬星，是大犬座的标志。如果从美国大多数地方和加拿大观察，你会发现天狼星永远也不会升得太高。跟其他星（比如五车二和大角星）比起来，它的光芒需要穿过更厚的气体。更多的空气意味着更多的湍流，而湍流会引起闪烁。冬天和春天的夜晚，你总会看到天狼星闪烁得像国庆日焰火一般。

提到狗，我的狗萨米年轻时喜欢在有月光的冬日夜晚追逐雪地中的野兔。它专心捕猎的时候，我的目光总是在寻找天兔座，这只兔子在猎户座的脚下安家。

▼*天兔座蹲伏在猎户座的宏伟身形之下。当猎户座在南天越过天子午圈的时候，寻找这个暗淡星座的最佳时机就来了。标注：鲍勃·金；图源：Stellarium 软件*

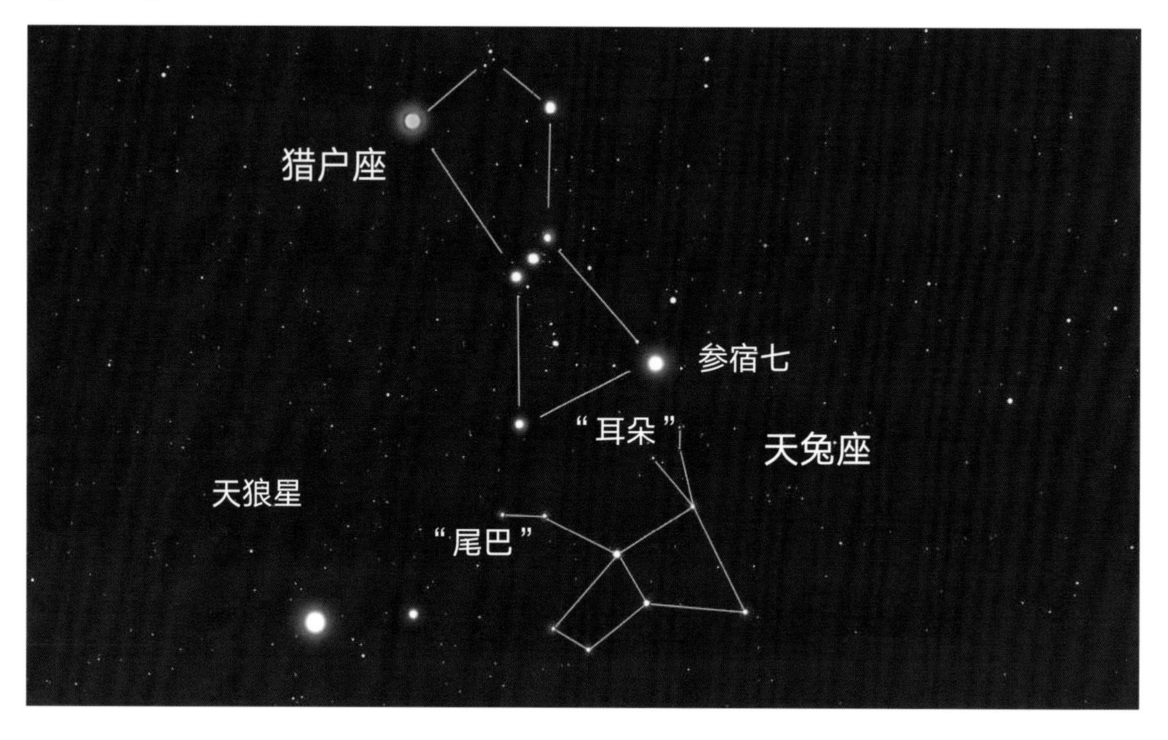

▲ *在古老的阿拉伯文化中，大熊座南侧的三对星组成了一个星群，被称为瞪羚三跳，它们看起来就像天球上的蹄印。图片版权：鲍勃·金*

天兔座是古希腊原有的48个星座之一。它只包含不太亮的恒星，但它离参宿七不远，因此很容易找到。在猎户座底端一个拳头以下，你就能找到这只藏在家中的兔子。

星座图根据天兔座的恒星画出了兔子的形状，但很长时间里我看到的仅仅是一只蜻蜓。顶端的三颗星组成了蜻蜓的尾巴，而下面的大约六颗星组成了向外伸展的翅膀。直到后来，我才意识到参宿七正下方还有数颗暗星，可以组成一对漂亮的眼睛。突然间，一只兔子在我眼前呈现出来，就像魔术师从帽子里拉出一只兔子一样。

关于天兔座，有一个有趣的传奇故事。很久以前在希腊，有人将一个怀了宝宝的野兔带到莱罗斯岛上。开始，兔子养大一只又一只小兔，每个人都觉得这是好事。不久之后，岛上这种毛茸茸的生物就开始泛滥，不幸的居民不得不把它们除掉。他们为猎户座下面的恒星规定了野兔的形象，以此提醒自己过犹不及的道理。

我不大相信我的狗会理解这种感伤。

活动：寻找天空中的蹄印

在1月下旬的晚上10点（或2月下旬晚上8点），如果我们转过来，面对东北方向的天空，就会看到回归的大熊。它仿佛人立而起，为即将到来的春天而欣喜若狂。还有一只瞪羚在附近，在星空中留下了一串脚印。这个古老的阿拉伯星群由三组恒星蹄印组成，正在邀请我们再次外出，去看看星辰的下一轮循环。

实用网址

- 星座基础和所有88个星座的可下载星图：www.iau.org/public/themes/constellations/
- 88个星座的故事和起源：www.ianridpath.com/startales/startales3.htm
- 用双筒望远镜观察仙女星系：www.skyandtelescope.com/observing/watch-andromeda-blossom-in-binoculars091620151609/
- 仙女星系会与银河系相撞吗？你可以从这里找到答案：science.nasa.gov/science-news/science-at-nasa/2012/31may_andromeda/

第 6 章

遇见月亮上的兔子

在这一章，我们将了解月亮的运动和月相，学会看月中人的脸庞，认识月海和裸眼可见的环形山。你是否也发现月亮在地平线附近看起来相当大？我们会探索这些著名的幻象，以及月亮的其他奇特之处。

本章重点

- 看一看“年轻”的月亮
- 寻找蛾眉月的黑暗面
- 丈量月亮的脚步，观察月亮的阴晴圆缺
- 寻找月海
- 打破月亮的幻觉
- 用双筒望远镜欣赏彩色月亮
- 自制小工具，准备观察日食

月光让人心情舒畅

什么东西自己并不发光，却在黑暗中照亮了我们的路？月亮。在月光中散步，就是在反射的太阳光中散步。月亮坑坑洼洼的表面接受来自太阳的照射，吸收相当一部分光，然后将剩下的洒向我们的方向。它很像一面镜子，只不过数十亿年来没有人清理过上面的灰尘。不过，月亮反射的光线已经足够了，可以在黑暗中为我们照亮前路，可以从窗户洒进黑暗的卧室，在床上铺展成明亮的一洼。在使用电力之前，农民要想在夜晚收割，就要依赖丰收时节的月亮。英文中 moon（月亮）一词来自 month（月份），后者指月亮的阴晴圆缺完成一个周期所用的时长。

满月的升起仍然是天空中最引人注目的景象。我们满怀期待地等着月亮橘红色的边缘爬上地平线。看着它慢慢升起，我们发自内心地流露出欢喜，感到惊奇。这就是以天文为爱好的收获——我们看到了自己和宇宙的联系。宇宙的广博超越想象，但我们是其中重要的一环，这让我们更加热爱生活。当我写下这些时，接近圆满的月亮正在吸引我的目光，引诱我再一次去月亮的清辉下散步。

除了偶尔造访的近地小行星之外，月亮是最靠近地球的地外伙伴，其轨道和地球之间的平均距离为384600千米。不像恒星那般遥远得无法想象，月亮的距离还可以让我们感受到。如果开车去月球，以高速公路平均车速行驶，你需要花22周的时间，中间还不能去厕所。好吧，这可能太辛苦了。如果你搭乘飞机，以每小时885千米的速度飞行，只需18天即可到达，还能攒下多到离谱的里程数。阿波罗的宇航员只花了3天就到了那里。这可太棒了！

月亮的直径有3476千米，比美国大陆的宽度少了大约805千米，是地球直径的1/4，但它比冥王星至少宽1126千米。从远处看，月亮个头不小，如果有外星人来访，他们很可能以为月亮和地球是一对行星。

▼ *冰封的苏必利尔湖上升起一轮明亮的圆月，有些人在散步，另一些人在垂钓。不管是在冰面上还是在地面上，在月光下散步都是一天结束之际最好的放松方法。图片版权：鲍勃·金*

▲月亮直径是 3476 千米，比美国大陆的宽度要少 805 千米。月亮的个头如此之大，有时候它和地球被称为“双行星”。图片版权：维基百科

关注月相

你永远不会对月亮感到厌倦，因为就算不用望远镜，观察月亮也是一个内容丰富的活动。我们从月相说起，月亮阴晴圆缺的周期是 29.5 天，这个周期从看不到的新月开始。这时月亮结束了前一个周期，要开始新的周期，新月由此得名。这时你看不到它（日食发生时是个例外，我们过一会儿再讲这一点），因为从我们的视角看，它离太阳太近，足以被白天的光芒淹没。看一看月亮绕地球运动的轨道示意图，你就会明白我是什么意思。当月亮处在我们的行星和太阳之间时，新月就产生了。如果月亮、地球和太阳都精确地在同一个平面上运动，那么每一次新月出现的时候，它都正好在太阳面前经过，这时我们就会看到日全食，这是每个月都会发生的事。同理，两周之后它经过地球背后，进入地球的影子里，月全食就出现了，这也是每个月都会发生的事。

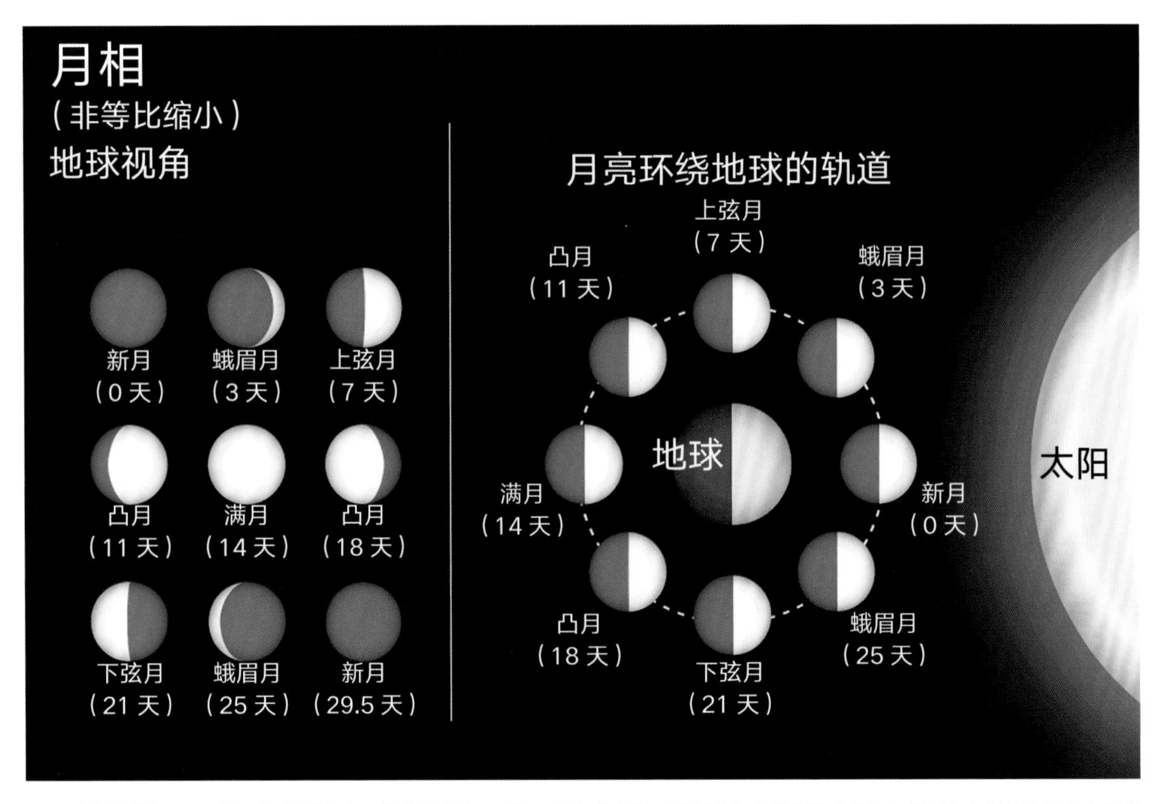

▲ *月球在轨道上运行时相对于地球和太阳的位置变化，引起了月相的变化。当月亮和太阳在地球的同一侧时，它就会淹没在太阳的亮光里，这时的月相是新月。当月亮和太阳分别在地球的两侧时，满月就会在日落时分升起，整晚都在天空闪耀。图片版权：Starry Night 软件*

好东西太多了我们也会厌倦吗？这真是一件说不清的事。月亮的轨道和黄道面的夹角为 5.1°，所以大部分月份里它都会错过地球的影子和太阳圆面。尽管相互错过是常态，这 3 个天体连成一排的时候也够多的，它们完美地排列好会产生全食，几乎完美地排列好会产生偏食。这类奇景每年至少会发生 4 次（包括 2 次日食和 2 次月食），最多可能发生 7 次。

活动：看一看“年幼”的月亮

新月之后的第一天，月亮沿着轨道移动，在太阳一侧错开一点距离。此时，月亮会露出窄窄的一条。蛾眉月仍然在太阳近旁，我们只能在傍晚时看到它短暂地出现在西方天空。如果想瞧瞧只有一天大的月亮，那么你需要能看到西方天空的广阔视野。观察傍晚蛾眉月的最佳时机，是黄道相对于地平线十分陡峭的时候。春天正好符合要求，月亮会在升高中达到合适的观赏角度。而秋天，黄道与西方地平线的夹角小得多，日落之后不久蛾眉月就沉了下去。如果你想在清晨看到蛾眉月，则秋天机会最佳。

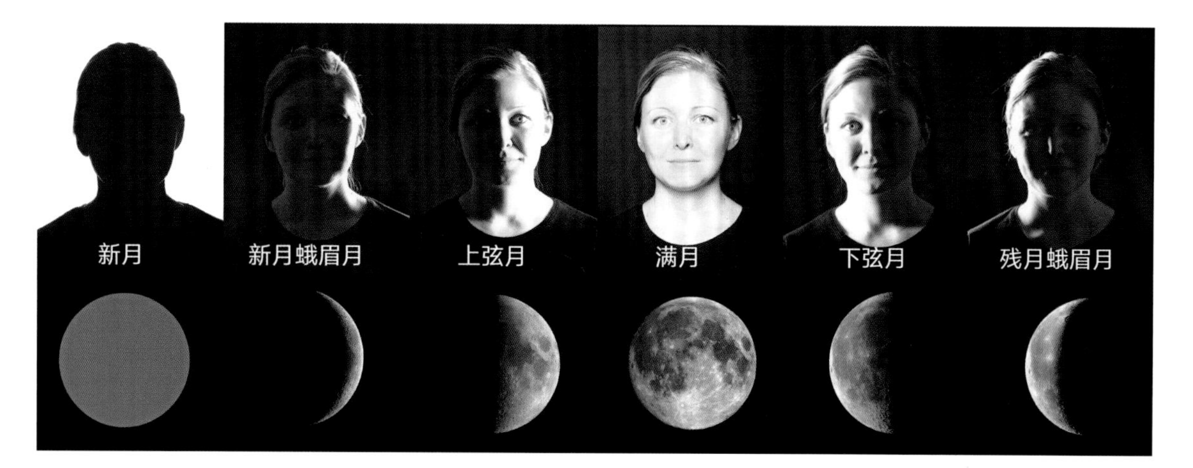

▲ *月相一直在我们身边变化，我们却几乎注意不到。我们用一位女士的面孔来解释月相。图中的光线代替太阳，通过将光源环绕对象移动，我们可以全程模拟月相变化。图片版权：鲍勃·金（顶端序列）/弗兰克·巴雷特（Frank Barret）/鲍勃·金（底端序列）*

我爱看每一种月相，但蛾眉月独特的美丽让我驻足。这光滑的弧线中有什么让我总也看不够呢？是那种圆润又尖利的形状吗？是这景象包含的重生意味吗？黄昏和日出时天空中的紫色、玫瑰色和蓝色让这景象更加奇妙，何况还有将月亮大半边隐藏起来的神秘“暗光”。你看到蛾眉月的时候，就好像瞥见了天堂的美景。

活动：寻找蛾眉月的黑暗面

你大概注意到了，蛾眉月还有黑暗面，更合适的叫法是“地球反照”。太阳光被我们覆盖云朵的蓝色星球所反射，温柔地照向月亮，让月亮上还未日出的地方也获得了光亮。因为这光芒是反射光，所以通常较为暗淡、朦胧。你可以用双筒望远镜看一看地球反照所笼罩的较大的环形山。它们是很像鬼影的斑点，像荧光蘑菇一样闪着光。在月球表面，地球反照就像人们在地球上看到的曙光和暮光。月亮可以照亮地球上的夜路，地球可以照亮宇宙中的黑暗，免得宇航员被月亮上的大石头绊倒。

看到月亮一天大的样子已经足够让人激动了，但是还有很多观星者要挑战自己，用裸眼去看最年轻的月亮。1990 年 5 月，爱好天文的作家斯蒂芬·詹姆斯·欧米拉（Stephen James O'Meare）用双眼看到了新月后仅仅 15 小时 32 分钟大的、细如丝线的月亮。伊朗的莫森·米尔萨义德（Mohsen Mirsaeed）保持着使用光学辅助手段看到最年幼月亮的纪录。2002 年 9 月 7 日，他在山中使用超大双筒望远镜对最细的蛾眉月（11 小时 40 分钟大，偏离太阳 7.5°）进行了长达 1 分钟的观察。2013 年 7 月 13 日，法国业余天文摄影师蒂埃里·莱格特（Thierry Legault）使用复杂的照相机设置完成了巅峰之作，他拍到了月亮处于新月时刻的清晰影像，这一幕在当时是人们使用望远镜也看不到的。

▲傍晚的蛾眉月是大自然中最美的景象，永远吸引着人们的目光。照片中，阳光照亮了月亮的底部，而地球反照则淡淡地照耀着余下的部分。图片版权：鲍勃·金

酿制地球反照

关于相位，地球反照给我们提供了另一个有趣的视角。你知道吗——地球也会经历相位变化！当我们看到细细的蛾眉月时，月亮上的宇航员看到的则是近乎圆满的地球。当我们看到半月的时候，月亮上的人看到的是半地球。而当地球上的人能看到满月的时候，月亮上的人迎来的则是非常靠近太阳的“新地球”，它也像新月一样完全隐藏在夜空中。“满地球”会向月球反射大量阳光，因此蛾眉月最细的时候，也是地球反照最亮的时候。当弯弯的月亮在我们头顶变为半月甚至变得更大的时候，地球却在从圆满的一轮变为一半甚至变成蛾眉形。这时候地球上反射阳光的部分变小，地球反照变得越来越暗。你可以在新月后的 4 ～ 5 天里继续裸眼观察地球反照。之后，你就需要用双筒或者天文望远镜才能看到它了。我使用望远镜看到地球反照的纪录是 10 天。

活动：丈量月亮的脚步，观察月亮的阴晴圆缺

花几个晚上的时间跟踪月亮的运动，你会同时注意到它的相位变化和与太阳距离的变化。这是月亮绕着地球转的反映。每天，月亮远离太阳，向东移动 12°，也就是稍微超过一个拳头的距离。同时，随着月亮、地球和太阳之间角度的变化，月亮上更多的部分被太阳照亮，蛾眉月也慢慢被填充，变成了半月。

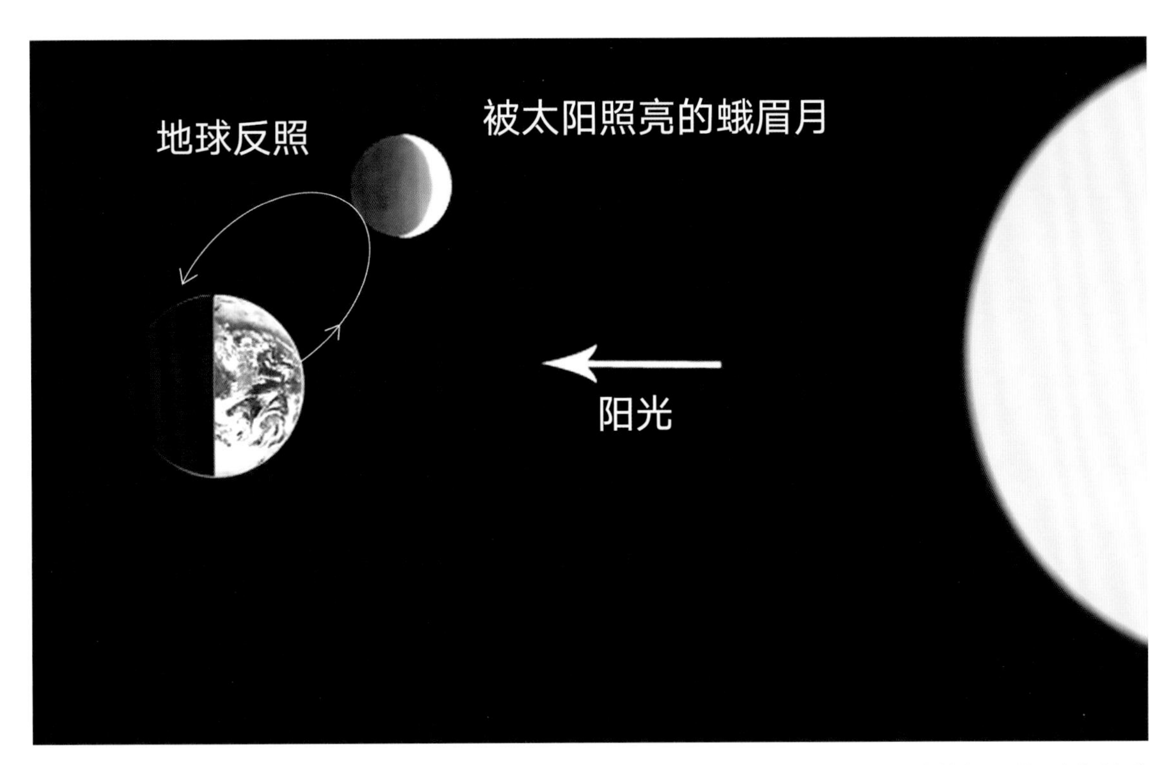

▲ 地球反射的一部分阳光照到月亮上又被反射回地球。光线经过了两次反射和吸收，只能暗淡地显出月亮的表面，使月亮的这部分看起来如同鬼影一般。图片版权：鲍勃·金

我们可以看一看月亮上的日夜分界线，也就是月亮的晨昏圈。它将月亮上被阳光照亮的部分和仍然在阴影中的部分划分开。从新月到满月的过程中，光明的一侧前进，将月亮表面更多的部分纳入我们的视野里。从满月到新月，过程逆转，阴影覆盖了月亮表面越来越多的部分，直到只剩可怜的蛾眉月。

月球的晨昏圈的前进速度和你骑自行车的速度差不多，约为每小时 15.7 千米。以这样的速度沿着月球移动半圈大约需要两周的时间。

连续七天远离太阳之后，月亮的相位变成了上弦月，它的英文是 quarter phase，因为这时月亮绕着地球走了 1/4。我们也称它为半月（half moon）。上弦月和地球的连线垂直于地球和太阳的连线，它在日落时分出现在正南方向。随着月亮更多的部分进入阳光，月光越来越明亮，越来越适合照路。我喜欢在月光下越野滑雪。我敢说，有了弦月的光，你不使用头灯也可以冲下滑道。凸月和满月则更加明亮。

▲1972年12月13日，阿波罗17号宇航员哈里森·施米特（Harrison Schmitt）到达金牛座利特洛峡谷的降落点，站在一块开裂的巨大岩石旁边。这块岩石叫“裂岩”。科学家通过研究他收集的样本发现，数百万年前，这块岩石在一次撞击中被熔化并抛出。图片版权：NASA / 尤金·塞尔曼（Eugene Cernan）

月亮是如何诞生的

只对上弦月轻轻一瞥，你就能看到月亮的圆盘上布满了深深浅浅的斑块。很多人从这些斑块里看出了人脸。早期的天文学家把月球上的暗斑叫作月海，拉丁语是 maria，那看起来很像大片的开阔水域。

活动：认出月海（暗斑）

面对上弦月，你最容易认出的是危海（危机之海）。它的位置就在月球的右上方边缘，挨着月亮的两只大眼睛：澄海（安详之海）和静海（宁静之海）。阿波罗在1969年7月20日第一次登月时，在覆满灰尘的静海上留下了痕迹。这是人类第一次踏上地球之外的世界。

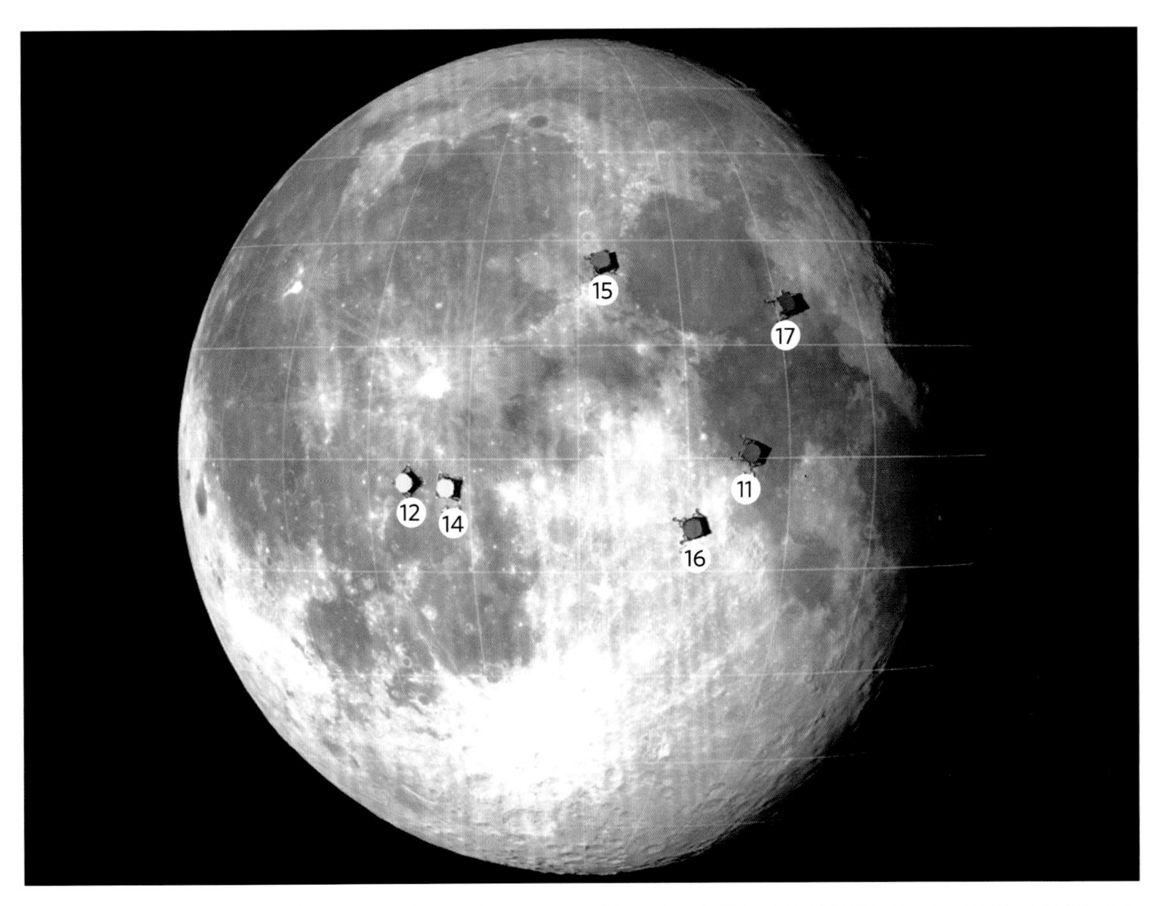

▲图中的任务号码标出了 1969 年 7 月 20 日到 1972 年 12 月 14 日之间 6 次阿波罗登月任务的降落地点。每次任务有两人到达月球，安置科研仪器。宇航员共收集了 382 千克的月岩，并拍摄了数千张照片。本图部分信息由鲍勃·金标注。图片版权：NASA

月海实际上是巨大的撞击盆地，由 39 亿～ 32 亿年前冲击月球的一系列小行星撞击而成。数百万年后，从月壳的裂缝中流出的大量岩浆填满了冲击制造的盆地，形成了我们今天所看到的暗斑。很多岩浆中含有大量深灰色的玄武岩，这种岩石在地球上也很常见。月球的岩浆因铁和镁的浓度较高而呈现较暗的颜色，而颜色浅的被称为月球高原的区域，则由更古老的岩石构成，其主要成分是铝和钙。

月球自降生之后状态一直比较稳定。大约 45 亿年前，也就是地球形成 3000 万～ 5000 万年后，一颗火星大小的小行星撞击了地球。在这次激烈的撞击中，小行星和地球的一部分遭到粉碎，溅射出来。这些碎片后来形成了环绕行星的尘埃环，又在万有引力的作用下逐渐合并，成为了天然卫星。在塑形的过程中，岩石重新熔化。一段时间之内，月球就像是一个巨大的岩浆球，随着它冷却下来，较轻的物质漂浮到表层，最终形成了月壳，也就是我们看到的偏白色的月球高原。颜色更暗也更重的玄武岩则沉入地下。

现在，我们抬起头看到的月亮，是保存在外太空真空环境中的巨大化石。地球的外表已经随着地壳运动而改变，除此之外还经受风、水流、重力与冰的侵蚀，而月球不同，它现在看起来跟40亿～30亿年前几乎一样，只不过多了新的环形山，比如直径约 84 千米的第谷环形山就形成于仅 1.08 亿年前的一次流星大撞击。

月球表面基本保持着很久很久以前的样子，但上面也有遭受侵蚀的部分。由于几乎没有大气的保护，月球数十亿年来不断承受着微陨石的轰炸和太阳风的冲击，曾经尖利不齐的地方变得柔和了。阿波罗宇航员和绕月飞行器送回的照片中，月亮上的曲线像棉花糖的轮廓一样漂亮。宇航员巴兹·奥尔德林（Buzz Aldrin）称其为“华丽的荒土”。

从上弦月到满月，月亮越来越多的部分暴露在阳光之中，从地球上看，月球的晨昏圈从直线变成了凸出的曲线，这时的月相就是凸月，其英文 Gibbous 源于拉丁语，意思是“小山”。在我看来，这时月亮就像一枚鸡蛋。 在凸月阶段，越来越多的月海会进入你的视野。从新月数两周之后，满月来了。

▼*上弦月之后，日光在月球上前进，月亮越来越圆满。在半满月和满月之间，月亮是渐盈的凸月。图片版权：鲍勃·金*

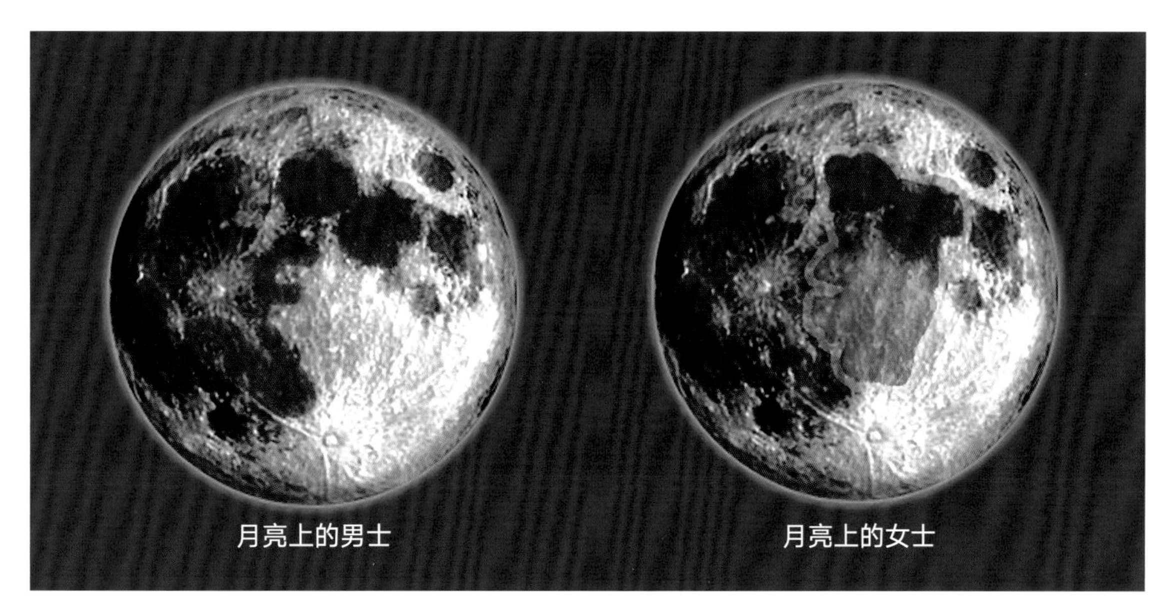

▲ 我们可以从月亮上看出有趣的图形。月海构成了“月亮上的男士”的眼睛。将几个月海和高原联系在一起，还能组成一位“月亮上的女士”。图片版权：Starry Night 软件

月亮上的兔子

新月和太阳一起落下，14 天之后就变成了满月。这时，月亮来到了地球的另一边，在太阳落下后才从东方升起。我喜欢把太阳和月亮想象成一个跷跷板的两端，太阳落下，月亮就升起。数小时之后，太阳回归，而月亮则从西方落下。满月也意味着月亮的光辉达到最亮。冬日的夜晚，月亮靠近天顶，白雪覆盖地面，月光甚至可以让你看清停车指示牌、草地，甚至你衣服的色彩。这太微妙了，有点让人难以置信。再遇到满月，你可以观察一下四周，看一看这光是不是足以激发你眼睛里负责感知颜色的细胞。

你是否从翻滚的云朵中看出过一张人脸？你是否从墨西哥卷饼上看到过耶稣的形象？这是人类的一种长处，有时也是我们的短处。我们可以从自然景观并无规律的画面中看到有意义的图案。这种心理作用叫作空想性视错觉。我就常常产生空想性视错觉，我总能从毛巾和地板砖上看出人脸。空想性视错觉是人类无中生有的倾向，几乎所有人都如此。这一点遇到了月亮，我们就得到了天真的乐趣。

你觉得月亮上有什么？是不是有一位男士？他的眼睛是澄海和静海，他的鼻子是月亮上凸起的高原，他张大的嘴巴在风暴洋的一侧。别人可能会把月海和高原用不一样的方式组织起来，形成面孔。多用一点想象力，你还可以看到月亮上的女士：把黑色的月球平原连起来，她就出现了。她留着 20 世纪 40 年代的发型，还戴着闪闪发光的钻石胸针。月亮上的兔子来自东亚的民俗故事，它把月亮上部或者说东北半边的月海全都串起来了。月亮上真的有兔子吗？这个，差不多吧。2013 年 12 月，中国的月球车，以中国重要的神话形象命名的玉兔号，降落在了月球表面，并且四处拍摄照片，研究月壤。是的，月亮上有一只机械兔子，而且在未来很长一段时间里，它都会在那里。

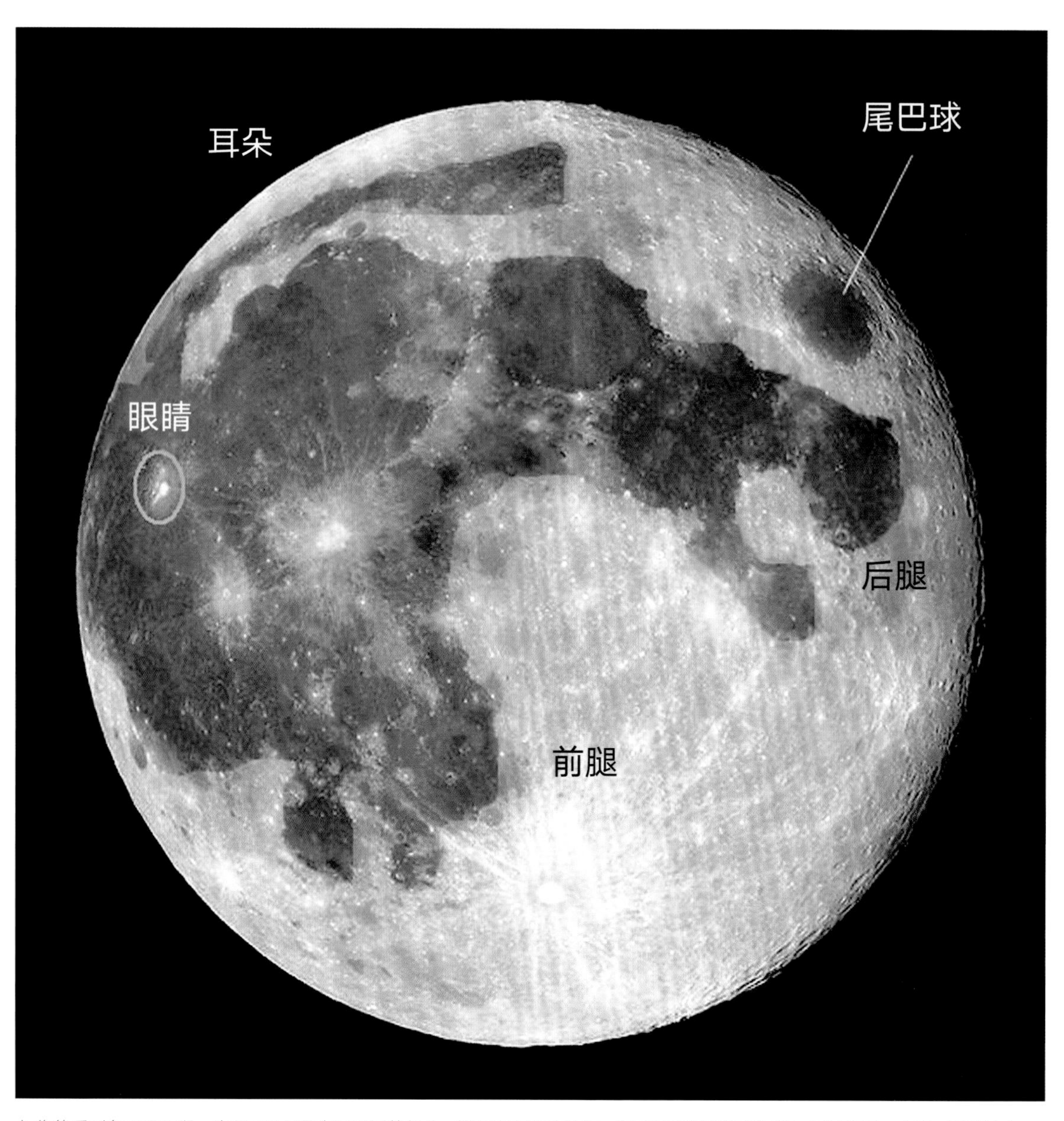

▲ *你能看到兔子吗？腿、头和尾巴是最容易看到的部分。如果看不清楚轮廓，你可以使用双筒望远镜。图片版权：卢克·瓦埃特（Luc Viator）*

你能看到多少月海？

活动：寻找月海

做个小测试吧，我保证这不会太难。在满月出现时到户外去，看看你只通过裸眼可以分辨出多少个月海。这样你不仅能熟悉月球地貌，也可以锻炼视力。最大的月海甚至不是海，而是大洋。风暴洋（拉丁文：Oceanus Procellarum）是一片巨大的玄武岩平原，横跨 2500 千米，应该是月球表面最容易看到的景观。

接下来你可以去看看澄海和静海这两只“眼睛”，还有雨海。它们之中，最大的雨海横跨 1123 千米，最小的澄海横跨 706 千米。你可以通过类比成地球上的距离来了解它们的大小。从我家开车到芝加哥市中心的距离，就和穿越澄海的距离不相上下。

汽海在容易看到的月海中是最小的，横跨 245 千米。你能看到它吗？顺便说一下，为月海起名的人是 17 世纪意大利的耶稣会神父和学者乔万尼·里乔利（Giambattista Riccioli）。人们曾将一些历史影响和天气状况归因于月亮，这也影响了他的命名方式。月球北部环形山拥有古希腊学者的名字，包括柏拉图、亚里士多德和阿里斯塔克斯。

靠近赤道的环形山被命名为古罗马时期的重要人物，比如尤利乌斯·恺撒和塔西佗。中世纪欧洲和阿拉伯的学者——比如克拉维斯、第谷和阿布尔菲达——则在南边。里乔利的命名策略是带有偏见的。16 世纪的丹麦天文学家第谷·布拉赫（Tycho Brahe）是地心说的倡导者，他得到了月球上最宏伟的环形山。而同时代支持日心说的天文学家（开普勒、伽利略，以及阿里斯塔克斯）则被赶到了风暴洋中。里乔利在月球西侧边附近给自己保留了一座有着黑色地面的大环形山。显然，钩心斗角无处不在。

看到了月海，你就可以接受下一项挑战了：裸眼观看月亮上的环形山。

裸眼看到环形山？

我总是好奇古人从月亮中看到了什么。说真的，有没有人记录下那些裸眼可见的明暗斑点？他们是否用墨汁和莎草纸写了什么？他们是否在岩石上刻了什么？

月亮的象征性符号大量存在。爱尔兰诺斯附近有一处拥有 4800 年历史的新石器时代墓冢，人们在那里的岩石上发现了可能代表月球的雕刻。菲利普·斯图克（Philip Stooke）博士从现场的路缘石上雕刻的螺旋线中发现了月海的轮廓。

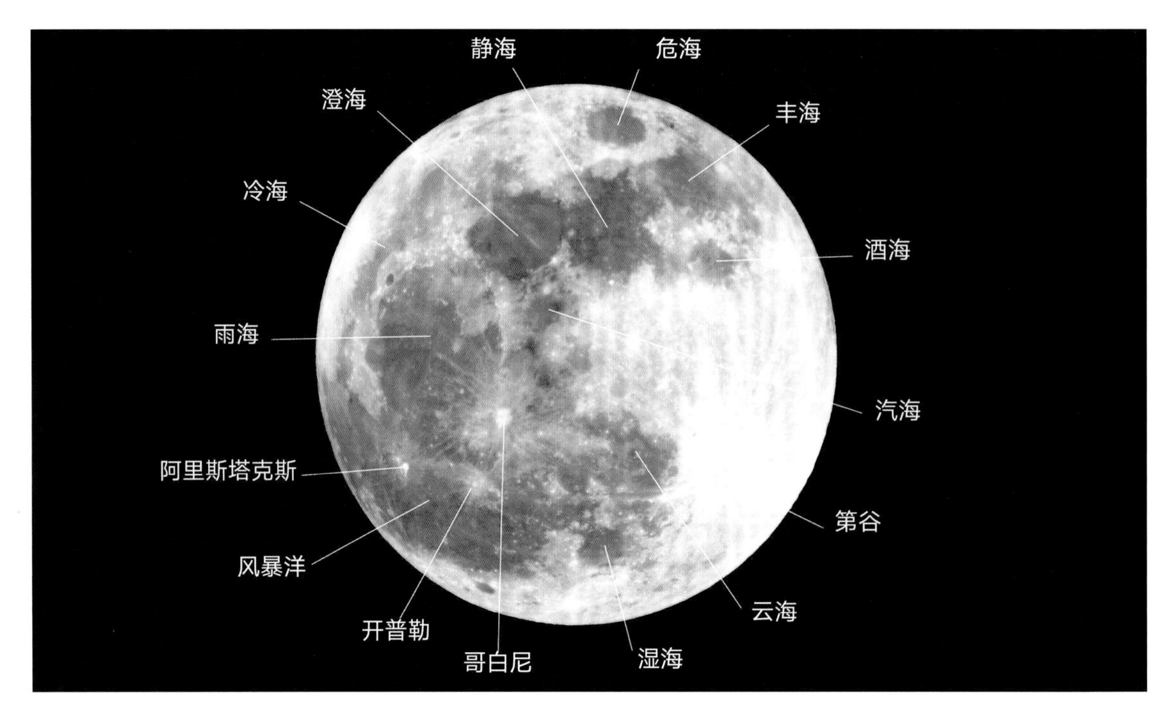

▲ *我们可以裸眼看到月球上的两种基本地形：白色的高原和黑色的月海。大一些的月海，比如静海、澄海和雨海，很容易看到。想看到其他的月海，比如酒海和湿海，你就要接受挑战了。几座显眼的环形山也在图中。图片版权：鲍勃·金*

人们常说达·芬奇是描画肉眼可见的月亮细节的第一人，但是目前已知的最早的非符号化的月亮图案来自佛兰德艺术家扬·凡·艾克（Jan van Eyck）。他在画作《耶稣受难和最后的审判》（*Crucifixion and Last Judgement*）中画了渐亏凸月。他画的月亮很真实，它倾斜向西南方向的地平线，这符合传说中基督受难的时间（下午 3 点）。

每个看月亮的人都觉得达·芬奇在 1513 年至 1514 年用木炭画的月亮素描很逼真，但他只画了暗色的月海。而他在另一本笔记中描画了地球反照和被太阳照亮的蛾眉月。

物理学家威廉·吉尔伯特（William Gilbert）在 1600 年写出了《磁石论》（*De Magnete*）并因此名垂青史。他也曾尝试描画月亮并记录特征。他画的图在某些方面很精确，却缺少了明显的亮点，比如哥白尼、开普勒和阿里斯塔克斯这三座月亮上的环形山。

小时候第一次看月亮的时候，我就仔细凝视了那三座环形山。我当时也开心地从暗色月海和明亮高原中看到了动物和人脸，后来我才意识到我看到的是环形山。即使眼力跟我一样差，你也可以用双眼而不借助任何工具看到几座环形山。

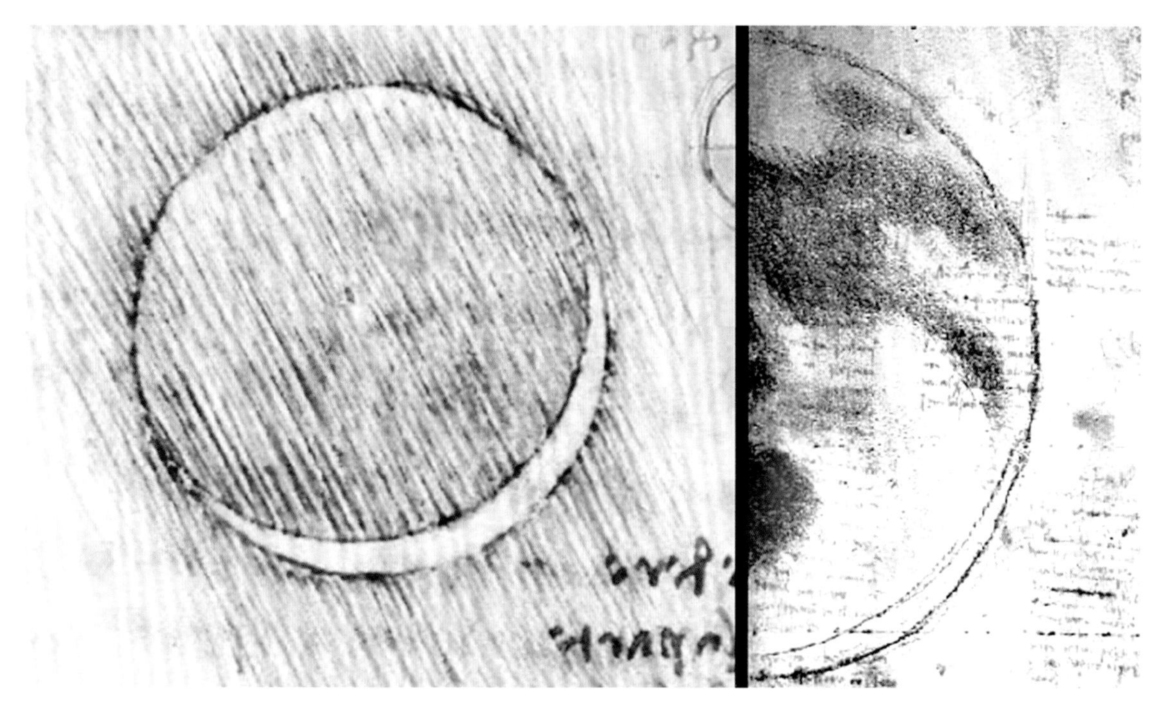

▲达·芬奇是首位按照眼睛所见的真实图案，而不是象征性地描绘月亮的人。这些是他在 1513 年至 1514 年画的月亮素描。

大部分裸眼可见的环形山都有一个共同点——被辐射纹包围。辐射条纹是环形山在撞击中形成时，月球上喷射的物质形成的放射状条纹。辐射纹让环形山看上去更壮观。新鲜的喷射物颜色较浅，与月海暗沉坚硬的样子形成了鲜明对比。严格地说，我们无法分辨很小的环形山轮廓，但是这些轮廓使得辐射纹整体更容易被看到。

有数百个环形山带有辐射纹，但只有几个足够明显，而且和深色的月海造成了不错的视觉对比。阿里斯塔克斯、哥白尼、开普勒和第谷是四座最明显的环形山，观看它们的最佳时机是满月前两天和后两天（前三座直到下弦月时都比较容易看到）。此时，太阳能够把辐射纹照得非常清楚。

哥白尼环形山直径 93 千米，辐射纹使它看上去像舵轮一样。这些辐射纹绵延 700 千米以上，从地球上看，这个距离约等于 6′。它看起来就像风暴洋东半边一个模糊的白斑，就在月球中心偏左（西）的位置，是最容易看到的环形山。人眼的平均分辨力极限是 1′，所以哥白尼还是很容易看到的，你只需知道该往哪里看。

直接盯着哥白尼，我偶尔会看到由陨石坑和辐射纹组成的“白核”。陨石坑的宽度略小于 6′。开普勒陨石坑更小，直径只有 32 千米。但是明亮的辐射纹长达大约 298 千米，对应 2.6′。开普勒隐藏得很好，但在风暴洋的黑色背景下，它的辐射纹非常显眼。

▲ *在满月前后，这张图可以帮你找到裸眼可见的环形山和辐射纹。第谷看起来就像白色高原上明亮的斑点，哥白尼、开普勒、阿里斯塔克斯则在风暴洋的深色背景上用浅色勾勒出三角形图案。图片版权：鲍勃·金*

阿里斯塔克斯是月球上非常明亮的环形山，它有一个明亮的“领子”，长约250千米，领子上生出了辐射纹。阿里斯塔克斯比较靠近月球的边缘，但我总是能够看到它。它和哥白尼、开普勒一起勾勒了一个三角形，铺展在巨大的月海上。

第谷环形山与众不同。这座环形山直径约 85 千米，它拥有最大的辐射纹皇冠，但是其中绝大部分跟环形山一起，都落在了光芒刺眼的月球高原上。尽管对比不明显，但第谷环形山个头大而且形成较晚，所以我们能够看到它。它紧挨着云海，看起来是一块汇聚光线的斑。第谷环形山直径对应 0.7′，我们只好假装自己同时看到了环形山和最内侧的辐射纹。

如果想确定看到的是什么，你可以拿出双筒望远镜来。人的眼睛时刻准备着接受挑战，这是多么不可思议。相信自己能够看得更远，你就会看得更远。

说到这里，我想起了一个话题。用望远镜看月亮的时候，大家常常会问：为什么用哈勃空间望远镜看不到美国国旗？阿波罗任务留下的其他痕迹在哪里？它不是很强大吗？没错，它的确非常强大，但是它擅长的是收集暗淡恒星和星系的光芒，而不是观察月亮。所有望远镜的光学设计都有分辨极限。哈勃空间望远镜的镜面直径达 2.4 米，可以分辨月亮上横跨 100 米的物体，而 100 米差不多是一个足球场的长度。这在分辨率上已经非常了不起了，但是阿波罗宇宙飞船远没有这么大。

想要看到旗帜和其他细节的话，你需要的可不一定是更大的望远镜。你需要在靠近月球的轨道上放置一架照相机。NASA 的月球勘测轨道器（Lunar Reconnaissance Orbiter，LRO）几年前就这样做了。它的相机可以清楚地拍摄 0.5 米的物体，包括月球着陆舱、宇航员在月球架设的实验装置，甚至国旗和脚印。

月球的幻象都在你的脑袋里

初升或者将落的月亮竟然这么大——你一定也有过这种惊叹。有很多人和你一样。早在公元前 4 世纪，亚里士多德就注意到，靠近地平线的月亮看起来比头顶的要大得多。那时候，人们将这种现象理解为大气的放大效果，但是现在我们明白了，都是我们的脑袋在作怪。初升的月亮和中天的月亮在照片里一样大。

活动：打破月亮的幻象（1）

拿出一张纸，将它卷成一个细细的筒，指向初升的月亮，然后调整筒的大小，让它只比月亮直径大一点点。接下来，把筒粘起来，让它固定住，几个小时之后，再次看高处的月亮，你会发现月亮还是填满了同样的空间。

这种幻象不仅出现在你看月亮时，还出现在你看星座时。很多观星者在观察正在升起或者降落的星座时，跟头脑中它在天空高处时的印象对比，注意到了这种现象。记得有一个晚上，我看到英仙座梯形的主体部分正落向西北方向，我惊讶于它此时看起来比平常大了不少。

▲ *NASA 的月球勘测轨道器拍摄的阿波罗登月点近景照片，照片展示的最小细节长 0.5 米。在高 21 千米的轨道上，LRO 可以清楚地看到登月舱，甚至宇航员的脚印。这是哈勃空间望远镜做不到的！图片版权：NASA / GSFC（Goddard Space Flight Center，戈达德太空飞行中心）/ 亚利桑那州立大学*

北斗七星就有明显的膨胀现象。秋天，巨大的北斗七星隐现在北方的低空，熊的爪子踩过树顶。来年春天，北斗星几乎爬到天顶，跟之前比起来，它显得十分弱小。

自从看到这种假象，人们就一直试图解释其成因。毫无疑问的是，这与我们所处的位置有关，但是具体细节我们仍然不清楚。这到底是怎么回事呢？

日常经验告诉我们，头顶的物体，比如飞过的鸟和飞机，看起来比远在地平线附近时更大，这是因为这时它们的确更近。我们认为靠近地平线的物体（通常）比头顶的更远，因为它们出现在很多前景的物体后方。这在一般情况下是对的。

但是地外物体，比如月亮、太阳、星团，在地平线和在天顶时一样大。当我们看到地平线上的月亮清清楚楚地落在很多物体的后方，我们的大脑就会假设它一定比出现在头顶的时候更远。就这样，我们不知不觉把月亮放大了。可以说，因为我们期待它那样大，我们的大脑就强制将月亮变大了，仅此而已。

我们对天空形状的理解会受到这种感觉的影响。很多人觉得天空是一个扁平的圆顶，天顶近一些，而地平线则非常遥远。我们的大脑会错误地计算月亮的距离，会假想地平线上的月亮比头顶的远。这样，我们就回到了强制改变大小的问题上。"扁平天空"可以解释某些飞行员看到的景象。在他们眼中，低空中的月亮是肿的。

▼ *加利福尼亚州的圣何塞附近，一轮华丽的满月从汉密尔顿山背后升起，把利克天文台（Lick Observatory）揽入怀中。这张照片的拍摄动用了望远镜，不过月亮在升起和将落的时候，看起来真有这么大。图片版权：里克·鲍德里奇（Rick Baldridge）*

▲我们通过周围的景物来判断月亮的距离，通过所判断的距离来感知月亮的大小。我们大部分人都会觉得这幅图中上面的月亮比下面的大，但它们其实一样大。这叫作蓬佐错觉，是意大利心理学家马里奥·蓬佐（Mario Ponzo）在1913年发现的。在真实的情况下，月亮升起时，遥远的树木、建筑和其他地景特征就和远处的铁轨一样，干扰了我们的判断。图片版权：NASA

从早到晚，我们的大脑都在积极地创造幻象。想一想我们一天中看到的各种长方形和正方形的物体吧。只要你没有正对着它们，这些形状看起来都很像不规则四边形。事实上呢？不是的——即使从侧面看，我们的大脑也会自动将它们变成长方形和正方形。这真是不可思议！

有趣的是，初升的月亮实际上比头顶的月亮要小1.5%，这是因为朝它看的时候，我们的视线要经过地球半径的距离（约6400千米）。在看靠近天顶的月亮时，我们则直接看向太空，不再经过地球。也许只有准确判断距离，我们才能消除幻象，但我们的距离的错觉也是与生俱来的。

对于这个问题，还有其他解释和解决方案。在白霜般的月亮爬上东方地平线的时候，你可以自己去看一看。

活动：打破月亮的幻象（2）

找到一处前景丰富的地点，以及一处简单开阔的地点，看看两地的月亮有什么不同。接下来，你可以再看看空中的月亮，回想它初升的样子。它看起来是不是小多了？

看到超级月亮

不要把月亮的错觉跟超大月亮混淆。月亮最靠近地球时如果正好赶上满月，超级月亮就出现了。月亮与我们的距离总在变化，因为它的轨道是椭圆形，而不是标准的圆形。地球靠近椭圆的一侧。

月亮围绕地球运转的周期是 27 天，一个周期之中，月球最近时（近地点）距离我们约 356000 千米，最远时（远地点）距离我们约 406000 千米。近地点的月亮比远地点大了约 14%，亮度则要高 30% 左右。但是我们真的能看到不同吗？

▼ *月亮的椭圆轨道让它在 27 天的绕行周期中靠近和远离地球，它在我们眼中的大小也因此变化。如果在月亮最靠近地球时正巧是满月，超级月亮就出现了。图片版权：詹姆斯·沙夫（James Schaff）*

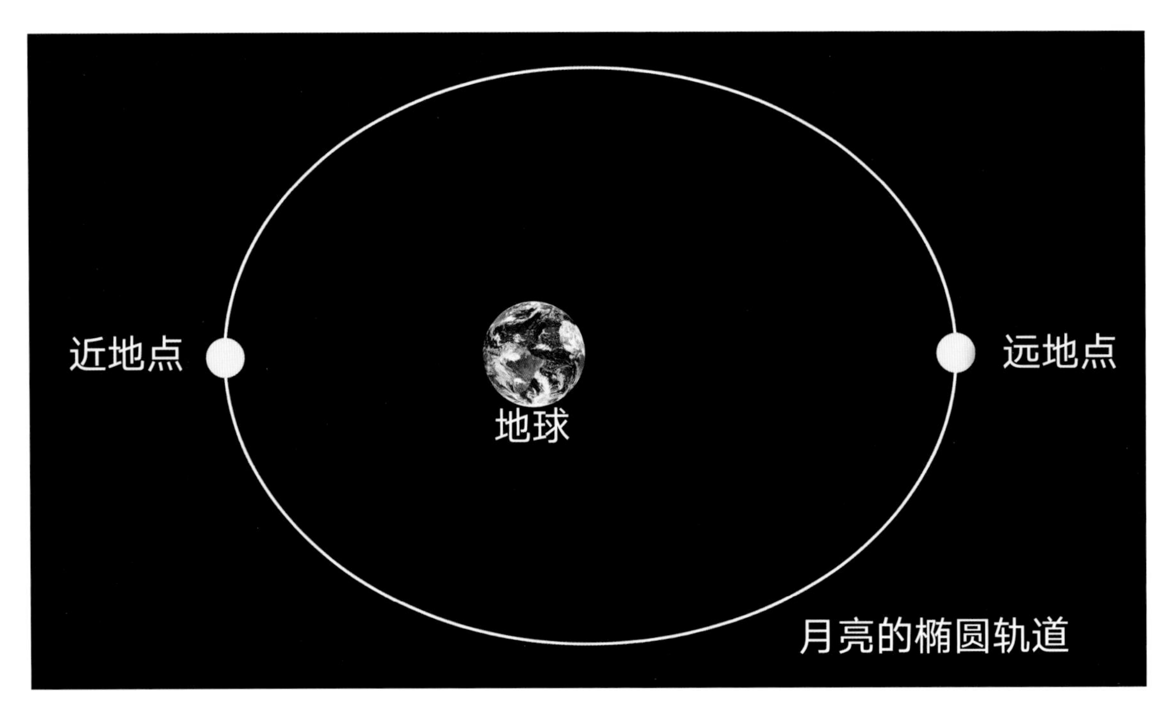

▲ 在环绕地球的轨道上，月亮与地球的距离为 356000 ~ 40600 千米，平均距离为 384000 千米。图片版权：鲍勃·金

这种变化其实很难看出来，因为我们缺少参照。德国天文爱好者丹·费希尔（Dan Fisher）提出了以下建议："别太努力，不要盯着月亮，试图得出结论，我的方法（和体会）是，不要提前知道月亮处在轨道的哪个位置，看到令人惊叹的景象之后再去查数据，这样往往能发现特殊位置的月亮。"这可以叫作隐藏法。月球近地点远地点计算器（Lunar Perigee and Apogee Calculator）可以向你提供参考消息（www.fourmilab.ch/earthview/pacalc.html）。

蛾眉月、上弦月和凸月也可能来到近地点，但是没有人会注意到，因为它们的视觉冲击远远不及满月。

收获月的幸福

收获月有什么特别之处？收获月是最接近秋分的满月，秋分是北半球秋天的开始。因为月亮每天向东移动一个拳头的距离，所以它大约每天都晚升起 50 分钟。这也取决于黄道和东方地平线的夹角，延迟时间范围为 25 ~ 60 分钟。当夹角较大的时候，月亮要花更多的时间才能爬上地平线。

当这个角度很小的时候(比如 9 月和 10 月的满月之时)，相邻两次月亮升起的时间可能只差 20 ~ 30 分钟。漫不经心的赏夜者会觉得月亮连续几个晚上都在同样的时间升起。这正是收获月期间的情形。农民们感恩这多出来的月光，并且好好利用它来收割庄稼。

6 个月之后，到了春天，情形正好相反，这时候黄道和地平线成了陡峭的角度。尽管在两个季节里，月亮每天走过的距离相同，但在春天，高度倾斜的轨道每天晚上都把月亮送到远离地平线的地方。春天的满月向东南方向移动，它的前方是月球绕地球轨道的最低点。从北半球看，向南的移动增加了月亮每晚到达地平线并升起的时间。秋天，它向东北方向移动，前方是金牛座中黄道的最高点，每晚升起的时间和前一晚比只有短暂的延迟。

说到不同季节间黄道和地平线的角度变化，你大概注意到了，冬天的满月比夏天的要高得多。冬天，太阳处在人马座的茶壶中，这是黄道的最低处，即使到了中午，太阳也难以爬上树顶。满月和太阳正对着，因此冬季的满月占领了黄道的最高点，也就是太阳在夏天所处的位置。难怪月亮在冬天会那么高！

来年春天，等到太阳爬到了高处，满月就要占据人马座的茶壶，黄道的最低点了。夏天的月亮总是被大气染成橘色或红色，我们下面就聊聊这个话题。

▼ *在 9 月，月亮的轨迹与地平线的角度很小，相邻两天的月亮升起时间只相差半个小时。春天则刚好反过来，那时候月亮的轨迹倾斜得更厉害，一夜又一夜把月亮带到比地平线远得多的地方。月亮相邻两次升起时间相差大约 1 小时。标注：鲍勃·金；图源：Stellarium 软件*

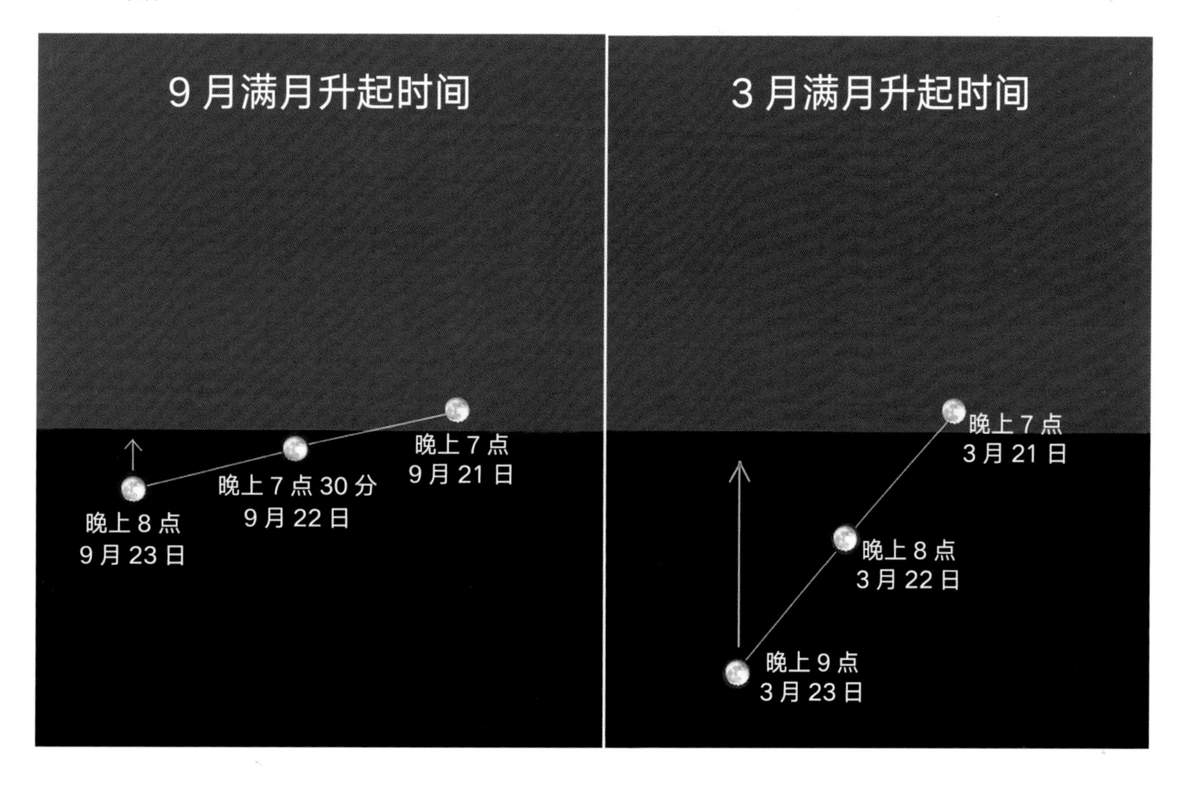

给我一个挤扁的橙子

还在上小学的时候，我们就学过，白光是由彩虹的七种颜色组成的。我们不用棱镜也可以看到藏在白光里的这些颜色。你可以用手电筒照亮一个光盘，然后看它的反光。你至少可以看到半打彩虹色的亮斑，每一块都是紫色和红色各在一端，其他颜色在中间。

可见光的波长极小，只有1毫米的万分之几。空气分子也极小，但是足够散射阳光中的蓝光了，因此天空看起来是蓝色的。在日落或者日出时分，低空的阳光要从格外浓密的大气中穿过，最后蓝色、绿色和黄色光都被空气分子、灰尘和烟雾颗粒散射掉了，于是太阳和太阳周围的天空就被染成了橙色和红色。月亮也是一样的。

天空中尤其多雾的时候，我们会看到一轮颜色鲜艳的红月亮升起。如果空气非常清澈干净，我们会看到橙色的月亮。一旦月亮爬升上来，高出最浓密的大气一个拳头的距离，它的颜色就会变成柔和的黄色，然后很快又变成常见的白色。跟看上去的不同，月亮其实不是很容易反光。就像阿波罗宇航员们发现的那样，月亮上的尘土跟焦炭一样黑。如果有机会进入新铺了沥青的停车场，你可以仔细看一看地面——这就是月亮的颜色！但这颗天然卫星看起来很亮，这只是因为我们看它时，背景是暗得多的天空，而我们的眼睛自己做出了调整来适应黑夜。

▼一枚棱镜将白光折射成彩虹的颜色。不同颜色的光折射率不同，颜色一个一个地分散开来，就像你看到的彩虹。在真实的彩虹里，雨滴扮演了棱镜的角色。图片版权：维基百科

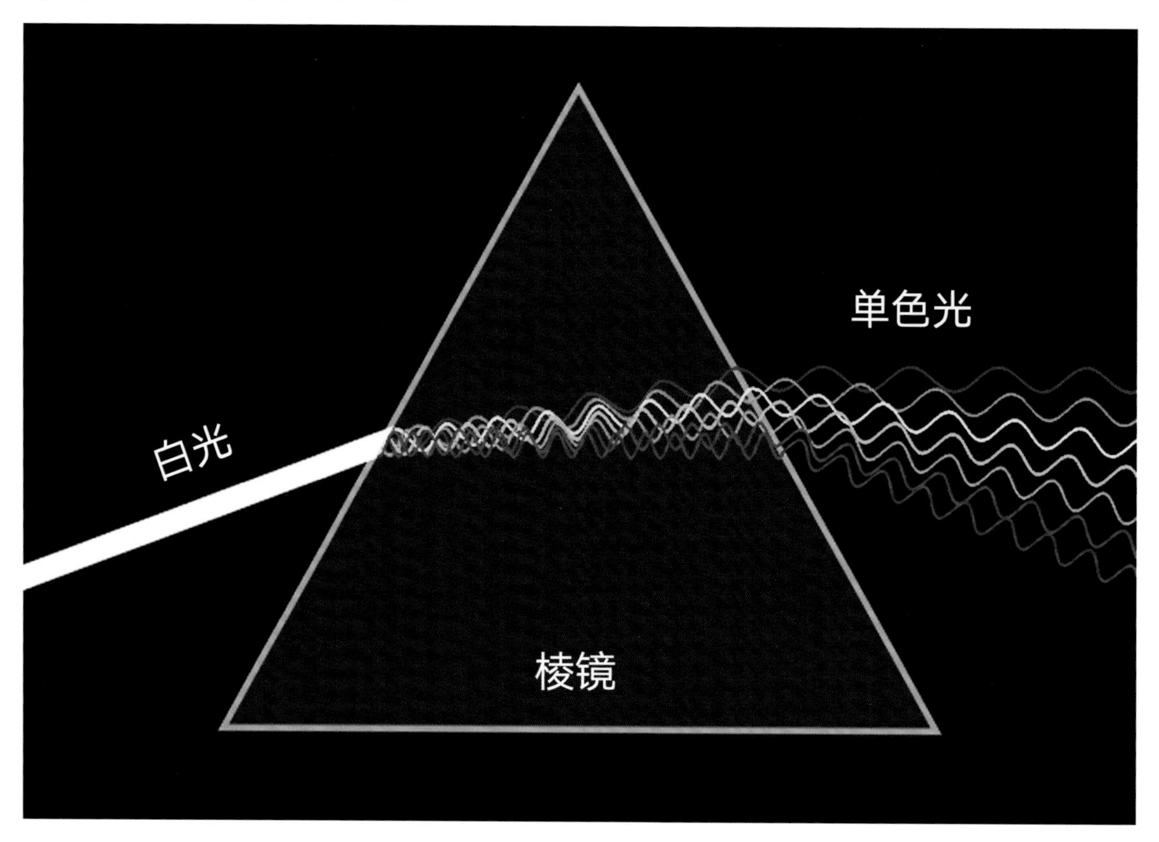

月亮刚升起时那种被挤扁的奇怪形状又是怎么回事呢？这源于地球大气的折射作用。光从一种介质进入另一种介质时，会发生折射。折射现象经典例子是放在一杯水中的“折断的铅笔”。上半段铅笔，我们是经过空气看到的，下半段则是经过水看到的。水是比空气更密的介质，在水和空气接触的地方，光线被折了一下，所以铅笔看起来就是折断的。

如果你看向地平线的方向，那么你的目光会穿过最密实的大气，即使只高出地平线一点点，空气也会稀薄很多。接近地平线的浓密的气体折射或者说“抬起”了月亮的底部。而上半部的空气稀薄些，折射作用较弱。于是月亮就被挤在了一起，呈现了奇怪的形状。

月亮爬升得更高了，你在看月亮时视线穿过的空气越来越稀薄，折射的效应越来越轻微，变形也就消失了。扁扁的月亮只存在了 10 ～ 15 分钟，然后月亮就恢复了圆形。想要好好看月亮升起的话，你需要预先计划，还需要好运气。你可以在下面的网站输入你的所在地，找到当地的月亮升起和落下的时间：www.timeanddate.com/moon/。你一定要挑选合适的地点，拥有面向东方地平线的宽广视野，并且比月亮提前 15 分钟出现在那里。

活动：用双筒望远镜欣赏彩色月亮

你有双筒望远镜吗？双筒望远镜可以将景象放大，帮你看到地球在月亮升起时对其外表产生的影响。月亮从地平线升起时，必须经过不同高度的大气，月亮边缘会因此产生奇异的波纹和变形。你还会看到月亮边缘出现绿色和紫色的花边，因为大气就像棱镜一样将月光分成了多种颜色。

只有影子知道

谁能想到呢？只是进入地球影子 1 ～ 2 小时，月亮就能产生裸眼所能见到的最令人惊叹的景观：月食。月食平均每年发生两三次。日全食只能在地球上百余千米宽的长条区域内看到，而月食在能够看到月亮的地方都可以看到，也就是说，地球上一半的地方都可以看到月食。

要发生月食，太阳、地球、月亮必须在满月的时候按顺序排成一条直线。当条件满足时，月亮经过地球的正后方，进入了地球的影子。就像树在地上投下影子一样，地球向太空投下影子。但有一点不同，地球是圆的，所以影子也是圆的。月亮滑入地球的影子，失去了阳光。我们会看到地球影子的曲边一点一点侵蚀月球。月亮就像被咬掉的一块饼干。古希腊人已经意识到，从月食时地球投下的影子可以看出，地球一定是球体。

地球的影子由两部分组成，中间的本影被边缘的半影套起来。本影是地球完全遮住了太阳的地方，而半影，是地球只遮住了一部分太阳的地方。半影是既有影子又有阳光的混合区域，不像本影那样暗。月食的时候，月亮首先进入半影，然后才进入本影。在月球碰到本影之前半小时，以及离开本影后半小时，月球都在半影的笼罩之下。

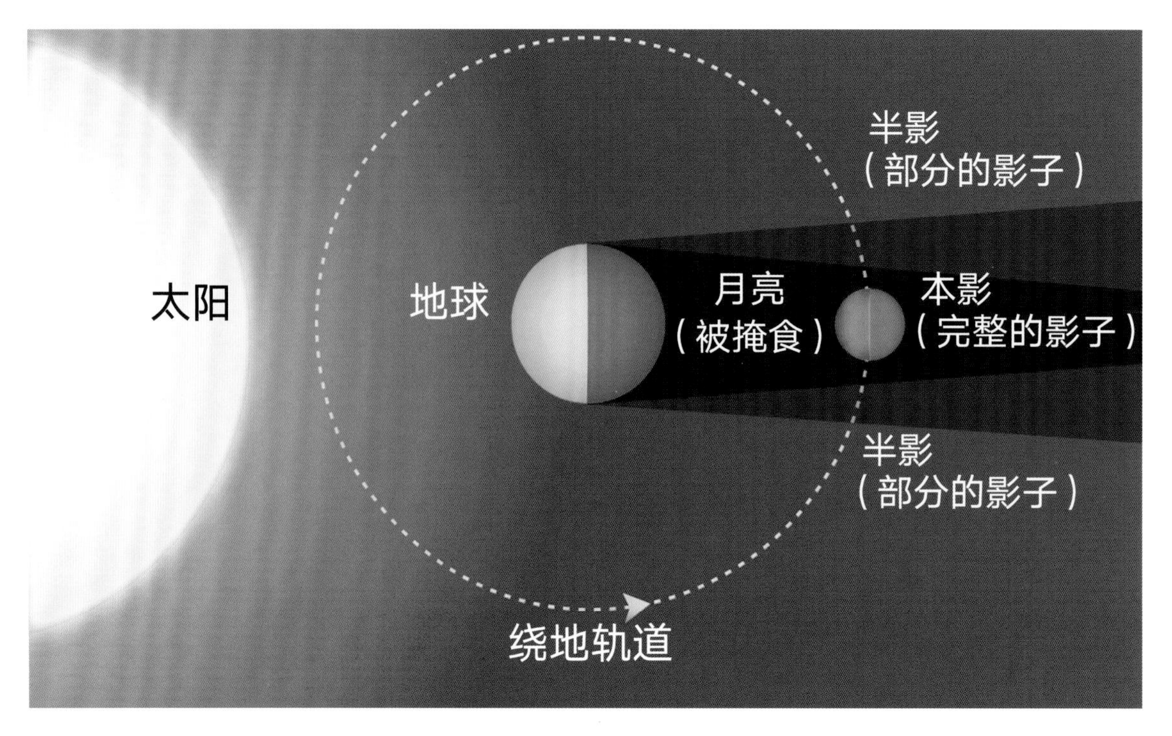

▲ *月食只能在满月时发生，这时太阳、地球和月亮精确地连成一条线。月亮到了地球后方的阴影里，在几个小时之内被掩食，直到再次进入阳光中。如果三者非常接近但并没有精确呈直线排列，月亮就会发生偏食。月亮的轨道是倾斜的，所以大部分时候它会在影子的北面或者南面经过，并不发生月食。图片版权：Starry Night 软件*

半影月食就像月球进入本影前的热身活动。月亮公转速度高达每小时 3540 千米，但月亮横穿地球的影子也要花上几个小时。因此，月食是很容易观察到的，你有足够的时间去看。

进入本影半小时后，月亮就有一半在阴影中了，另外一半还被半影筛过的阳光照射着。仔细看，你会注意到，被遮住那一半开始发出红光。偏食开始后的 1 小时，只剩下蛾眉形的一弯还在亮光中。看着最后一丝月亮进入阴影，我们还会收获更多惊奇。想不到吧，月亮不会消失！如果地球上没有空气的话，月亮就会被黑暗吞噬，但是地球大气折射了太阳光，让阳光进入影子里，把月亮染成了红铜色。

为什么是红色？想象一下，你在月亮上回望地球，这时正在发生日全食。你会看到，地球遮住了太阳，阳光轻轻掠过地球的边缘。这正是日出或日落时我们的视角，阳光刚刚碰到地平线。在月亮上，宇航员会看到火红的领子包裹了整个地球。这个红彤彤的环把光洒进本影和半影里，将月球染成了红色。这真是不可思议！

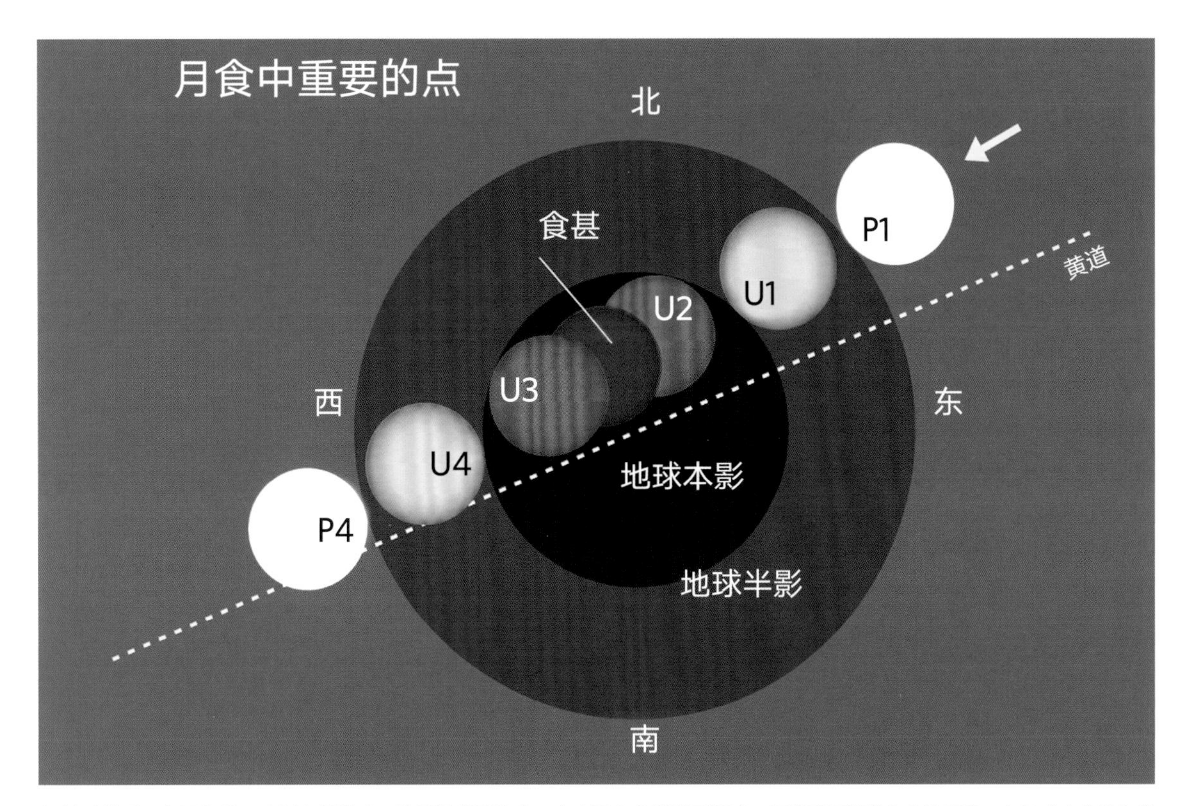

▲ *地球的影子有两部分，内侧本影较暗，外侧的半影较亮。在本影完全挡住了阳光，而半影里能进入少许阳光。在月球完全进入半影之前，它的变化并不明显。月亮一旦接触本影，黑色的“咬痕”立刻就明显了。这里的数字和字母代表全食的不同阶段。“P”指的是半影，而“U”指本影。图片版权：Starry Night 软件*

随着本影一点一点吞食月球，抬眼看向四周和天空，你会发现一切都变得更暗，更令人毛骨悚然。月全食期间，照亮院子并且隐藏星光的月光溜走了。黑暗返回，头顶的天空就像无月之夜一样群星闪烁。这变化如此奇妙，如此动人，你可以感受到地球和月亮的运动。在短短几个小时之内，你见证了三个天体的排列。你被束缚在它们的运动之中，和它们一同旅行，你会重新想起自己在宇宙之中。

不需要任何光学辅助手段，你也可以看到月食，但是天文望远镜和双筒望远镜可以让你看到月亮表面细微的颜色变化，以及月亮边缘的星。这些原本是满月时看不到的。你可以注意一下月亮在全食阶段的颜色变化。有时候它是红铜色，有时候则是灰棕色，这取决于大气中的悬浮颗粒（包括盐、水和火山灰，等等）量。月食可以提供关于大气状态的重要信息。你一定要上网看看是否有面向大众的、全食期间月亮颜色和亮度的评估信息。

并不是所有月食都是全食。有时候仅有一部分月亮经过本影，我们只能看到偏食。还有的时候，它甚至只经过半影就重新回到阳光中。但这些都值得一看。

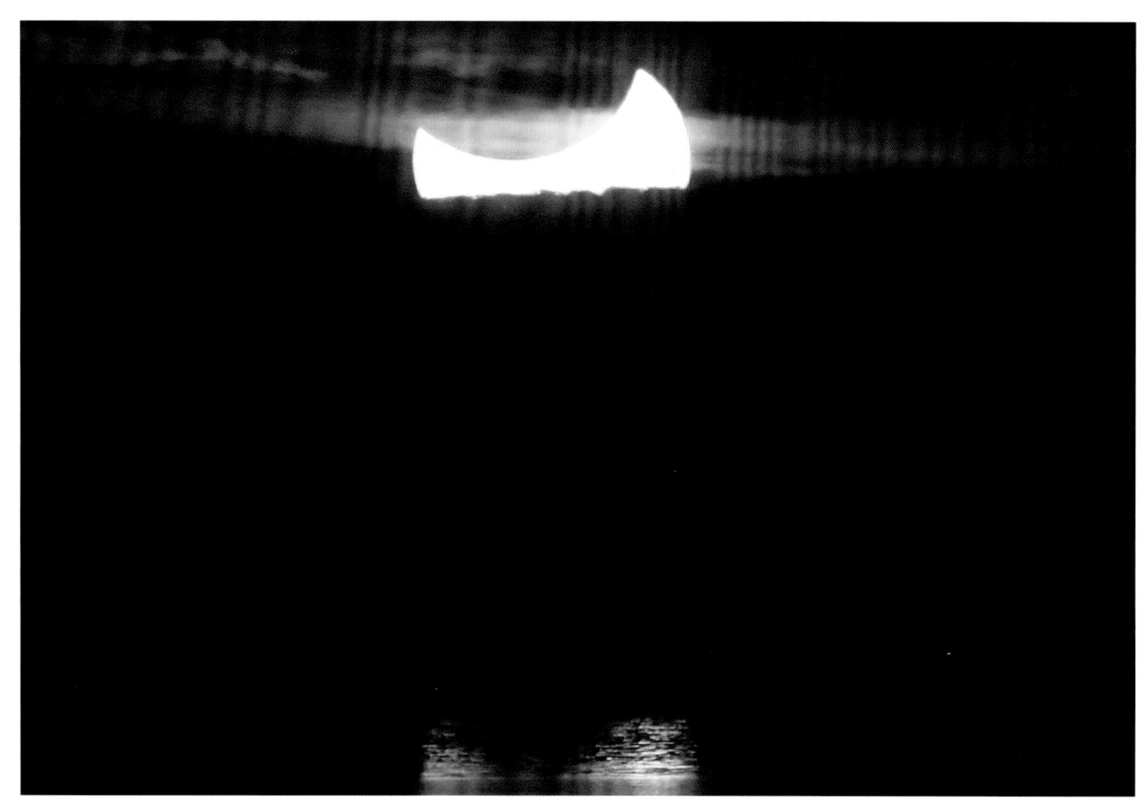

▲ *2014 年 10 月 23 日，被部分掩食的太阳倒映在明尼苏达州杜鲁斯市的岛湖上。新月从太阳前面经过就会发生日食。如果排列丝毫不差，月亮就会完全遮住太阳；如果月亮从太阳中心的北侧或南侧经过，我们就会看到偏食。图片版权：鲍勃・金*

关于太阳

尽管这本书关注的是夜空，但是我也要讲一讲日食，不然我也太懒了。当月亮沿着轨道滑到太阳和地球之间，并且暂时挡住了太阳的时候，日食就出现了。月亮的轨道是倾斜的椭圆形，所以并不是每次新月都会发生日食，日食每年发生 2 ～ 5 次。太阳、月亮和地球之间的位置不同，日食的种类也不同。日偏食会在大片地区发生，相对常见。每个地区隔几年就会出现日偏食。日全食的发生也有规律，但是对于一个特定地点来说极为罕见，因为月亮投到地球的影子非常狭窄，通常宽度仅 160 千米左右。因此，尽管月亮滑过太阳表面时形成的阴影在地球上滑过长达几千千米的距离，但它就跟铅笔线一般细，会错过很多城市。平均说来，在同一个地方，日全食大约每 375 年发生一次。

好消息是，北美洲和中美洲在未来几十年里会迎来一系列非常棒的日全食。对于数百万人来说，这些日全食都可以驾车去看。无论如何，你千万不要错过站在月球阴影里体会太阳消失的机会，这可是了不起的奇观。在几分钟之内，黑色的圆月盘溜进来，映衬着太阳火焰般的突起和明亮的日冕。气温骤降，天空变得像日落时分一般昏黄。光线的奇异变化会让你后背感觉凉飕飕的。在为生活奔忙之前，你至少要看一次日全食，还要在望远镜里长久地、满足地欣赏一次土星。这是后话了。

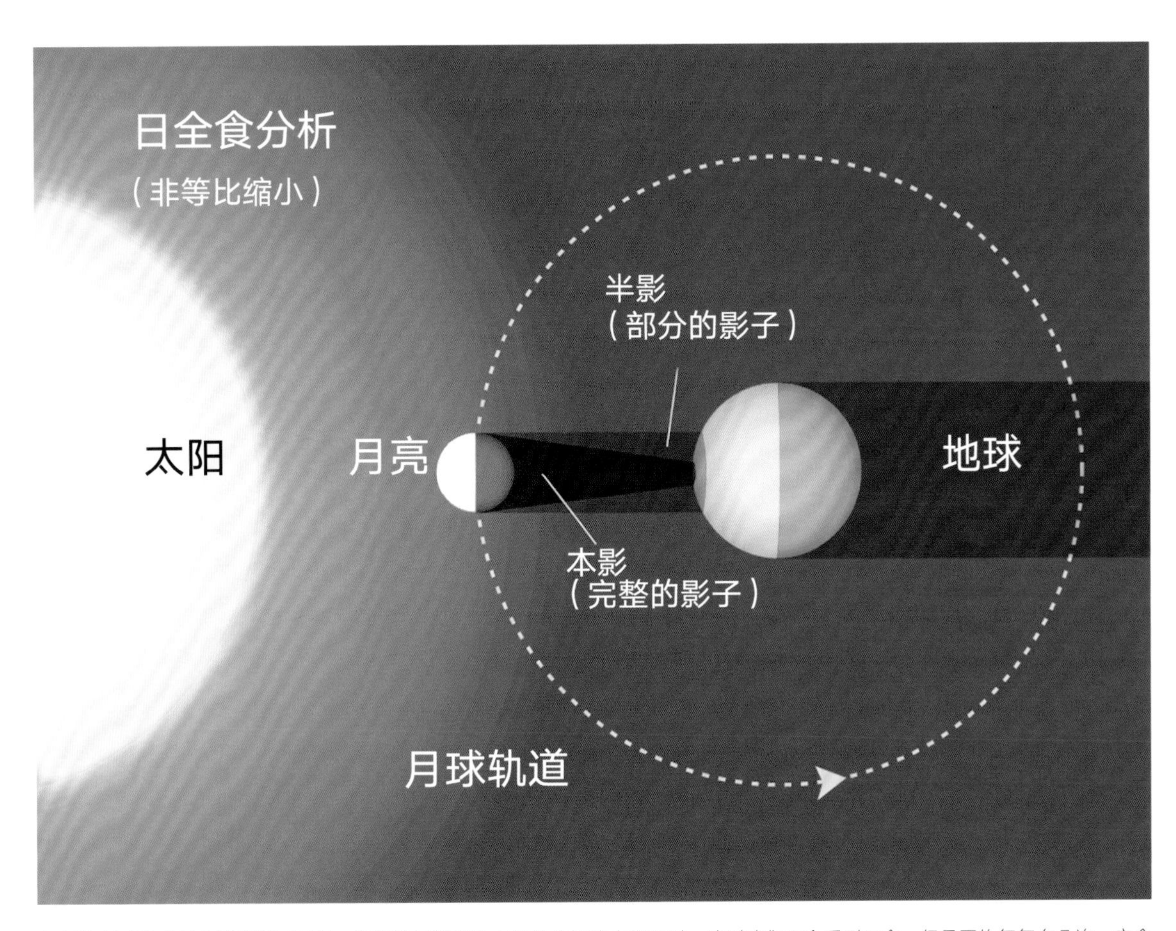

▲ *因为月亮的公转轨道倾斜了 5.1°，所以新月通常从太阳的北侧或南侧滑过，这时我们不会看到日食。但是平均每年有几次，它会来到太阳和地球的连线上，短暂地遮住太阳的一部分或者全部，形成日食。图片版权：Starry Night 软件*

2017 年 8 月 21 日发生了一次日全食，轨迹从俄勒冈州的海边开始，穿越美国腹地，然后从南卡罗来纳州离开。这一次日全食出现在仲夏，人们要么在户外，要么有时间计划外出，无疑会有数百万人看到这次日食。我在这里收录了一张日全食轨迹地图。你也可以看一看迈克尔·蔡勒（Michael Zeiler）整理的美国大日食网站（www.greatamericaneclipse.com/），这里可以找到关于这次事件的任何信息。

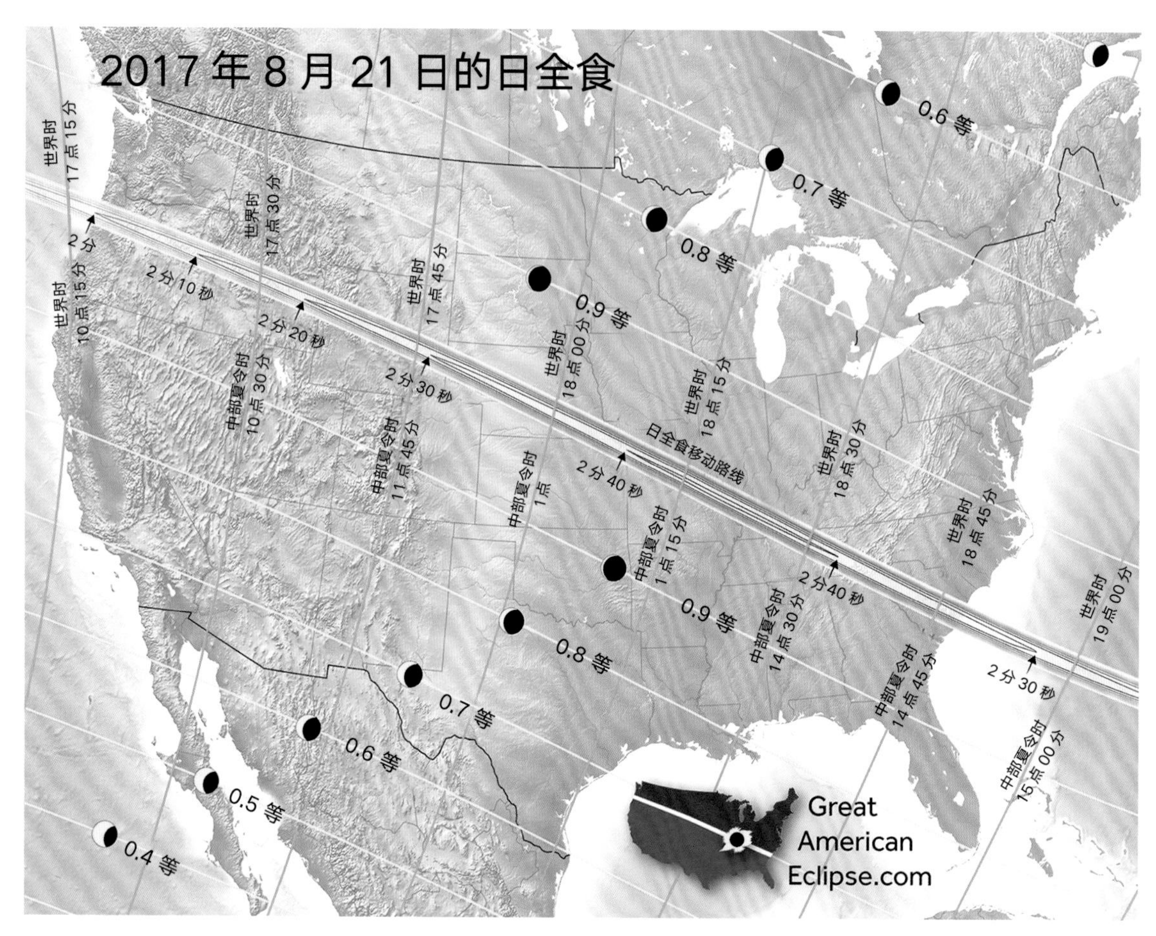

▲ *这张地图显示了 2017 年 8 月 21 日日全食的轨迹（月亮的影子），从俄勒冈州的海岸开始，穿过美国中部，进入大西洋。沿着轨迹标出的时间显示了日全食阶段的长度，全食阶段月亮完全盖住了太阳，这是最精彩的部分。绿色的线标出了全食开始的时间，而黄色的线标出了全食带以外地区的食甚程度（太阳有多少部分被月亮遮住）。比如，0.9 等 = 90% 的太阳被遮住。就像你所看到的，在整个美国，以及加拿大和墨西哥的一部分地区，都可以看到偏食。如果想要看到全食，那么你必须到黄色的带子上。图片版权：迈克尔·蔡勒 / 美国大日食网站*

还有若干次日全食可以在美国部分地区看到，比较近的几次会在 2024 年 4 月 8 日、2044 年 8 月 23 日、2045 年 8 月 12 日，以及 2052 年 3 月 30 日出现。欣赏日食时，你必须谨记，除非太阳被月亮完全遮住，否则你绝不可以直接看太阳。直视阳光会迅速损害你的双眼，不可逆地毁掉你的视力。你可不要冒这个险，要用安全的滤光膜，比如日食眼镜，或者 14 号焊工玻璃。在日食的偏食阶段，你始终需要用滤光膜保护双眼。

活动：自制小工具，准备观察日食

你可以用硬纸板、铝箔和针做一个简单的针孔投影，用于间接观察日食。你可以在金山探索博物馆（San Francisco Exploratorium）的网站上找到制作方法，请查询“怎样看日食”（How to View an Eclipse）页面（www.exploratorium.edu/eclipse/how.html）。

周而复始

满月在日落时分升起。月满则亏，在这之后，阴影会一点点蚕食明月，将它塑造成下一个月相——渐亏凸月。有时你可能发现夜间没有月亮，这很可能是因为它处在渐亏的阶段，升起的时间比我们大多数人睡觉的时间还晚。但是如果你想看到渐亏凸月或者下弦月，有一个简单的方法，不需要牺牲睡眠。月亮虽然主要在夜间出现，但白天也有它的身影。

8月到10月，你可以看到清晨的月亮。你只需抬起头就会发现，在已经被太阳照亮的天空里，明亮的凸月或者下弦月还挂在天上。这种出人意料的现象在很大程度上和月亮从夏末到秋季中期在天空中经过的轨迹有关。我们之前学过，月亮和太阳在天空中都沿着黄道运动，但是它们运动的速度不同：太阳用1年的时间转了一圈，月亮则只需要1个月。

8月，太阳沿着黄道向南移动，腾出它在夏初占据的最高点。时间一天天过去，它在天空中越来越低。到了冬季的第一天，它来到了南方的最低点。太阳在下落，月亮则在上升，此时占据了之前太阳的高地。

夏初，太阳正对面就是满月，月亮占据着轨道最低点。这正是太阳将在冬至时到达的点，但随着太阳在秋天越来越低，满月却爬得越来越高。

▼ *满月之后，月亮开始绕回太阳和地球之间，我们会看到之前各个月相反过来的版本：渐亏凸月、下弦月，以及残月蛾眉月。秋天的早晨是看亏月的理想时间，在白天太阳升起很久后还可以进行观察。月亮这时候正在黄道最高的部分行进，这就是几个月前夏天的太阳经过的地方。图为秋叶间的残月蛾眉月。图片版权：鲍勃·金*

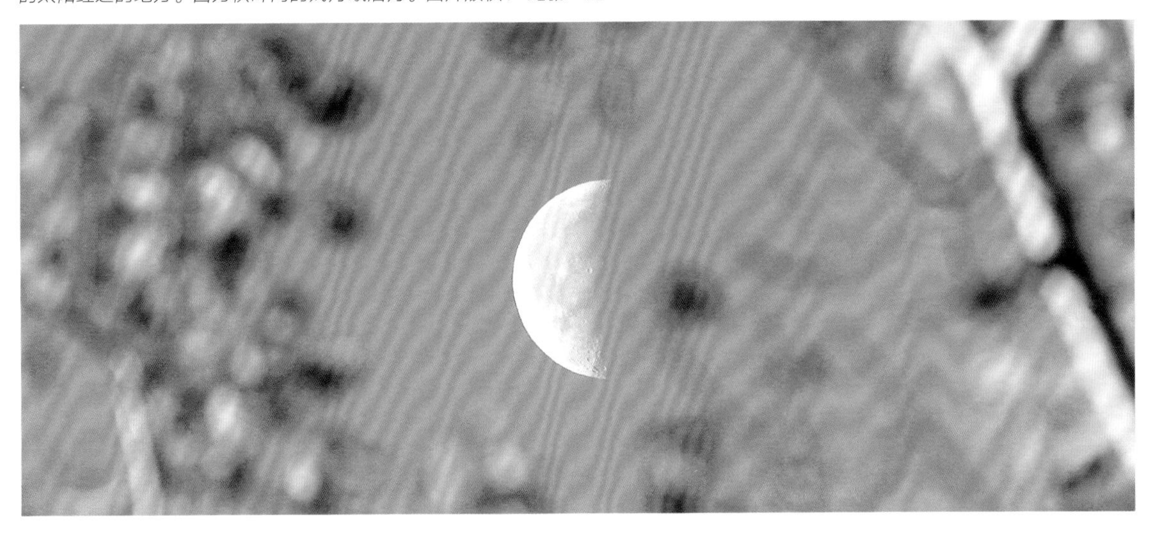

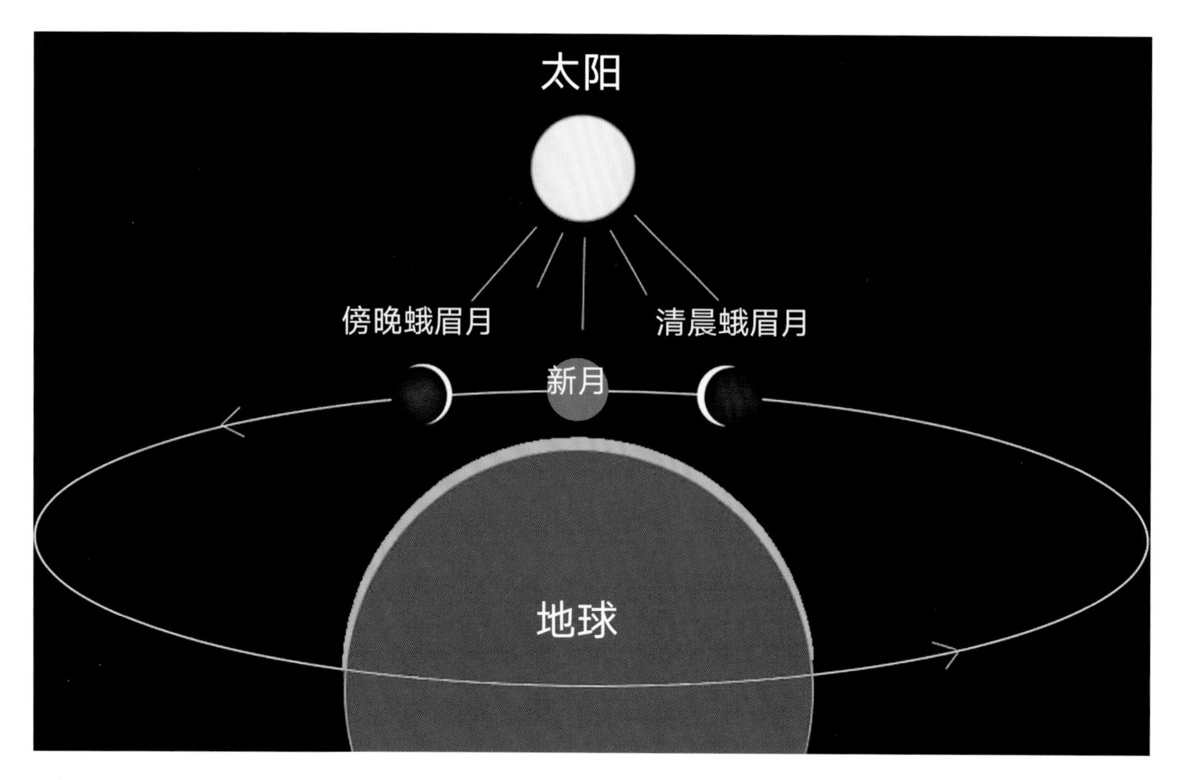

▲新月之前，月亮在清晨出现，是细细的蛾眉月，它的左侧（月亮的西侧）边沿亮起了弯弯的一条，剩下的地方则被地球反照填满。新月之后一两天，月亮到了太阳的另外一侧，我们会看到它的右侧（月亮的东侧）边沿亮起来。图片版权：鲍勃・金

▼如果月亮不自转（左图），那么在它公转的27天里，我们会看到它的每一面。图中蓝色的小人会在A点朝向我们，在B点朝向侧面，在C点消失到后边，然后在D点重新露出侧面。但事实并非如此。月亮在自转（右图红色箭头），自转的速度跟它绕地球旋转的速度一样，所以我们总能看到它的同一面。天文学家说月亮表现出的是同步自转。如果它自转的速度和公转的速度不同，我们就可以在月球轨道的一个周期之中看到它的所有面了。图片版权：鲍勃・金

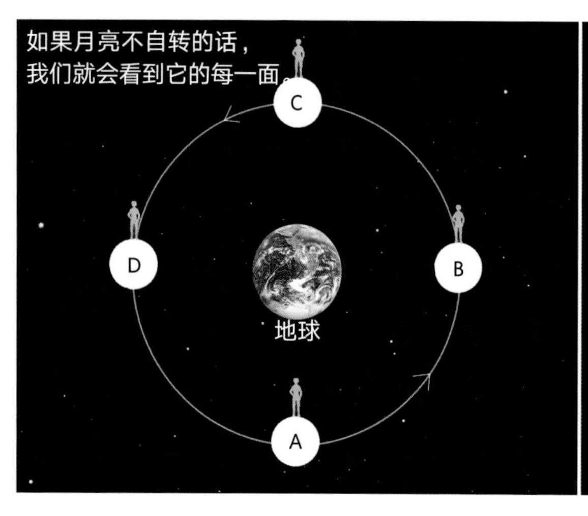

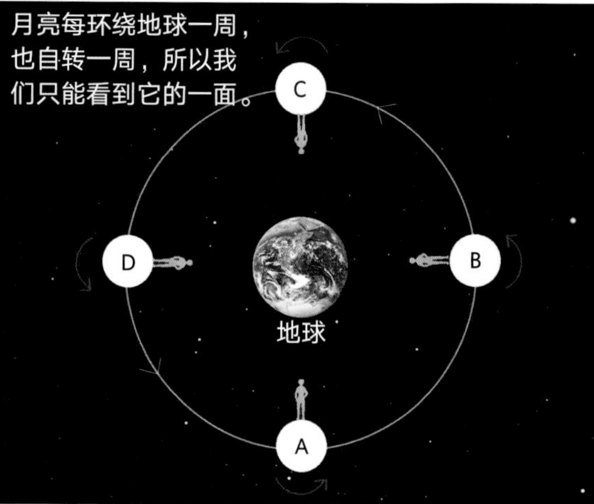

9 月的满月比 6 月的高，但是还远远比不上它在 12 月到 1 月所到达的顶点。秋天，当满月渐亏时，它沿着黄道逐渐爬升，在 9 月和 10 月，凸月或下弦月会来到太阳夏天所在的位置。这时候你很容易看到月亮。你早上去上班或者去上学之前（比如去散步或者遛狗时）就能看到它。从夏天到秋天，日出时间越来越晚了，这让渐亏的凸月更容易看到。太阳更低，天更暗，9 月的天空在早上 7 点到 8 点时，不像 6 月那么亮了，你更容易看到月亮。

渐亏凸月的月相之后，月亮会升起得越来越晚。下弦月直到午夜前后才升起，日出时仍在正南方向。早上的蛾眉月在日出时分还在地平线附近，随着日光变亮，慢慢升高。月亮逐渐长出两只朝西而不是朝东的角。月亮不停地绕着地球转，很快就又变成新月，回到傍晚的天空，准备好再来一次。

为什么我们只能看到月亮的一面？

关于月亮，最常见的一个问题就是为什么我们只能看到它的一面。我们能看到对面吗？除非你变成宇航员，参加登月任务，否则就不能。

月亮公转一周的时间和自转一周的时间相同，所以它总是以同一面朝向我们。天文学家管这种节奏一致的绕转叫作同步自转。地球的万有引力作用在月球上，让它的自转变慢，直到跟它的公转速度相同，周期同为 27 天。因此，有史以来，人们就只能看到月亮上有人脸的这一面。在很久很久以前，月亮自转比现在快。如果有视觉的话，早期的地球生命可能会在月相变化的过程中看到月亮的每一面。

亲眼见过月亮背面的人只有阿波罗的宇航员。阿波罗 8 号的宇航员这样描述在 1968 年从月球轨道看到的景象：“（月球）背面看起来就像我家孩子玩过的沙堆，几乎被搅匀了，没有什么特征，只是一大堆土包和凹洞。”

▼ *月亮在公转过程中速度有所变化，并且它稍稍向着地球轨道倾斜，我们实际上可以看到月亮的 59%。但是，如果想要好好欣赏它充满环形山（几乎没有月海）的背面，你得乘上宇宙飞船，或者去看卫星传回的图片。图片版权：NASA*

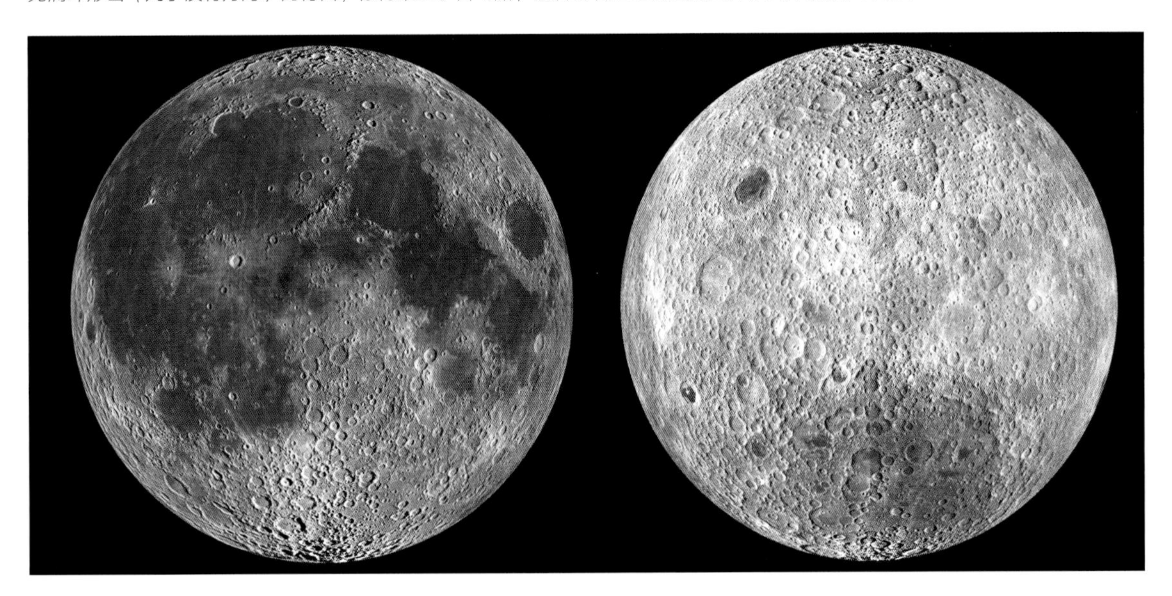

的确，月亮的背面几乎只有古老的月壳。古月壳看起来就像月亮正面白色的地方。这里挤满40亿年前由小行星和陨石撞击产生的环形山。背面的月壳有80千米厚，不像正面只有60千米厚。这可能是因为背面没有月海，地下的岩浆喷发没能到达地表，也不能填充冲击产生的盆地。NASA的月球探测器发现月球正面有较多放射性元素，而它们衰变产生的热量可能会导致更多的热岩浆来到表面，充满月海。

行星探视时间

月球每个月都走过长长的距离，沿着黄道行进整整一圈，经过12个黄道带星座。在这个过程中，月亮经常会路过一颗或者几颗行星，产生非常壮观的美景，即行星合月。一弯细细的蛾眉月和非常明亮的行星（比如金星、木星或者火星）相合，这景象尤为吸引人。它们就像天空的珠宝，任何人看到这件因大自然巧合而产生的“艺术品”，都会感到震撼。

实用网址

- 阿波罗任务：www.nasa.gov/mission_pages/apollo/index.html
- 浏览月球勘测轨道器拍摄的月球近景照片：wms.lroc.asu.edu/lroc_browse
- 月球的高分辨率互动式地图：target.lroc.asu.edu/q3/
- 从现在到2021年的超级月亮：www.vercalendario.info/en/when/next-super-moon.html
- 查询任意地点的月出、月落时间：www.timeanddate.com/moon/
- 日全食相关地图、信息，以及安全观看日食所需的眼镜：www.greatamericaneclipse.com
- 为观测日食自制小工具：www.exploratorium.edu/eclipse/how.html
- Rainbow Symphony公司的日食眼镜：www.rainbowsymphony.com/eclipse-glasses
- 当前月相：http://www.moonconnection.com
- 作者的天文博客：astrobob.areavoices.com
- 天文事件日历：www.poynTsource.com/New/Diary.htm

拍摄日食和月食的技巧

现在人人都有照相机，很多人都想试试拍摄全食阶段的太阳或者月亮照片。下面是几条建议。

如何拍摄月食

找一处漂亮的前景，比如秋天的树林、教堂，或者遥远天际的山峰轮廓。月亮越低，你就越可以用较长的镜头把它放大，让它在前景中凸显出来。月亮高高悬在天上的时候，你很难找到合适的前景。这时候，你只能分别拍摄前景和月亮，再用图片处理工具（比如 Photoshop）合成一下。

满月和偏食阶段的月亮（掩食达到约一半）非常明亮，你在拍照时可以不用三脚架。设置为 ISO400 时，可以使用 f/8，1/500 ~ 1/250 秒。注意，月亮曝光恰当时，天空和地景一定是曝光不够的，或者是黑色的，除非你幸运得很，在曙光和暮光中看到了月食。

一旦月亮被掩食超过一半，你就需要把镜头光圈调大（f/2.8 ~ f/4），或者增加曝光时间。你可以看看照相机的回放屏幕，如果照片太亮就缩短曝光时间，如果太暗了就增加曝光时间或者调大光圈。

对于部分掩食的月亮，你可以继续用 f/8 及 1/30 ~ 1/25 秒的设置进行拍摄，但如果想拍到被掩食部分的暗红色，那么你可以把相机放到三脚架上，把光圈调到最大（f/2.8 ~ f/4），使用 ISO800 ~ 1600，曝光时间 1/4 ~ 1 秒。

你使用的长焦镜头越长，月亮就会越快地随着地球自转穿过你的视野。曝光时间最好不要太长，几秒就行，除非你用的是广角镜头。那样你可以在使用三脚架的情况下曝光 10 秒以上，而且不会看到移动轨迹。我用“500 规则”来提醒自己：用镜头焦距除以 500，就可以得到曝光的最大时长，曝光时间不超过最大时长就不会拍到月亮或者星星的移动轨迹。

全食阶段，使用“长”镜头时，曝光时间设为 1/2 ~ 5 秒，光圈选择 f/2.8 ~ f/4.5，ISO 选择 800 ~ 3200。

如果希望图片里既有前方地景，又有恒星，那么你需要使用广角镜头或者常规镜头，大大地打开光圈，将曝光时间设为 6 ~ 10 秒。曝光时间设置为 6 秒时，你只能拍到最亮的星，但可以捕获全食阶段丰富的色彩。曝光时间设置为 10 秒时，你可以多拍到很多星星以及前景，但是月亮看起来会有一些过曝，并且色彩也会有点模糊。

当然了，你可以使用更大的 ISO，这样可以大大缩短曝光时间。但是除非你使用的是最高端的新相机，否则这会造成照片颗粒感加重，而且色彩饱和度降低。

如果月食的过程赶上了曙光，那么可能用手机就可以拍摄。此时的光照足够让你拍到漂亮的地景、全食的月亮，以及接下来的偏食现象。

如何拍摄日食

偏食阶段的拍摄需要使用长焦镜头，并且要极为小心地使用安全的滤光膜。你也可以使用自己的手机去拍摄小孔成像中的太阳。如果日食发生时树上还有树叶，树叶之间的小缝隙可以作为自然的小孔。日食时，太阳的影子通过它们投到地面上。在地上放一块纸板或者毯子，你就可以清楚地看到可爱的小太阳。在全食发生的几分钟里，你可以把相机正对着太阳拍照。你仍然需要检查屏幕，看看曝光时间是否恰当。如果不合适，就调整相机设置。

本章内容包含《天空与望远镜》博客 2015 年 10 月 28 日文章《月球环形山》（*Lunar Craters*）和 2015 年 11 月 15 日文章《月球幻影》（*Moon Illusion*）。已获得授权。

▼*全食阶段，在太阳边缘，我们可以看到壮观的日冕，以及叫作日珥的玫瑰色火苗。图片版权：Pedro Ré*

第 7 章

和行星面对面

太阳系的五大行星每一颗都有独特的个性。在认识它们的同时，我们将了解内侧行星和外侧行星有何不同，如何沿着黄道跟踪它们。如果你一直想知道行星什么时候连成一条线以及它们为什么会连成一条线，这一章也会给你答案。

本章重点

- 借助书中提到的任意工具，寻找至少一颗亮行星
- 寻找水星
- 观察金星大距
- 认出火星向东的正向运动
- 观看木星沿着黄道运动

流浪，但是总能看到家

行星很明亮，而且在移动，所以观看行星是件很有趣的事。有史以来，星座的图案几乎没有变化，行星却像孩子一样在天上跑了一圈又一圈。每一颗行星都有自己的步调，动作快些的孩子（水星、金星、火星）总是要超过跑得慢的木星和土星。这是因为它们具有离太阳近的优势。更靠近太阳的行星公转速度更快。笨重的土星在十几亿千米外，在裸眼可见的行星中总是排在最后一个。

▲ *太阳是距离我们最近的恒星。太阳系以太阳为中心，包含 8 颗行星、千千万万颗小行星和彗星、至少 5 颗矮行星，还可能有更多有待发现的天体。太阳的质量占太阳系质量的 99.86%。图片非等比缩小。图片版权：NASA*

活动：借助书中提到的任意工具，寻找至少一颗亮行星

因为行星总在移动，所以印在纸上的星图不会标出它们。过去，人们通过月亮寻找行星。在第 6 章，我们谈到，月亮在环绕地球一圈的过程中会经过每颗行星，所以行星合月几乎总在发生。要知道接下来的一系列合月现象什么时候发生的话，你可以查询在线星图或者星图软件。第 2 章介绍过的 Stellarium 就是个不错的选择。有些手机星图 App 也有类似功能。当然，你需要检查一下相关设置。

如果你计划夜间外出，提前知道木星或者火星会出现，观星过程会更加激动人心。这些行星和我们所置身的地方一样实在，它们也有云朵、风、沙漠、风暴、极光以及冰雪。空间探测器已经发回了太阳系各个行星的数千张美照，我们可以在脑海中想象每颗行星的世界。尽管距离极为遥远，但它们和地球是一家。行星共同的祖先是 45.6 亿年前的一团巨大的气体尘埃云，它快速地转动、收缩，形成了如今的太阳系。

行星的漫步也有一定的规律。它们总在黄道带星座中行走。如果行星的轨道随意倾斜，它们就会出现在任何星座中——猎户座、仙后座、南十字，等等。然而，太阳系像饼一样平，行星几乎都在同一平面内绕着太阳转。熟悉了双鱼座、天秤座、双子座等黄道带星座之后，你就会很快认出闯入它们的行星。

▲地球似乎很大，可它在木星和土星面前只是个小不点。这些行星可以分成三种：岩石行星（水星、金星、地球和火星）、气态巨行星（木星和土星），以及遥远的冰巨星（天王星和海王星）。图片版权：维基百科

我们如何直观地区分恒星和行星呢？一般说来，行星不会眨眼睛。即便是在大型天文望远镜中，恒星也只是一个光点，大气湍流很容易让恒星的光晃动起来。较近的行星与遥远的恒星不同，行星看上去就像圆盘，因为足够大，所以它们不会随着移动的空气“跑来跑去”，只会发出平静、稳定的光芒。不过这也不绝对。偶尔，你会看到火星和金星眨眼睛，尤其是它们在低空的时候，这里的空气有更多湍动。

目前正式得到承认的太阳系行星有 8 颗，按照和太阳的距离从小到大排序，依次是：水星（Mercury）、金星（Venus）、地球（Earth）、火星（Mars）、木星（Jupiter）、土星（Saturn）、天王星（Uranus）和海王星（Neptune）。水星距离太阳 5790 万千米，相当于地球和太阳距离的 0.38 倍，海王星距离太阳 45 亿千米，相当于地球和太阳距离的 30 倍。英文中有几个有趣的句子可以帮你记住它们的顺序。

My very educated mother just served us noodles.

（我那有教养的母亲就给我们吃面条。）

Many very elderly men just snooze under newspapers.

（很多上年纪的男士只是盖着报纸打瞌睡。）

Mom visits every Monday, just stays until noon.

（妈妈每周一都来，只待到中午。）

我们也可以把行星按个头排序，从大到小依次是：木星、土星、天王星、海王星、地球、金星、火星、水星。木星是一个大怪物，直径 139821 千米，有被硫黄和磷染上色彩的氨云，有 67 颗卫星组成的大家庭，还有标志性的大红斑。大红斑是持续了至少 350 年的风暴气旋。木星巨大的直径可以排下 11 颗地球。

土星最著名的特征是由冰组成的土星环。旅行者号和卡西尼号探测器拍摄的近景照片显示，土星环包含数以千计的“细环”，就像留声机唱片的条纹一样。冰冷的蓝色星球天王星，侧身躺下来旋转。这可能是因为很久以前一颗地球大小的行星撞击了它，使其自转轴倾斜。大气中的甲烷让天王星有了独特的蓝色。海王星只比天王星小一点，两颗行星的大气都多风，而且在它们的岩石核外都包裹着甲烷、氨和水形成的冰，这些东西会像泥浆一样。

到了地球，我们就告别了较远处的气态巨行星和冰巨行星，来到了有太阳温暖的地方。我们的行星是已知的唯一有生命的行星。隔着一定的距离看，金星和地球个头差不多，而且都有云。地球的直径只比金星大约650 千米。但是多了解一些信息，你就会发现二者大不相同。金星的表面温度高达 465℃，其大气比地球要重 92 倍。可别试着站在这颗行星上，你承受的压力相当于身处海平面以下 800 米的情形。永远覆盖着云层的天空，也让这地狱般的温室充满了噩梦的意味。

火星是地球之外人们研究最多的行星，火星上也许曾经有过生命，现在可能仍然有。卫星和进行实地考察的火星探测器通过拍照和探测发现，火星上现在已经干枯的地方曾经有充足的水，有古老的河床、经洪水冲刷的巨石，以及被磨圆的卵石为证。2015 年，NASA 的科学家在陨石坑的峭壁上发现了水流冲刷形成的细长的黑色条纹，水有可能是从地下蓄水层冒出来的。这颗红色行星上还有冰和液态水，火星上的环境温度为 −133℃ ~ 27℃。这是个寻找生命的好地方。

火星直径 6790 千米，大约是月球直径的 2 倍，并且也有陨石坑，因此它南半球的大部分地区会呈现特殊的“月球景观”。但是它有南北极冰盖、云层，偶尔还有尘暴，而且火星的一天只比地球长 37 分钟，它是我们所知的最像地球的世界。

水星是最小的行星，直径 4880 千米，是月球直径的 1.5 倍。水星上到处都是陨石坑，看起来非常像月球，但是二者也有区别。在行星冷却和收缩的过程中，水星的地壳垮下来，形成了皱纹般的悬崖陡坡，高度可达 1600 米，长度达数百千米。水星靠太阳如此之近，你大概会觉得它很热。的确，它的温度高达 426℃。但是它几乎没有大气，也完全没有水来保存热量，因此它处在黑夜的那一面温度可以降至 −173℃。

人们曾经以为水星的自转周期和公转周期都是 88 天，而且永远以同一侧朝向太阳。但是在 1965 年，天文学家通过水星反射的雷达信号发现，它每 59 天自转一周。水星是太阳系自转第二慢的行星。最慢的是倒着转的金星，金星上的一天等于地球的 243 天。

冥王星是不是很可怜？

2006 年，国际天文联合会（International Astronomical Union，IAU）决定重新定义行星，于是冥王星从行星名单里除名了。要想成为这个独家俱乐部的一员，合格的行星首先必须绕太阳旋转（通过！），必须足够大，以自身万有引力的作用把自己变成球形（通过！），还必须在自己的轨道周围占据主导——不好意思了，冥王星！在轨道附近占据主导，意味着扫除较小的天体（比如彗星和其他小行星），清理出环绕太阳的一条宽宽的轨道。根据 IAU 的成员表示，冥王星的万有引力不足以这样做，所以它被降格成了矮行星。

◀ 2015 年 7 月，NASA 的新视野号宇宙飞船飞过冥王星，清楚地拍摄了这个冰的世界（右下）及其最大卫星卡戎的近照。冥王星有圆圆的形状，并且有卫星，因此很像一颗行星。但它跟海王星外遥远的柯伊伯带内的很多天体也有很多相似之处。图片版权：NASA / 约翰霍普金斯大学应用物理实验室（Jonhns Hokins University Applied Physics Laboratory）/ 美国西南研究院（Southwest Research Institute）

冥王星的粉丝群起抗议，坚持要让他们挚爱的星恢复身份。但是目前为止，事情没有发生变化。如果此事数年之内再起议，我也不会惊讶。并不是所有天文学家都赞同新定义，新视野号任务的首席科学家艾伦·斯特恩（Alan Stern）就是反对者。新视野号成功拜访了冥王星。斯特恩指出，冥王星与太阳的距离是 59 亿千米，即使是把地球放在那里，也不能清理那样大的空间，所以根据现在的定义地球也应该丢掉行星的身份。

从大的方面看，冥王星代表了海王星外一众冰雪覆盖的较小天体。如果我们不改变行星定义，那么会有数十颗新发现的天体要被称为行星，以后还将有更多情况相似的天体出现。

追随月亮

裸眼可以轻松地看到五颗行星。我们谈到了怎样通过合月和其他资料来认出它们，但是你知道吗？行星也会和其他天体相合，包括其他行星和恒星。因为行星的移动速度比月亮慢，所以行星相合事件并不常见，一年可能发生六七次，大部分都发生在内侧行星和外侧行星之间。内侧行星即金星和水星，它们总在太阳附近，外侧行星包括火星、木星和土星。地球绕太阳的公转使外侧行星的位置相对向西移动，它们合日之后，不久又会在日出前或者日落时分与金星或者水星相合。

◀ 蛾眉月、金星（月亮下面）和木星一起上演了精彩的相合现象。照片拍摄于 2008 年 12 月 1 日，它们出现在明尼苏达州杜鲁斯的老中心钟塔上方。月亮和行星在天空中的路径是相同的，它们经常像高速公路上的车一样超过彼此。靠得最近的时候，我们会说它们“相合”。你可以用类似 Stellarium 的星图软件找到下一次明亮的相合现象。图片版权：鲍勃·金

在非常罕见的情况下，行星会掩食其他行星或者黄道上的亮星。下一次行星掩食现象将会发生在2065年11月22日，出现在两颗明亮的行星，金星和木星之间。但是到时候它们会非常靠近太阳，所以这次相合并不方便观看。下一次能够观看的行星掩食将发生在2123年9月14日。一生的时间并不长。但愿在我们的有生之年，这样的美景都能赶上好天气。

尽管与个人喜好有关，但的确不是所有相合都一样。两个明亮的天体越是靠近，景象就越震撼人心。相合吸引了我们的眼球，让我们驻足，去欣赏头顶的美好事物。不论何时，只要付出一点努力去看，你就会得到不寻常的感受。美景让我们的生活有所不同。在寻找美景的过程中，人会产生感恩之情。

根据行星过生日

我们可以把和地球一起绕着太阳转的同伴分成内侧行星和外侧行星。水星和金星是内侧行星，它们的轨道在地球轨道和太阳之间，其他同伴的轨道都在地球轨道之外。每颗行星都有自己的公转周期，绕太阳一周所需的时间各不相同。最靠近太阳的水星88天转完一圈，金星则需要225天，地球需要365天。火星上的1年是687天，木星上的1年等于地球上的12年，土星上的1年等于地球上的29.5年。我们每绕太阳转一圈就庆祝一次生日，所以如果我们住在那颗带环的行星上，只有最幸运的人才能庆祝自己第三个生日。

而天王星的公转周期是84年，这比美国人均预期寿命还长5年。海王星需要165年才完成一次公转。我现在双手合十，祈祷自己能活过一个天王星年，祝你也一样。

我们主要关注自古就为人所知的五颗明亮行星，但值得一提的是，如果掌握方法，天王星也是裸眼可见的。如果看过其他行星之后，你还想发现它，那么你可以使用Stellarium或者手机App。天王星的星等大约是+6等，这正好是裸眼观星的极限。你可以先用双筒望远镜确定它在哪里，然后再试着只用眼睛看到它。祝你好运！

▼*水星（左下）以及1天大的蛾眉月，在2014年1月31日的暮光中探出头来。水星是最靠近太阳的行星，我们总能在傍晚的西方或者清晨的东方低空看到它。图片版权：鲍勃·金*

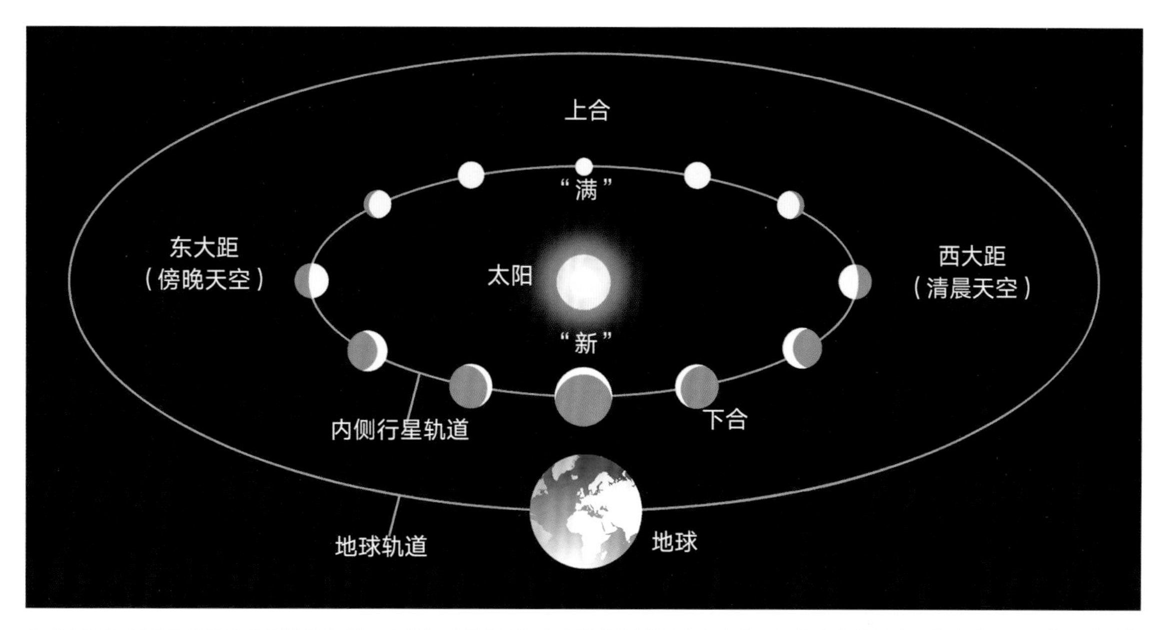

▲ 水星和金星的轨道都在地球轨道内侧。它们相对于地球和太阳的位置关系会有变化，于是它们像月亮一样也有不同相位。当它们和地球处在太阳的两边时，看起来就像满月。如果它们到了太阳一侧就有了弦月的形状。如果它们到了太阳和地球之间下合的位置，就成了细细的蛾眉形。本图部分信息由鲍勃・金标注。图片版权：维基百科

水星：有本事你就来找我

如果你没见过这颗太阳系最内侧的行星，那么你不是一个人，大部分人都没见过水星。如果知道它离太阳有多近，你就知道这一点都不奇怪。它就像被一条短链子拴住了一样，每年最多有几次较好的观赏机会，人们把这种机会称为水星现身。如果你知道这什么时候会发生，你就能做好准备。

水星每 88 天绕太阳转一圈，地球每过 1 年，水星就完成了 4 圈公转。水星得名于罗马神话中众神的信使赫尔墨斯，在古人的描绘中，他穿着带翅膀的鞋冲向下一个约定地点。忘了喷气背包或者火箭腰带吧——我就想要一双那样的鞋！

当它到了太阳东侧足够远的地方，水星就会开始在傍晚现身，日落之后不久出现在西方的低空。在接下来的几周里，它从西方地平线向更高处移动，直到距离太阳大约两个拳头。这时它来到了东大距，也就是看起来离太阳最远的点。清晨的现身以同样的方式发生，但是水星会首次出现在清早东方的天空，然后慢慢向西移动，直到来到太阳西侧最远处的西大距。接下来，水星会慢慢转回来，直到消失在太阳的光芒中，酝酿下一次现身。

水星在 88 天的周期里绕着太阳转圈，1 年大约现身 8 次。我喜欢把水星比作桨板球，它只能跳那么远，然后就会被弹性绳往回拉到拍子那里。水星只能离开太阳那么远，随后就要转换方向。当然了，它在大距之后仅仅是看上去在接近太阳而已。

无论何时，我们看到月亮超过行星或者行星靠近太阳，都不等于这些天体真的在靠近。它们正沿着同一个视线方向排列，看起来相互靠近，仅此而已。就像你看到一棵树挡住了太阳。实际上，它们之间仍然有遥远的距离。

从傍晚现身到清晨现身，水星会经过我们和太阳之间。有一段时间，水星和新月一样不可见，因为它处在下合日的阶段，隐藏在白天的光辉里。但是很快，水星的公转就把它带到了太阳西侧，于是它出现在清晨的天空，朝着西大距的位置运动。几周以后，水星重新落入地平线，但是这次它去了太阳后方上合日的位置。大距时水星距离太阳最远，看上去最高，因此观察这颗行星最好是在以大距为中心的两周时间内。

从上一页的图中可以看到，在运动的过程中，水星与太阳和地球的相对位置不断变化，因此水星像月亮一样有不同的相位。水星的相位变化需要借助小型天文望远镜才能看到，你也可以通过它的亮度来感受这种变化。水星在蛾眉形的时候最暗，接近圆满时最亮。

对北半球的观星者来说，相比秋天，黄昏的蛾眉月在春天高度更合适，也更容易看到。水星也有类似情况，黄道与西方地平线所成的角度很重要。当这一角度较大时（比如深冬到晚春时节）水星在黄昏时就会来到西方较高处，看到它容易得令人惊讶。秋天，局势反转，即使到了东大距，水星可能也很难看到。

清晨观赏水星的时机出现在仲夏到中秋，水星会在东方天际闪烁。为了做好计划，去和这颗行动迅速的行星碰面，我在下面列了一张北半球水星观测表。这个表格显示了 2021 年的水星观测时间、日期、大距（和太阳的角度距离，越大越好），以及亮度。我选择了最好的情况，水星在日落后或者日出前 30 ~ 45 分钟还有至少 10°（一个拳头）高。

活动：寻找水星

日落大约 40 分钟后，你就可以开始寻找水星了。仔细看看西方天空，去找一颗距离地平线约一个拳头距离的孤独的亮星。如果是清晨，那么你需要面向东方，在日出前大约 45 分钟开始寻找。

日期	时间	大距	星等
2018 年 8 月 26 日	清晨	西侧 18°	+0.1
2018 年 12 月 15 日	清晨	西侧 21°	-0.2
2019 年 2 月 27 日	傍晚	东侧 18°	-0.2
2019 年 6 月 23 日	傍晚	东侧 25°	+0.7
2019 年 8 月 9 日	清晨	西侧 19°	+0.3
2019 年 11 月 28 日	清晨	西侧 20°	-0.3
2020 年 2 月 10 日	傍晚	东侧 18°	-0.3
2020 年 6 月 4 日	傍晚	东侧 24°	+0.7
2020 年 11 月 10 日	清晨	西侧 19°	-0.3

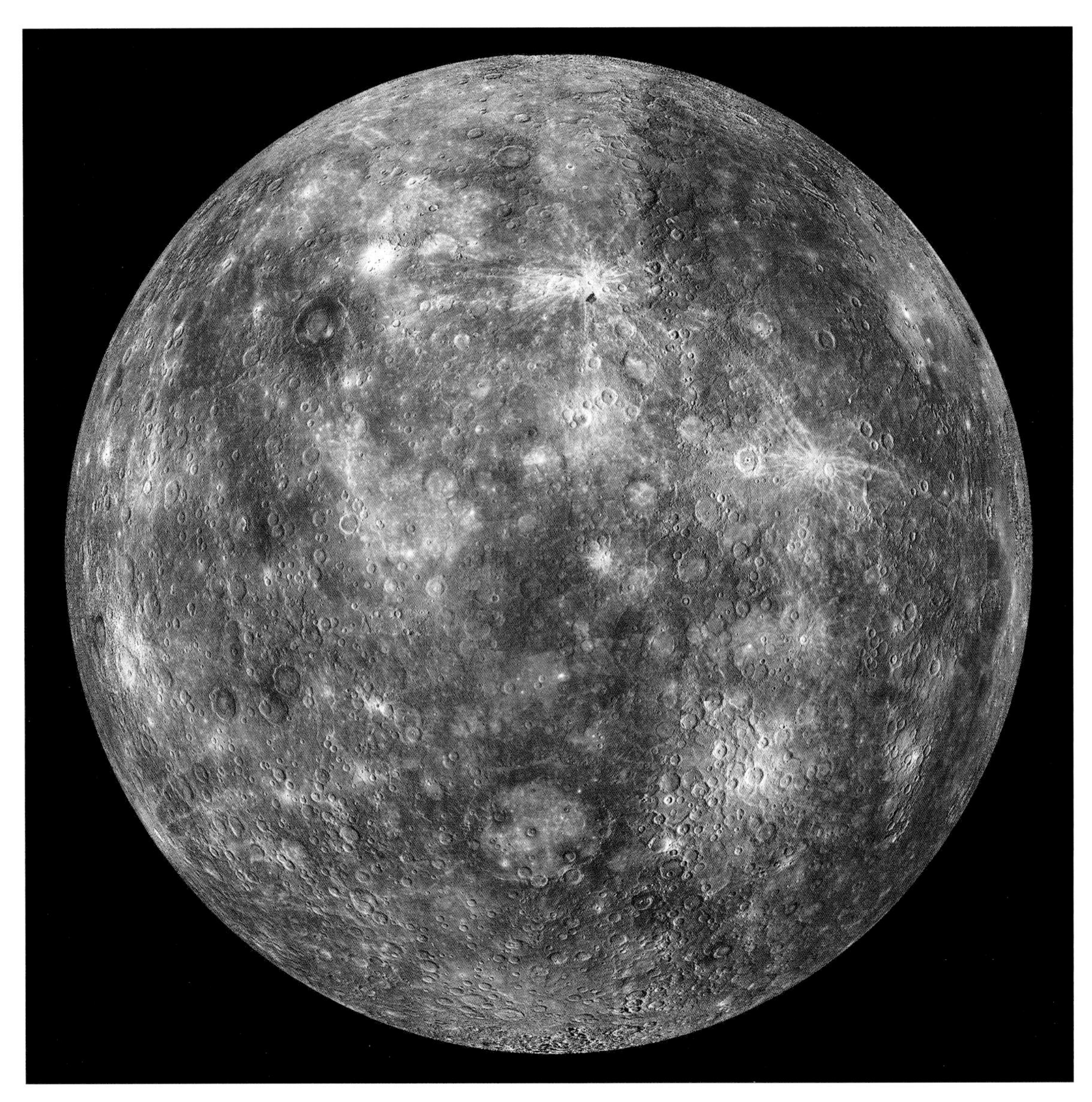

▲水星布满了环形山，看起来很像月亮，但又有不同之处。随处可见的峡谷说明它之前冷却收缩过，于是表面形成了凹槽。图片版权：NASA / 约翰霍普金斯大学应用物理实验室 / 华盛顿卡内基学院（Carnegie Institution of Washington）

水星在傍晚或清晨的柔光中独自闪烁着细弱的光。它永远处于劣势，在太阳耀眼的光芒下吃力地争取关注。如果有机会，请给这颗小小的行星一些关爱吧。也请多注意月亮，因为水星永远不会离太阳太远，只有最细的蛾眉月才会和它相遇，这样的相合也最为美丽。

▲ 2010 年 5 月 6 日，NASA 的信使号宇宙飞船在距离地球 1.83 亿千米处拍摄了这张照片，照片里是地球和月亮。从远处看，太空如此辽阔，而地球如此渺小。图片版权：NASA / 约翰霍普金斯大学应用物理实验室 / 华盛顿卡内基学院

水星是个奇异的世界，充满种种极端情况。水星表面温度高达 426℃，北极的环形山底部却布满了冰。怎么会这样呢？原来水星的自转轴几乎直上直下，就像旗杆一样。位于两极的深深的环形山底永远也见不到太阳，就成为了冰的天堂。冰可能来自漫长岁月以前撞击水星的彗星。NASA 的水星轨道探测器信使号宇宙飞船在 2011 年和 2012 年的发现证明了上述情况。

在我们看向宇宙时，地球是我们唯一的立足点。我并不是在抱怨，我爱地球。但是，从另一颗行星观察地球，这不是也很好吗？2010 年 5 月 6 日，NASA 的信使号宇宙飞船转过头来，从水星遥望地球。它作为我们临时的眼睛，从 1.83 亿千米外拍下了地球和月亮的照片。看，我们多么渺小。然而那个小点上有我们所珍视的一切。

金星：光明面，黑暗面

金星是夜空中除月亮之外最明亮的天体。史前时代，金星就已经得到了人们的关注、命名和崇拜。巴比伦人叫它伊师塔，这是爱神的名字。玛雅人则叫它“伟大的星”。古希腊人曾以为金星是两个分开的天体，他们把清晨出现的那颗叫作启明星，傍晚出现的那颗叫作昏星。后来，两者合二为一，被称为爱神阿芙洛狄忒。

古罗马人从古希腊借来了很多神，重新取了拉丁文名字，因此爱与美的女神成了维纳斯，也就是金星如今的名字。这里有件趣事，希腊语的“昏星”一词进入了拉丁文，现在的意思是夜晚的祷告。而“晨星”一词则对应路西法，本义是“擎光者”，后来指一位被投入地狱的堕落天使。也许这是在比喻清晨的金星坠入了正在升起的太阳？

▲ *金星在清晨或傍晚出现时，你不会认错它。它是夜空中除了月亮之外最明亮的天体，亮度往往可以跟飞机的着陆灯相提并论，还会被错认成 UFO。你甚至可以看到它令你投下影子。图为夏威夷毛伊岛，金星在海面上留下一道光。图片版权：鲍勃・金*

活动：观察金星大距

金星是一颗极为明亮的行星。如果知道它在哪里，你甚至可以在白天轻松看到它。我们仍然可以依靠裸眼观星者最好的助手：月亮。金星接近某一侧大距，而且月亮经过金星近旁的时候，你可以用手机 App 或者在线星图找到金星的相对位置。接下来，先用裸眼（或双筒望远镜）找到月亮，再将视线移到金星应该在的位置。你会看到它就像蓝色天空背景下的白色火花。

像水星一样，金星也在地球轨道内侧环绕太阳运动，它会像月亮一样显出不同的相位。但相比水星，它离太阳更远。在地球和太阳之间的下合点，金星比水星离地球更近。而且，金星比水星要大得多。这两个因素意味着，只需 7 倍双筒望远镜，我们就可以轻松看到蛾眉状的金星。

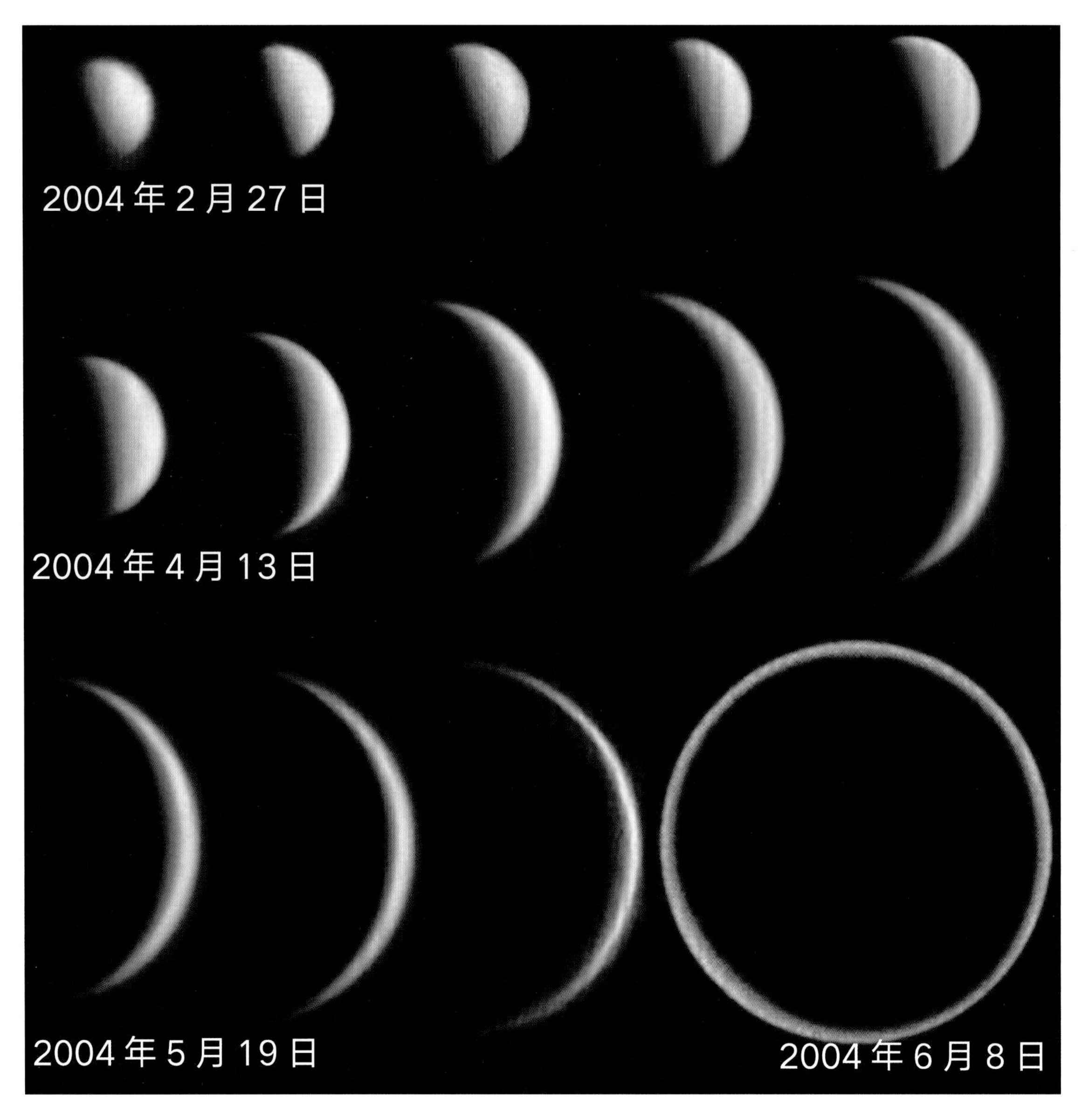

▲ *通过天文望远镜，你会看到，金星在公转时会像月亮一样展示一整套相位变化。最靠近的时候，它看起来相对大一些，是一条细细的蛾眉形，分辨它的形状差不多就是人眼的极限了。倍率不小于 7 的双筒望远镜就可以轻松看到它的相位。图片版权：斯塔提斯·卡里瓦（Statis Kalyvas）/ VT 2004 项目*

一些观星爱好者说他们裸眼看到过金星相位，这可是最难实现的成就。金星的蛾眉从一端到另外一端只有 1′（满月宽度的 1/30），这正是人眼分辨的极限。我有几次尽力去分辨那个形状，但是都没有成功。也许你的双眼可以获得这项观星奖杯。

相比水星，金星不只更近、个头更大，它的反光也强了不少。永远覆盖在金星上的厚厚的云层，将 75% 的太阳光反射回太空，难怪金星看起来如此明亮。美与爱？哪有，只是云而已。傍晚来到东大距的时候，这颗引人注目的行星常被误以为是一架开着灯的飞机，甚至是 UFO。了解行星的好处之一，是可以把它们从疑似 UFO 列表里除名。

不管用不用望远镜，你能看到的都只有它银光闪闪的外表，它隐藏了黑暗的一面。上面的云由极小的硫酸液滴组成，这是汽车电瓶内的物质。这些小液滴会变大，成为雨滴，落下的过程中可能引起电闪雷鸣。它们在落到温度高达 471℃的表面之前，已经在灼热的大气中蒸发了。

金星上的环境条件如此极端，20 世纪 70 至 80 年代早期，俄罗斯金星计划降落器百般武装，落地后至多挺了 2 小时。没有哪颗行星比金星更适合代言“只是看上去美”。

跟其他行星一样，金星也有环形山，但是少得多。熔岩流动以及地壳下的岩浆喷发改变了它的表面。有些改变发生在 1 亿年之内，这在地质学上就像昨天。死火山和活火山高高耸立，它们的悬崖和裂缝时不时被闪电照亮。NASA 的麦哲伦号金星探测器（1990—1994）使用雷达绘制了它的表面，让我们了解厚厚的云层下有什么。你可以到 NASA 的金星图片杂志网站看看麦哲伦号拍摄的不可思议的照片。

不管怎样，如何找到这个恐怖的地方？

像水星一样，金星也在清晨和傍晚交替现身，中间则因为距离太阳太近而不可见。金星首先出现在西方的低空，在落日上方仅仅几个手指的距离。一天又一天，它慢慢远离太阳的光芒，向东移动，越升越高。它攀升是从地球的角度看到的金星轨道运动的反映——它正在从太阳背后转向我们的方向。金星慢慢离开太阳，直到到达东大距。如果这时是春天，黄道和地平线夹角陡峭，金星在日落时会出现在西方超过四个拳头的高度，在有些地方，金星过了午夜才会落下。金星看上去如此壮观，除了月亮，没有别的天体裸眼观看时比它漂亮。

活动：让金星为你投下影子

想要做个小实验吗？在足够暗的地方，你可以看到金星的光芒给你投下影子。在暮色较深的时候，金星高高悬挂在空中，你就可以开始观察了。一旦眼睛完全适应，你就要转过身来找你的影子。这听起来很奇怪，你可以跳跃移动，这样更容易看到，因为虹膜中的视杆细胞更擅长捕捉动态。如果铺一张白毯子在地上增加对比，你找到影子的可能性会更大。

观察一下此时的影子吧。它看起来和白天的影子一样吗？金星投下的影子边缘清晰，因为金星是一个点光源，而太阳、月亮和大部分街灯都是延展的光源，不同点的光相互补充，这样投下的影子比较柔和、模糊。至于点光源，我们的身体会完全挡住它细细的光线，这样投下的影子就有了清晰的边。

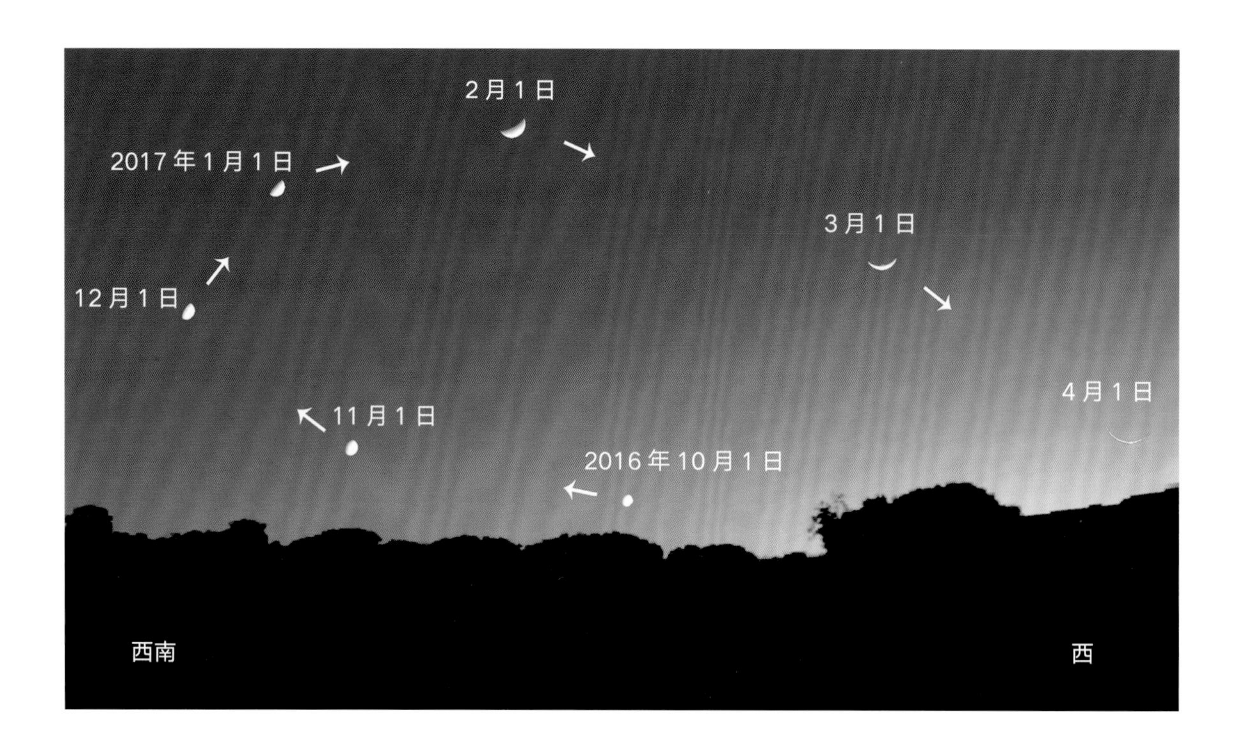

▲ *在傍晚，金星首先出现在西方的低空，然后逐渐向上移动，远离太阳。这里的例子显示了 2016 年至 2017 年，金星每月现身过程中的移动和相位。这些需要通过望远镜才能看到。金星会在黄昏和清晨的天空中选取数条道路之一，但从不会离开太阳超过四个半拳头的距离。水星的情况与之类似，它不会离开太阳超过两个拳头的距离。标注：鲍勃 · 金；图源：Stellarium 软件*

即使达到大距，金星和太阳的距离也不会超过 47°，这差不多是从地平线到天顶距离的一半。大距之后，金星就不可避免地靠近太阳，逐渐变成纤细的蛾眉形。尽管都在晨昏交替现身且相位变化相似，但是金星和水星最亮的时间不一样。厚蛾眉形的金星最亮，最大星等 − 4.9 等，比最亮的恒星天狼星要亮 25 倍，因为这时它靠近地球。金星在太阳的另一侧，呈现圆满相位时最暗。极大的距离将它缩小成极小的一点，因此更为暗淡。虽然裸眼不能直接看到相位变化，但我们可以通过金星不断变化的亮度变化来感受相位的不同。

话虽如此，得益于它的云层，金星永远不会太暗，即使是星等最低的时候，也达到了 − 3.8 等，比天狼星亮约 8 倍。

随着它向着地球和太阳之间的下合日位置前进，金星落向西方地平线，很快就看不到了。如果你在合日的前后追踪金星，你会惊讶于它的速度。这时金星比刚刚出现的时候离地球近得多，于是它每天都会迅速移动。飞驰而过的车子在离我们最近的时候好像跑得最快，金星也是这样。金星迅速移动，从傍晚的天空到达合日点，一两个星期后就到了太阳另一侧，在清晨的天空升起。

傍晚出现的金星慢慢从远处靠近地球。清晨时则不同，你会看到它迅速进入视野，达到最大亮度，然后逗留在那里，好像永远不动了。接下来，它会重新靠近太阳，来到上合的位置。随后再次远离太阳，出现在傍晚的天空，开始新一轮循环。

视角在天文观测中十分重要。我们住在地球这个移动的天文台上，和太阳系的其他行星一起参与着周期性的轨道运动。从火星看，地球是一颗发蓝的亮星，像被橡皮筋拴住一样从早到晚沿着黄道带运动。

金星作为昏星会在约 9 个月的时间里每天升起和落下。接下来，在太阳的光辉里隐藏 8 天之后，它会“再生”成为晨星。约 9 个月后，金星再次因为离太阳太近而无法被看到。接下来的 50 天里，金星消失，然后重新出现在傍晚，开始又一次循环。从晨星变为昏星的过程中，金星消失更久，因为它这次去了太阳的另一边，来到了最远的位置（距离地球 2.607 亿千米）。假设某物速度恒定，距离越远，它看起来就移动得越慢。这很好理解，对吧？

金星一次完整的循环——两次圆满之间——需要 584 天的时间，这就是会合周期。金星的会合周期和地球的轨道周期（365 天）有一层关系：584 乘以 5，正好等于 8 年，在这段时间里，你可以体验金星的 5 种晨昏循环，从最棒的到一般的。行星到达大距的时间不会是一年中的同一时间，每年的现身时间也有所不同。如果是在秋天，金星在西方出现时就比春天时更低。春天时黄道和地平线成陡峭的夹角，增加了行星的高度。不管你先看到金星的哪种循环，在 8 年时间里你可以看到全部 5 种可能。

▼2009 年 2 月 27 日，金星和蛾眉月交相辉映。金星和蛾眉月相合是天空中扣人心弦的景象。图片版权：鲍勃·金

绝妙相合的可能

把最亮的行星和月亮配对会怎样？会产生最摄人心魄的合月！金星和水星一样，只能遇到蛾眉月，因为它们总是在太阳附近。金星近距离合月的景象如此精彩，不仅那些守候已久的人，碰巧抬起头的人也会被深深吸引。如果将要出现一次漂亮的相合，你可以找一个不错的地点，好好观赏。比如，你可以去金星和月亮都能倒映在水中的地方，或者是有它们排列的地标性建筑周围。两者都很亮，你用手机就可以拍到暮光中的金星。金星也会和其他行星相合，它靠近明亮的木星时，就产生了裸眼可见的极美的景象。更罕见的情况下，月亮会短暂地挡住一颗行星。

遥望金星，希望我们看到的不是地球的未来。它生动地展现了温室气体的积累可以造成的灾难性后果。金星更靠近太阳，它接收到了更多的热量，这可能引起了失控的温室效应，逐渐蒸发了可能曾经存在的海洋。如果不再有水来吸收它并将它转化成含有碳酸盐成分的岩石，二氧化碳就会主宰大气，不断俘获热量。金星可以教育我们要好好地照顾自己的星球。

火星：移动的行星

火星得名于罗马战神，因为它鲜红的颜色让古代观星者想到了战场上的血。现在我们知道，火星标志性的颜色来自锈色的尘土。火星被一层薄薄的尘土覆盖着，大部分地区只有几毫米厚。无数个世纪以来，这些尘土被无情的尘暴和尘卷风吹来吹去。如果我们能用吸尘器把它们清洁干净，火星大部分地方会露出单调的灰褐色。锈是空气中的氧气、水和铁结合形成的氧化物。旧车生锈的轮窝可以证明氧气和铁的化学反应。

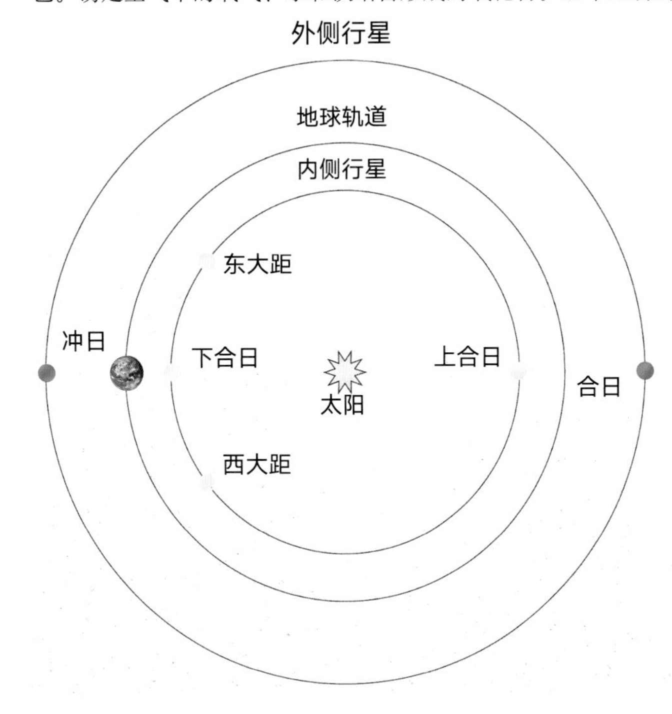

没人可以确切地知道火星的锈是如何形成的，但火星表面干涸的河床可以证明这里有过暴风雨，化学腐蚀和大气腐蚀应该起到了关键作用。在一定意义上，古人联想到的血和战不无道理。我们红细胞中的铁与氧气结合，才有了红色。火星这种独特的颜色，让我们仅凭色彩就可以轻松地认出它来。金星和水星是白色的，土星和木星有一点黄色，火星则是独特的。

◄ 此图展示了内侧行星和外侧行星轨道上有趣的关键点。我们已经谈过了金星和水星。火星和其他外侧行星的轨道在地球轨道之外，它们在天空中可以和太阳分别出现在地球的两侧，这时它们在日落时分升起，整个晚上都在空中闪耀。外侧行星合日时处在太阳的同一视线方向，消失在白天的亮光里。图片版权：S. A. 墨菲（S. A. Murph）/ 密歇根大学天文学系

火星的情况比其他行星更容易想象。那上面的云和变化的天气有我们熟悉的特点，极冠更是与地球有着惊人的相似之处。火星表面温度在夏日午后可达 27℃。火星探测器和环绕它的探测卫星越是仔细观察，发现的证据就越多——火星在数十亿年前要比现在湿润得多，气候温和得多。现在是荒凉沙漠的地方，曾经有着宽广的水域。

这颗红色行星是我们谈到的第一颗处在地球轨道外侧的行星，天文学家称这种太阳系行星为外侧行星，而位于地球轨道内侧的行星则被称为内侧行星。金星和水星在地球轨道的内侧，因此永远待在太阳附近。我们朝它们看的时候，总是在看向太阳的方向。但火星则可以来到另一侧，我们可以转过来，朝着和太阳相反的方向看它。这让你想到了什么吗？满月！满月也和太阳正好在地球两边，它在日落时从东方升起，整个晚上都在空中。火星像其他外侧行星一样，你经常可以在深夜时在远离太阳的方向看到它。这对于金星和水星来说是不可能的。

不论你在网上和天文教材中看到的示意图如何，所有的行星环绕太阳的轨道都是椭圆形而不是圆形。椭圆看起来就像挤扁了的圈，太阳稍微偏向一边。金星、地球和海王星的轨道比较接近圆形，其他行星的轨道更扁或者说更偏心。轨道接近圆形，说明行星与太阳的距离在一年之中变化不大。火星环绕太阳的轨道之扁，仅次于水星。在 687 天的周期内，它和太阳的距离为 2.06 亿～ 2.494 亿千米。这是巨大的变化，难怪这颗行星在不同年份的亮度变化这么大。

火星公转较慢，地球公转较快，地球每 26 个月超过火星一次。这时会发生冲日，两颗星最近，而且火星出现在太阳的对面，在日落时升起。如果冲日发生的时候，火星正好距离太阳最近，那么地球和火星之间的距离就最小，夜空中的火星就会光芒四射，星等达到 −2.9 等，和木星一样亮。对于一个小小的行星，这已经不错了。毕竟火星直径仅 6790 千米，约为月亮直径的两倍。要记得，在裸眼观星时，距离近就是一切——越近星越亮，越远星越暗。近日点大距 15 ～ 17 年发生一次。

2016 年 5 月 22 日火星冲日时，它和地球相距不足 7.63 亿千米，星等达−2.0 等，比天狼星还亮。2018 年 7 月 27 日又发生了一次近日点冲日，火星到达摩羯座，几乎还要再亮 1 等。距离遥远的冲日则发生在远日点，也就是火星和太阳距离最远，且太阳、地球和火星连成一条线时。上一次远日点冲日是在 2012 年 3 月 3 日，距离地球约 10.09 亿千米，这颗红色行星当时的星等是 −1.2 等，也很不错了，但远达不到近距离相遇时的视觉冲击。

火星和地球的轨道，使近日点冲日都发生在天蝎—人马—摩羯区域内的黄道上，而远日点冲日时，火星在巨蟹或者狮子座的黄道的高处。两次近日点冲日相距 6.3 ～ 8.5 年。

一次新的现身之初，当火星在合日之后重新出现在清晨的天空时，它可能暗至 +1.8 等，和北斗七星中的恒星一样亮。清晨出现在东方的低空时，它实在不显眼。但是随着地球逐渐赶上它，这个红色世界的大小和亮度都在增加，并且沿着黄道向东移动。跟其他裸眼可见的外侧行星（木星和土星）相比，火星走得很快，这是因为它距离地球较近。

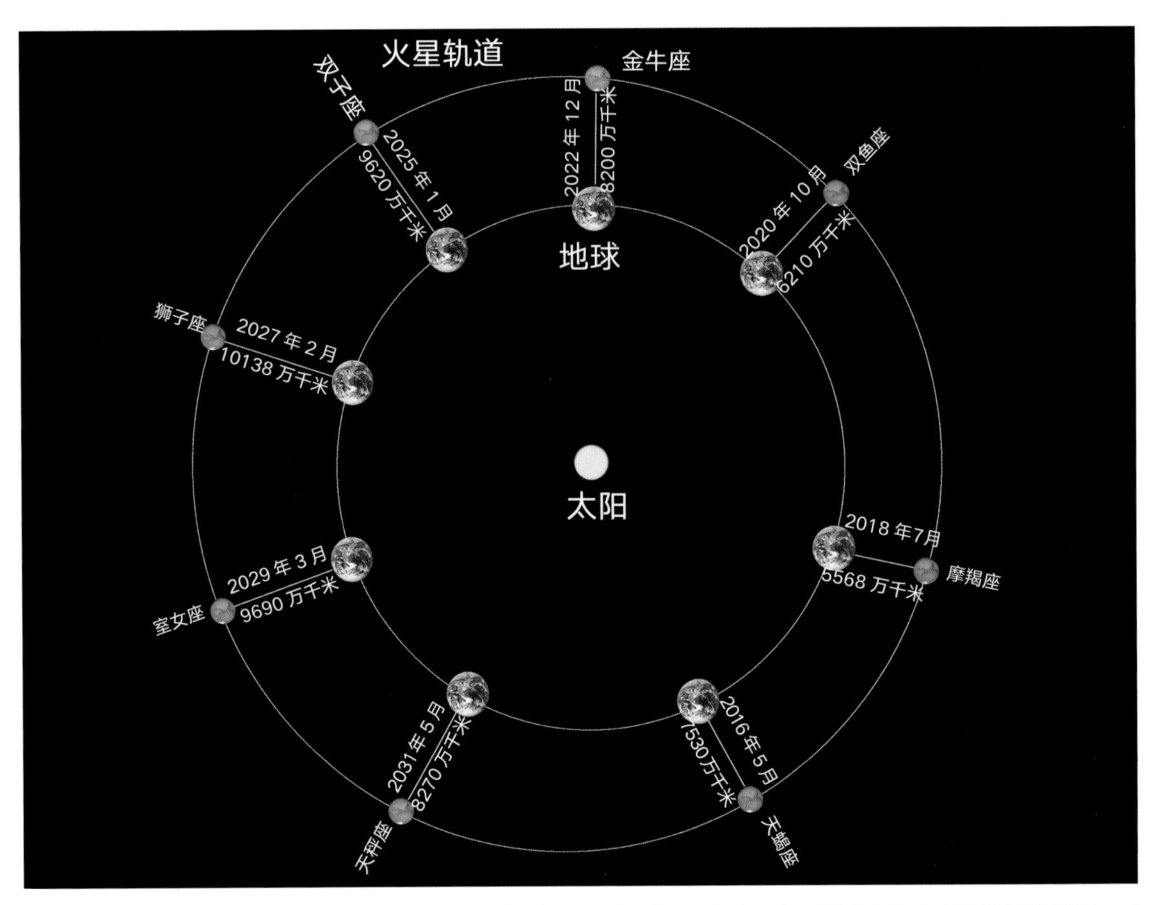

▲ *火星的轨道是椭圆形的，在两次冲日之间，它与地球的距离不断变化。在近距离冲日时，它的亮度超过了最亮的恒星天狼星，可以和木星媲美。下次发生这一现象是在 2018 年。图片版权：鲍勃·金*

当火星位于太阳背后的时候，从地球上看它非常遥远，移动很慢。火星合日的时候，会有很长时间消失在太阳的光芒里。但是地球更快，它会逐渐赶上火星，这时火星看上去会慢慢与太阳分离，升起越来越早，在清晨之前就出现在东方的天空。距离冲日还有 2 个月的时候，火星在午夜时分就会从地平线上升起。接下来会发生奇怪的事情，它看起来就像踩了刹车一样慢下来，而且还会改变方向。

我们管这种奇怪的行为叫作逆行。所有的外侧行星，在冲日之前、之中和之后，都会逆行。发生逆行时，行星在静止点短暂停留，然后向西运动。冲日 1 ~ 2 个月之后，它又会慢下来，再次转向，正常地沿着黄道向东运动。火星比木星和其他外侧行星距离地球近得多，它转的圈很大、很明显，裸眼观星者也不会错过。

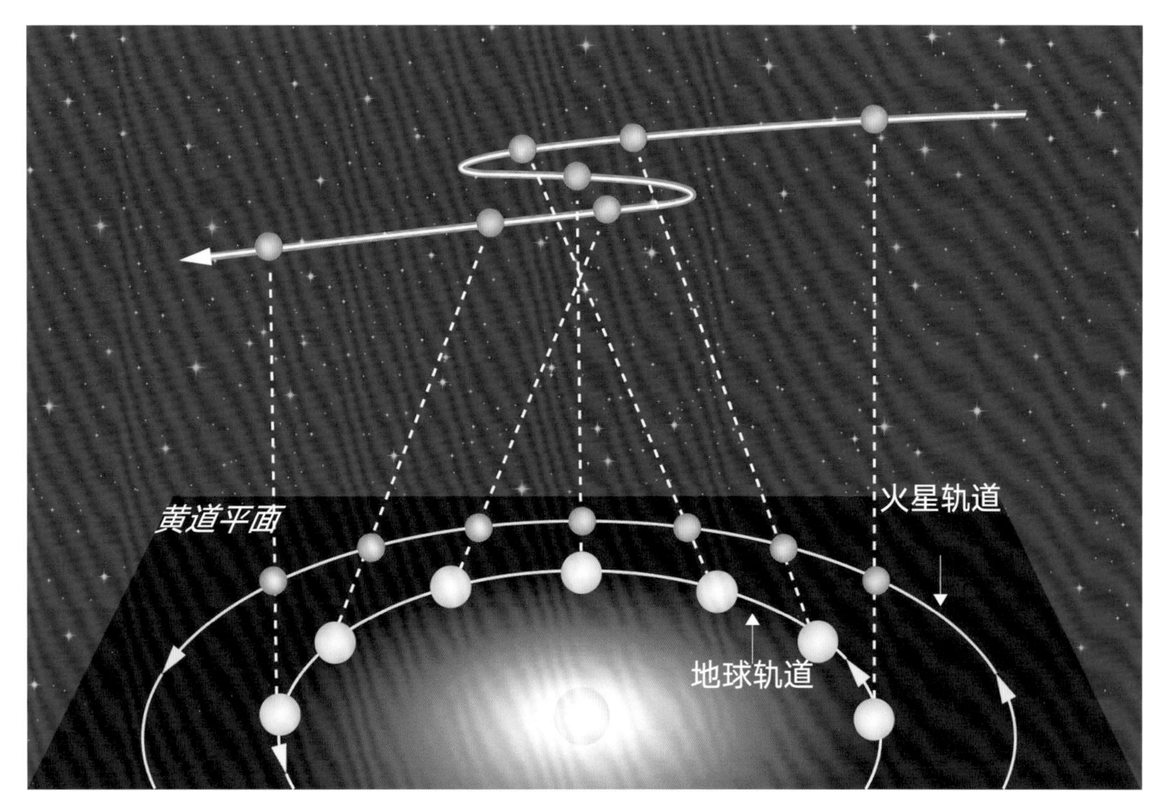

▲ *随着地球超过火星，向着火星冲日的位置前进，火星看起来好像慢了下来，暂时向后运动，就像你在高速公路上超车的时候，被超过的车看起来好像向后行驶一样。天文学家称此为逆行，而火星平时向东顺行。图片版权：加里·米德*

这里发生了什么？这要从地球的轨道运动说起。当地球接近和超过火星或者其他外侧行星的时候，被超过的行星看起来会在天空中变慢，接着暂停，然后向西移动一段时间。一旦地球超过它，它就会再次变慢然后重新像平时一样向东移动。你可以把这想象成在高速公路上超车。你打了转向灯，进入左车道并且加速的时候，右车道的车看起来先是变慢，然后在你超车时向后运动。地球超过火星的时候，火星也会变慢和转向，但这都是假象。它一直在轨道上沿着相同方向运动。对于外侧行星，地球有个喜欢超车的坏习惯。

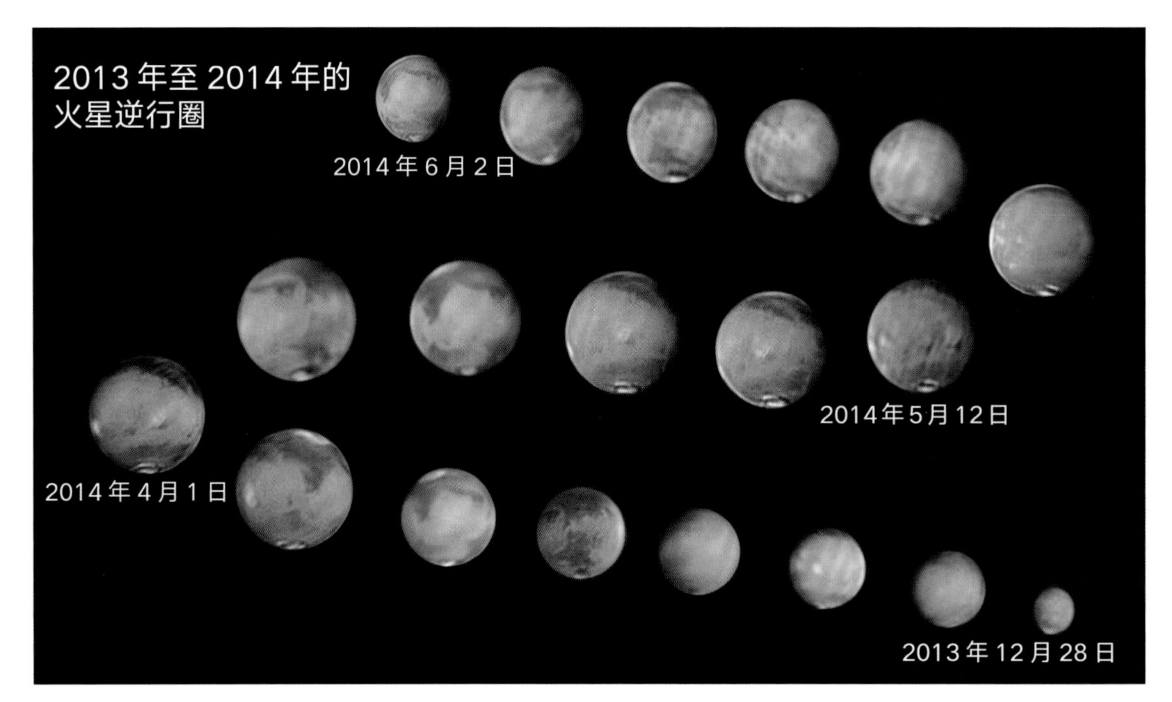

▲我们来看一次典型的火星现身，从它离开太阳的光芒出现在清晨的天空开始，一直到消失在傍晚的暮光中。这组照片拍摄于 2013 年至 2014 年，火星从 2013 年 12 月 28 日的位置开始向左（东）移动。在 2014 年 4 月 1 日的位置附近，火星接近冲日，它看起来好像慢了下来，接着调头向右（西）运动。5 月 12 日，随着地球超过它，火星又恢复了平时的向东的运动。注意，火星一开始又小又暗，然后随着它和地球相互靠近，逐渐变大变亮。图片版权：迈克尔·A. 菲利普斯（Michael A. Philips）/ maphilli14.webs.com

活动：认出火星向东的正向运动

冲日之后，地球和火星慢慢分开。这颗红色行星升起得越来越早，这一点使它更加适合在傍晚观察，但它也越来越暗。很快，火星就会恢复向东顺行，同地球公转引起的星辰季节性运动方向相反。所有的外侧行星都在轨道上向东（面向南方时则是你的左侧）运动，但没有谁跟火星一样快，因为它是我们的邻居。和遥远的木星与土星相比，它高速地运动着，抗衡着向西掉进太阳光辉的趋势。

快乐的木星

古斯塔夫·霍尔斯特（Gustav Holst）的七乐章管弦乐《行星组曲》（*The Planets*）中，我最喜欢木星的部分。这部分有种磅礴的气势，又有欢乐的气氛，而且适合哼唱。基督教成为西方主流信仰之前，罗马人的主神就是木星。有些人在法庭上宣誓的时候，仍然用罗马人的方式说“以木星的名义”。

要知道，木星是太阳系已知的最大的行星，所以神圣的地位很适合它。这颗巨行星的平均轨道半径是 7.789 亿千米，比地球轨道半径的 5 倍还多一点。木星的直径约为 139821 千米，11 个地球并列起来才能占满。如果把木星像挖万圣节南瓜一样掏空，其他所有行星装进去还绰绰有余。

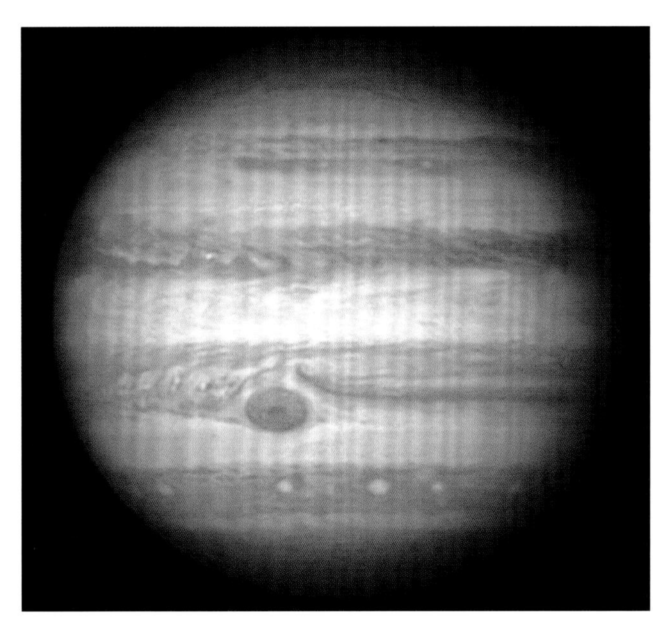

◀ *木星是最大的太阳系行星，而且十分明亮，容易跟踪。如果用双筒望远镜，你可以看到四颗木星的卫星紧紧跟随着巨人。如果用天文望远镜，你可以看到暗色的云带和被称为大红斑的巨大风暴。图片版权：克里斯托弗·戈（Christopher Go）*

每小时 309 ～ 645 千米的强风将木星上的云吹成了平行的条纹，这被称为带或区，用小型天文望远镜就可以看到。木星最著名的云层特征是大红斑，那是一场类似飓风的风暴，其直径是地球的两倍，已经在南半球盘旋了数个世纪。像云带一样，大红斑也需要借助天文望远镜才能看到。

如果觉得地球上的一天总是过得太快，那么你得庆幸自己没有生活在木星。木星的一天（自转一周）转瞬即逝，只有不到 10 个小时。它旋转如此之快，都不再屈服于万有引力把大家伙变圆的习惯了。木星迅速地自转，赤道区域的气体被向外挤，球体变成了椭球，像一个被挤扁的沙滩球。

这颗巨行星的大家庭有 67 颗卫星，最大的木卫三（Ganymede）比水星还大。只需要 10 倍双筒望远镜，你就可以看到最亮的四颗卫星——木卫一（Io）、木卫二（Europa）、木卫三（Ganymede）、木卫四（Callisto）。看着这些卫星环绕木星，我们可以体会到伽利略的感觉。他在 1610 年观察到这个微缩版的太阳系的时候，不知多么惊奇。

木星在行星中质量最大，木星上的引力也最强，是地球的 2.4 倍。如果你在地球重 68 千克，到木星上你可要慢慢走。到那里你的重量就变成了 163 千克。想减肥吗？你可以去月球，到那里你就只有 11.3 千克了。

不算金星、月球和极少情况下的火星，木星的亮度在天空中数一数二，它冲日时的星等为 −2.9 等到 −2.5 等，差不多相当于国际空间站过境时较好的观测情况。不同冲日之间木星的亮度变化比火星要小，因为它的轨道不像火星那样扁。木星和火星一样，也是外侧行星，但是木星的运动要慢得多，12 年绕转一周。地球不需要像追赶火星一样去追赶它，因此两次相邻的木星冲日之间只相隔 13 个月。木星个头巨大，还被高度反光的云层覆盖，所以尽管距离太阳十分遥远，木星仍然发出明亮稳定的光芒，令人安心。

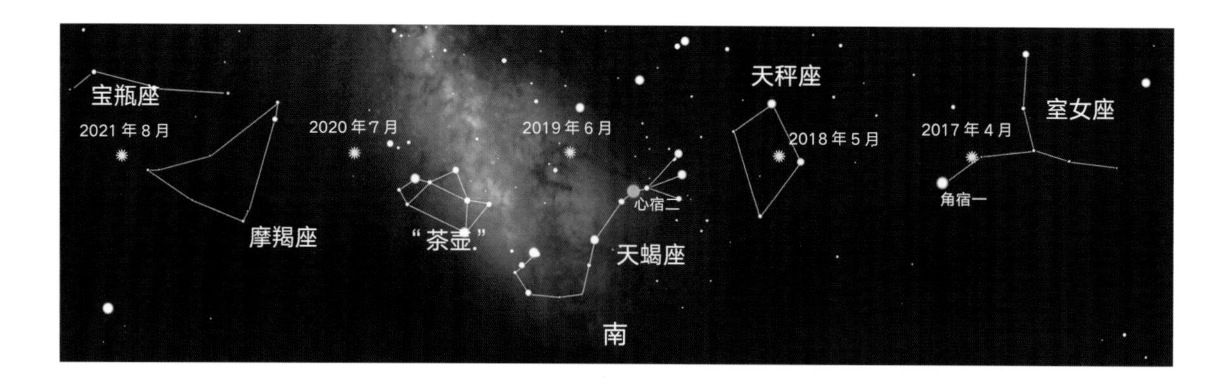

▲ 木星围绕太阳运动的周期是 12 年，大约每年经过一个星座。图中是 2017 年至 2021 年木星冲日时将会出现的位置。标注：鲍勃·金；图源：Stellarium 软件

活动：观看木星沿着黄道运动

木星步态迟缓，所以它沿着黄道运动时容易跟踪。一圈是 360°，木星在 12 年里沿着黄道走完一圈，也就是每年向东运动 30°。这正好是一个黄道带星座的长度。如果今年你在室女座看到它，那么明年就去东边的下一个星座天秤座找它。再过一年，它会出现在天蝎座，然后是人马座，以此类推。十二个黄道星座里面没有哪颗星的亮度可以跟木星相提并论，所以如果你在它们中任何一个里看到一颗光芒四射的天体，尽管放开嗓门喊："木星！"

木星在冲日之前、之中和之后也会在逆行中画出一个小圈。但因为木星更远，所以这个圈会小一些。木星现身时，首先出现在清晨时东方的低空。渐渐地，地球的轨道运动让它升起得越来越早，于是木星从清晨来到夜间，变成凌晨一颗明显的亮星。它每天都升起得更早，很快，在晚上 12 点升起，然后是晚上 10 点，等终于到了冲日的时候，它在日落时分就爬上了东方地平线，整个晚上可见。

冲日之后，地球的轨道运动使它继续向西。冲日 3 个月之后，木星在日落时分爬过中天。再过几个月，它与太阳相合，准备好开始新一轮的循环，这一次比上次往东一个星座。一旦熟悉了木星的节律，你们就会成为终生的朋友。

在木星 12 年的周期里，它会造访黄道星座的所有亮星，并且经过黄道附近著名的昴星团、毕星团和蜂巢星团。准备好吧，你可以看到很多精彩的合月，也有机会看到它与其他亮行星相合。

12 年，跟人生阶段的更替恰好吻合。想一想吧，一个人从出生到成为少年花了 12 年。少年成长为职场人又要花 12 年，再过 12 年，就是中年的开始。木星成了我们生活的一块试金石，它的节律和我们自己的同步。我记得我大学毕业后获得报纸摄影师的第一份工作时木星的位置。12 年之后，木星回到了当初的位置，而我呢？我到了新的城市，结婚并计划生子。那年我有一次外出散步，看到这颗行星，回想起人生发生了多少变化。无意之中，木星成了连接起我生命中重要里程碑的桥梁。

▲木星和月亮一样，也会经过它的行星兄弟姐妹，给我们带来引人注目的行星相合。这里是一次不常见的三颗星相合，金星在上方，左下方是木星和紧挨木星的火星，这次相合发生在 2015 年 10 月 18 日。图片版权：鲍勃・金

土星：缓慢而耐心

有了放大 30 倍的望远镜，你可以看到土星最美妙的特征：土星环。如果用双筒望远镜，你可以看到这颗星不是圆形，这暗示了土星环的存在。如果只用裸眼观看，土星黄白色的平静光芒就像 1 等星一样亮。土星每 378 天（12.5 个月）冲日一次，大约每年延后 13 天。本来，它的亮度并不会改变多少，但是它有环，这一点让情况不同了。土星环在照片里看起来是光滑的，但实际上，它们由无数的高度反光的冰粒组成。环的朝向不同，与地球的相对位置不同，土星环可能亮，也可能较为暗淡。

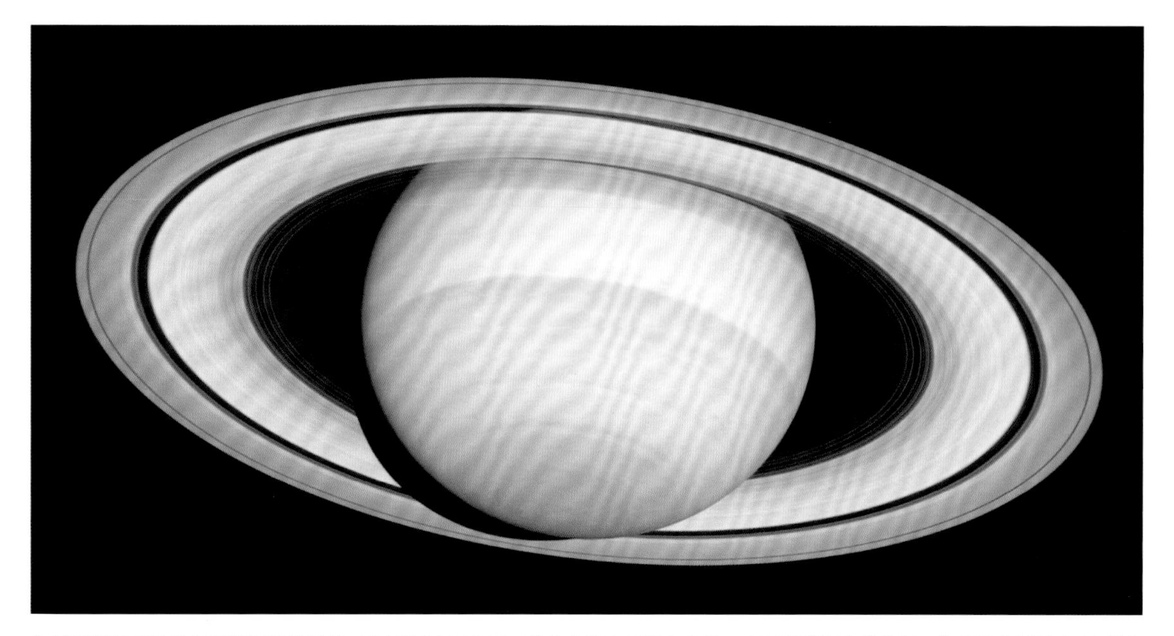

▲ 这张照片由哈勃空间望远镜拍摄于 2004 年 3 月 22 日，照片上的土星魅力十足。土星有着标志性的环，你需要使用放大 30 倍左右的望远镜才能看到。但是通过土星在 29.5 年周期中的亮度变化，我们可以感受到环的存在。图片版权：NASA / ESA / 埃里克·卡尔克希卡（Erich Karkoschka）/ 亚利桑那大学

土星的自转轴倾斜了 26.7°，只比地球多 3°。我们会在土星绕太阳运转的 29.5 年的周期中交替看到环的北面和南面。在这一段时间里，土星环会短暂地侧对着我们，因而完全消失在视野里，这是因为土星环薄到不可思议，只有大约 9 米厚。当环面对着地球倾斜到最大角度时，所有冰粒都会贡献反光，这时土星的亮度比土星环侧对我们时亮了差不多 1 等——从 + 0.6 等变为 − 0.3 等。

木星在夏天冲日时会在黄道较低的天蝎座或人马座内，土星环的北面朝向我们，看起来更亮。如果冲日发生在黄道高处的双子座和金牛座，环的南面朝向我们，土星也会非常亮。在中间的话，土星环只倾斜了一点，土星看起来会暗。注意到了这种亮度变化，你就会对土星环 15 年一个周期的角度变化有所感受。土星环在 2017 年夏天完全向我们敞开，但 2024 年会变得像刀片一样薄，从我们的视野中消失。

和其他亮行星的名字一样，土星的名字也来自古罗马，它得名于农业与自由之神。每年 12 月，罗马人狂饮作乐，庆祝农神节，这个节日还影响了我们庆祝圣诞的时间。后来，土星还成为了时间之神，考虑到土星的周期，这角色再合适不过了。土星比其他任何裸眼可见的行星移动速度都慢。它与太阳相距 14.5 亿千米，是木星的两倍。土星缓慢地走在黄道上，每年走过 13°，只比一个拳头多一点。

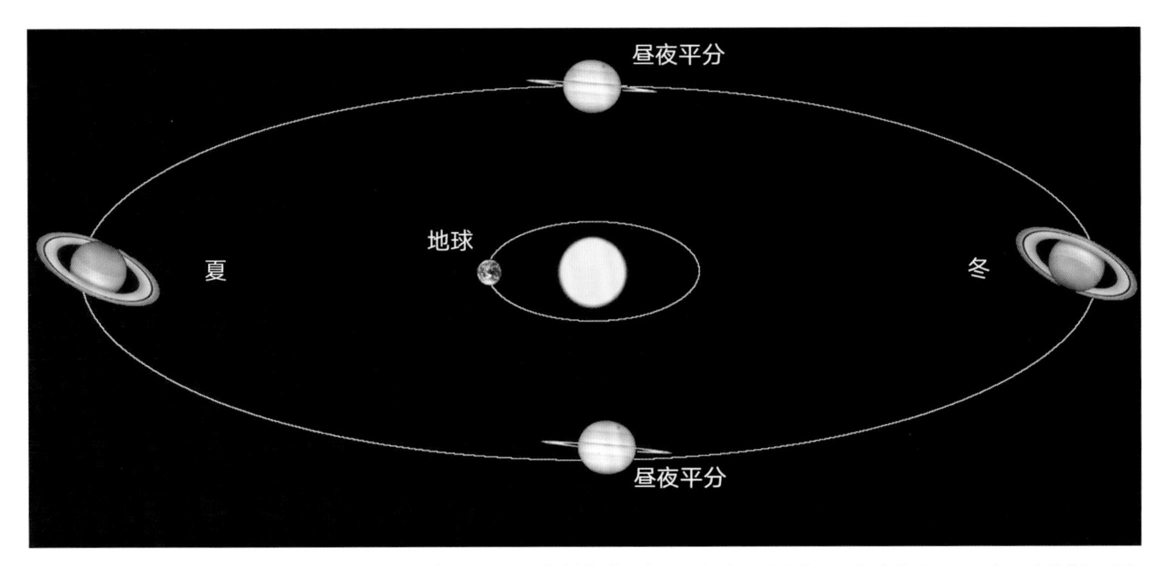

▲ 因为土星的自转轴像地球自转轴一样是倾斜的，所以在它绕转的过程中，我们会看到处在不同角度的土星环。在一半轨道，我们能看到环的南面，在另外一半轨道内，我们能看到北面。在两者之间，昼夜平分点附近，土星环侧对着我们，如果使用天文望远镜，你会看到土星环短暂地从视野中消失。图片版权：鲍勃・金

移动越慢的物体越容易跟踪。土星在每个黄道星座中运动 2 ~ 3 年，在冲日时最亮、最靠近地球，合日时则消失在太阳的背后。和木星类似的是，土星也有一个较小的岩石内核，被一层层厚实的气体包裹着，气体和条状的云一起迅速地旋转，土星上两次日出之间的间隔只有 10 小时 39 分钟。土星已经证实的卫星有 62 颗。

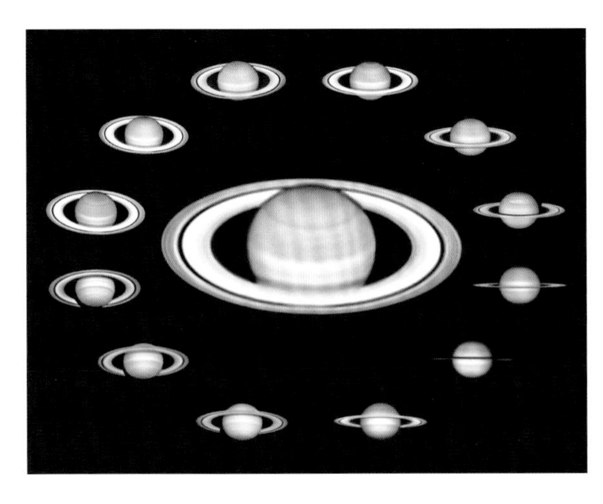

◀ 这张合成照片显示了 2005 年至 2016 年的十多次土星冲日，我们能从中看出土星环的角度变化。土星环在完全打开时比侧对着我们时要亮得多。在一半的土星轨道内，土星环的北（上）面朝向我们，另外一半内则是南面朝向我们。图片版权：埃弗让・莫拉莱斯（Efrain Morales）

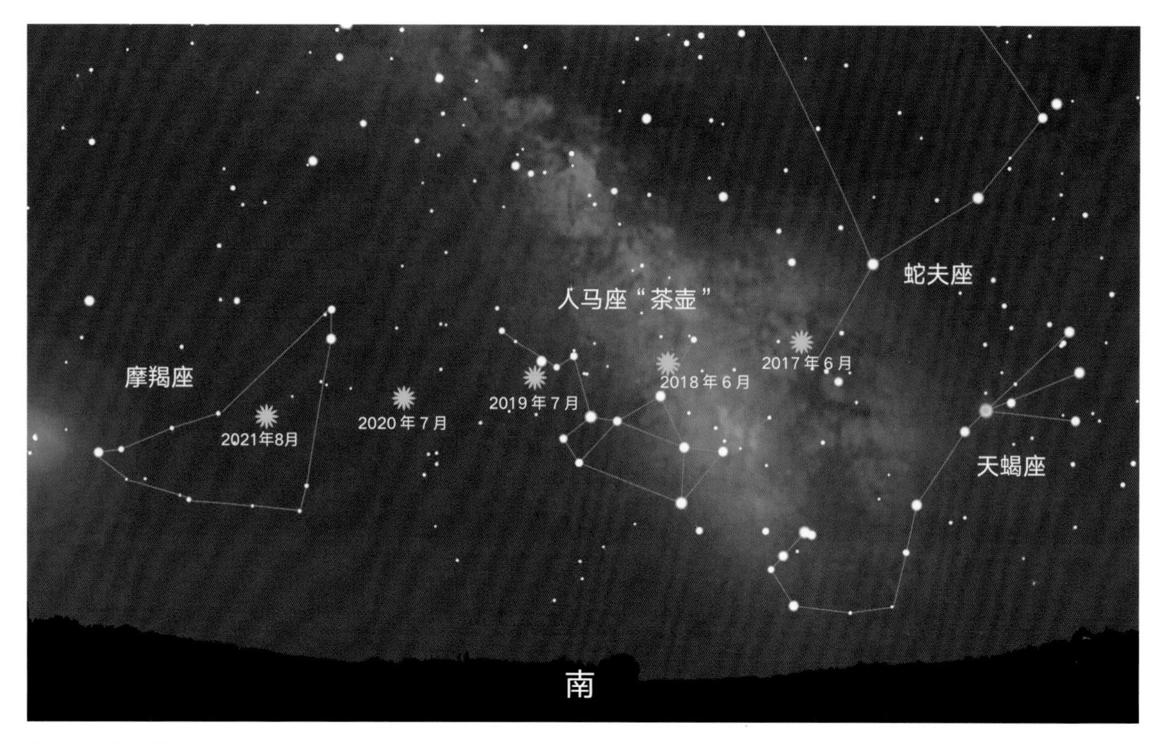

▲ 土星与太阳的距离是木星的两倍，所以比木星移动更慢，在每个黄道星座里停留的时间也更长。这张图显示了它在 2017 年至 2021 年冲日时的位置。标注：鲍勃·金；图源：Stellarium 软件

所有的外侧行星都在“雪线”的外侧。雪线是太阳系中一个关键的分界，它分开了小的岩石行星和大的气体行星。45 亿年前，太阳系行星形成的时候，这条线正好位于现在的火星和木星之间的小行星带。雪线以内温度太高，不能形成冰，所以在这里形成的行星只能获得岩石、尘埃和金属形成的固体物质，因此不能长得太大。太阳和行星在太阳星云中形成，氢气和氦气充满其中，但内侧行星不够大，不能将较轻的氢气和氦气保持在行星上。而雪线以外不仅有充足的岩石、尘埃和金属，也有足够的冰、氨气冰和甲烷冰。这些外侧行星粘上周围的物质，终于长成了大个子，抓住了氢气和氦气。因此，它们的大气中富含很多此类气体。

土星的现身和木星一样，首先出现在清晨，然后逐渐远离太阳，出现在夜晚。几个月之后，它会在午夜时升起。再过几个月，土星会在冲日之前成为整晚不睡的夜猫子。土星和火星、木星一样会逆行，逆行后重新稳定地向东移动。每年土星冲日的日期都会延后大约两周。

如果想深入了解太阳系移动的各个部分如何拼在一起，那就跟踪行星吧。

你在其他星球上有多重？

如果你在地球上重 80 公斤，那么你在其他星球上的重量如下。

- 水星：30 千克
- 金星：72 千克
- 月亮：13 千克
- 火星：30 千克
- 木星：202 千克
- 土星：85 千克
- 天王星：71 千克
- 海王星：90 千克
- 冥王星（矮行星）：5.3 千克
- 太阳：2165 千克

实用网址

- 冥王星为什么不算行星？ IAU 的观点详见：www.iau.org/public/themes/pluto/
- 冥王星的新闻及新视野号照片：pluto.jhuapl.edu/
- NASA 信使号的水星任务：messenger.jhuapl.edu/
- 关于木星的更多信息：nineplanets.org/jupiter.html
- 测一测在其他星球上你有多重 ：www.exploratorium.edu/ronh/weight/

第 8 章

对流星许个心愿

流星从哪里来？一年中什么时节最适合看流星？我们会回答这些问题，还会告诉你其他知识，包括地球遭遇小行星撞击的概率。本章附有表格，列出了 2021 年之前几场炫目的流星雨，标有日期和预测情况。本章还提供了关于陨石收藏的建议。

本章重点

- 观赏偶发流星，对比不同时间段流星的密集程度
- 观赏天琴座流星雨
- 观赏宝瓶座 η 流星雨
- 观赏猎户座流星雨
- 去博物馆看陨石展览，近距离端详来自太空的岩石
- 买一块陨石，拥有一块不属于地球的岩石，体会其中的快乐

在任何一个晚上，随便什么时候，找一处黑暗的观星地点，你就可以每小时看到 5 ～ 10 颗流星。这种流星叫作偶发流星，因为它们来自任意方向。你可能在看行星或者星座的时候偶然看到它们。流星把我们和太阳系的其他部分实实在在地联系在一起。我们会由此想到，在遥远的过去，地球曾时常遭受流星的撞击。没有哪颗行星和天然卫星不曾因古老的撞击留下伤疤。你所站立的这颗行星最早只是坍缩的巨大气体尘埃云中的微尘。那时的气体云叫作太阳星云。

▲ “（拍到）这张照片全凭运气，”维杜·帕克什（Vidur Parkash）说，“我想拍的是极光，打开光圈之后这颗火流星忽然就冲到了镜头前。”的确，你永远也不知道什么时候向外瞧会看到光芒四射的火流星，但是你越是经常去看，就越是有可能看到。图片版权：维杜·帕克什

就像家里的灰尘总会聚集成团一样，岩石尘埃、冰和金属的微粒会通过直接接触粘在一起，变成越来越大的团块。这些团块围绕婴儿期的太阳运转着，把越来越多的物质收集起来，终于达到了足够的质量，可以让万有引力发挥作用。更重的物体万有引力更大，可以吸引更多物质，而且，一旦岩石质地的物体横向达到 603 千米，它就可以凭借自身的万有引力变成球形。因此，宇宙中有这么多物体——从恒星到行星再到卫星——都是(或者差不多是)球形。

在碰撞和万有引力的作用下，较小的物体变成了早期的行星、卫星、小行星，以及彗星。天文学家估计，行星形成的过程持续了 100 万～1000 万年。星云中剩余的物质继续撞击新生的球体，留下不计其数的陨石坑。截至 2016 年年初，地球上发现了大约 190 处撞击产生的陨石坑或者其他结构，最著名的是亚利桑那州弗拉格斯塔夫附近的陨石坑。相比之下，月亮上的陨石坑更多，达到了数以百万计的程度！那是因为月球上没有水、风、活跃的火山活动和板块运动，所以古老的伤疤才没有像在地球上一样被抹去。

我们很幸运，接连的轰炸已经成为了遥远的过去，不然不管是白天还是黑夜，连站在户外都成了危险的事。仍有一些残留的物质像雨点一样落向地球，这就是流星。尘埃颗粒遇热发出明亮的光，把我们和地球那遥远的青春岁月联系起来。现如今，残留的物质仅能给夜空增加些色彩，或者让你在看到火流星的时候感觉脊背一凉。

▲ *早期太阳系杂乱无章，正在成长的行星四处冲撞，有时候还会撞到彼此，碎片落到每个角落。很多早期物质已经被收集起来进入了行星、小行星和彗星，但是小行星仍然时不时发生碰撞，而彗星每次靠近太阳都吐出碎片。有些物质仍然会撞上我们的星球，成为流星，点亮夜空，它们有时会掉到地上、变成陨石。图片版权：NASA / JPL / T. 派尔（T. Pyle）*

流星十分闪亮，偶尔还会爆裂开来，但制造这种壮观的景象只需极少的物质。彗星和小行星撞击形成的沙砾以及瓜子大小的颗粒状岩石和冰以每小时 40000 ~ 257500 千米的速度撞击大气层，发出耀眼的光。小碎屑怎么会造成这样猛烈的撞击呢？关键在于运动所蕴含的能量。如果汽车以每小时 8 千米的速度撞上一面砖墙，那么车里的人并不会受伤，但是如果速度提升到每小时 120 千米，那么不仅车会报废，车里的人也难以幸存。

在高速运动中，一颗小石头也可以造成很大的伤害。2012 年，一块极小的太空沙砾以超过子弹几倍的速度运动，把国际空间站穹顶舱的一块玻璃撞成了碎片。宇航员很快用保护盖将它密封起来了。这并没有将宇航员置于险境，因为 ISS 的窗户由四层坚韧的玻璃组成，但这件事足以说明高速运动的物体拥有怎样的能量（动能）。

一颗谷粒一样大的流星体（进入大气前的流星）撞击大气层时，它的动能沿着进入的路径激发出一条又长又窄的空气分子“管”。这些分子从激发状态回归时，会释放从流星体吸收的能量，形成一道窄窄的光，流星的样子就这样形成了。流星余迹通常不足 1 米宽，但长度可达 10 千米，高度大约在你头顶上方 96 千米处。激发空气分子的微粒通常会燃尽，偶尔有个头较大的掉到地球上变成陨石。我们过一会儿再讲这个。

明亮的火流星让人印象深刻，它们似乎会掉到山的另一边或者旁边的湖里，但这是大自然在愚弄我们。流星看起来好像很近，这只是因为人眼无法准确判断明亮余迹的距离。我们唯一的参考系是天空中其他的明亮物体，比如飞机或者烟花。烟花看起来有些像流星，但是它们离我们最多只有 8 千米远。不管有意还是无意，我们会把这两种不同现象相比较，然后想象流星就在我们头顶几千米处飞过。

也许真相会让你大吃一惊。当流星从我们头顶飞过时，它离我们至少 80 千米远，这相当于 1 小时的车程距离，可以让你从自己的家开到另一个城镇。你也许看到流星消失在远处的谷仓背后，但它实际上比这要遥远很多，因为你不能只考虑视线方向上的水平距离，还要考虑它的高度。明亮的闪光就在湖上？不，那恐怕远在 161 千米之外。

大部分引发流星的颗粒都很小，有的像沙砾一样大，有的像卵石一样大，重不足数克。它们会在离地几千米远的地方燃烧殆尽。大一些的碎片在降落过程中因气体摩擦而失去大部分质量，彻底被剥去外层。很多流星体被大气层拆得四分五裂。它们运动得极快，空气对于它们就像硬砖墙一样。砰！它们就这样裂成了碎片，这通常会造成音爆，或者让四周听到大炮发射一样的声音。在一颗陨石落地前，它会短暂地从人们的视野中消失，经过一段“黑暗飞行”阶段。高度为 14 ～ 19 千米时，大部分陨石都会减速、冷却，不再发出亮光。它们继续下落，最终以每小时 320 ～ 645 千米的速度撞到地球上。

▼ *这张照片拍摄自欧洲航天局的罗塞塔任务，记录了楚留莫夫 - 格拉希门克彗星（67P / Churyumov-Gerasimenko ）的核心喷射尘埃和气体喷流的情景。照片拍摄于 2015 年 8 月 12 日，当时这颗彗星达到了最靠近太阳的位置。罗塞塔（Rossetta）是第一艘环绕彗星的航天器。图片版权：欧洲航天局 / 罗塞塔 / Navcam*

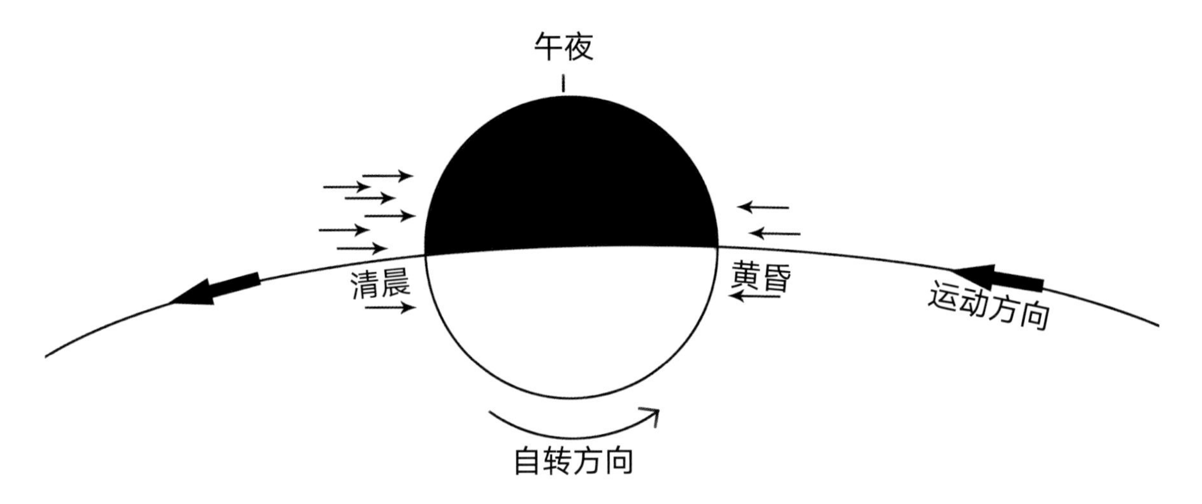

▲ *我们从北极上方向下看地球。夜间，观星地点地球自转的方向迎着流星体来临的方向时，流星的数量会增加，而在傍晚时分，因为流星体需要“追赶”运动的地球，所以流星数量较少。图片版权：鲍勃·金*

流星降落的最后阶段通常是我们看不到的，我们看到的流星余迹都是陨石落地前至少几秒钟产生的。记住，陨石坠落是极少被目睹的，每年全球只有 5 ~ 10 例。

大部分流星是彗星掉落的残渣，彗星是由冰和尘埃组成的直径数百千米的小天体。受到太阳照射，冰会升华并且带走彗星表面的尘埃。这些气体和尘埃又受到太阳光压的作用，被推到彗星的后方，形成了彗尾。彗尾中的物质旋转着掉落在彗星的轨道上，就像《花生漫画》(*Peanuts*）里面永远跟着“乒乓”(Pig-Pen）的云状尘土。在数百万年的时间里，尘埃慢慢在行星平面内分散成巨大的薄盘。

地球以每小时 107800 千米的速度环绕太阳运转，它必然不分昼夜地与彗星尘埃不断相撞。如果长于 2 毫米，这些尘埃颗粒就会产生可见的流星轨迹。灰尘不断累积，科学家估计每天落到地球的彗星残渣和小行星残渣至少有 5.5 吨重。

小行星的碎片也为太阳系贡献了尘埃。据我们所知，多数陨石是很久之前小行星撞击形成的岩石和金属碎块，以及 45 亿年前太阳系形成时期的遗留物。

流星和它们明亮的表兄火流星可以将平淡的夜晚变得无比精彩。你也许还没见过一颗闪亮的流星在划过夜空时裂开，但只要在星空下多花些时间，你总有一天会看到这样的美景。流星有多种颜色(暗红、电光蓝、白、黄、荧光绿)，这是由速度和成分决定的。大部分流星的闪光最多只能持续 1 秒。如果听到有人喊：“看，流星！”那么等你转头去看的时候，那颗流星很可能已经消失不见了。但是偶尔也有流星从低处撞向地球大气，就像打水漂一样，这样的流星可以“燃烧”好几秒钟。它们叫作掠地火流星，也叫掠地流星。

有一次，我看到一颗缓慢移动的掠地流星，颜色像燃烧的香烟头。它从东北方天空升起，亮光大约持续了 15 秒才在西南方天空消失。我以前可从来没有见过这样的景象。观星者时刻都要准备迎接惊喜。你永远不知道火流星什么时候出现，让你的心灵摆脱疲惫，再次振奋。多出去走走吧，这样你会获得更多机会。

根据美国流星协会（American Meteor Society）的数据，在一年中的前几个月，晚上平均每小时有 2 ～ 4 颗偶发流星。这个数字会逐渐增加，到秋天就变成了每小时 4 ～ 8 颗。这是因为地球的自转轴倾斜了，而且太空中的残骸并没有均匀地分布在地球要经过的地方。在任何一个晚上，你都可以观察到这样的现象：在接近清晨时，流星数量大大增加。这是由地球的自转和公转共同造成的。

接近清晨时，我们面对着地球绕太阳运动的前进方向，就像站在船头。轨道上的尘埃迎面而来，流星的数量自然会比较多。12 小时以后的傍晚，我们的位置转到了后方，几乎和地球公转的方向相反。这时碎片如果想撞上大气，需要从背后“追上”地球，所以流星会比较少。这就好比在雨中或者雪中开车，雨滴或者雪花会纷纷撞上前挡风玻璃，但后面的玻璃并不会堆积多少雨雪。

很多人都期待看到流星活动的高峰，也就是流星雨。每年有 10 场盛大的流星雨献上华丽的表演。它们可以分成两组：(1）低流量流星雨，每小时落下 10 ～ 15 颗流星；(2）高流量流星雨，每小时落下 50 ～ 100 颗流星。另外，每年还有几十次规模较小的流星雨，每小时只有 1 ～ 5 颗流星落下，和偶发流星差不多。流星雨看上去就像从某个星座向外辐射而来，并且由此得名。双子座流星雨看上去就像从双子座落下的流星雨，猎户座流星雨看上去就像从猎户座落下的流星雨，天琴座流星雨看上去就像从天琴座落下的流星雨。

大规模流星雨都源自彗星，只有两个例外。美国天文学家路易斯·斯威夫特（Lewis Swift）和霍勒斯·塔特尔（Horace Tuttle）于 1862 年发现了一颗斯威夫特-塔特尔彗星（Comet Swift-Tuttle）。每年 8 月，地球都会经过这颗彗星蜕下的残片所形成的溪流。而这时形成的流星看起来好像是从英仙座辐射而来的，所以叫作英仙座流星雨。猎户座流星雨和相关的宝瓶座 η 流星雨则来自哈雷彗星。虽然不可思议，但事实就是如此。猎户座流星雨的所有“雨滴”都是这颗著名彗星的小碎片。

看一场流星雨可以获得实惠而简单的快乐。代价不过是一两个小时的睡眠，很容易补回来。你可以自己去观赏流星雨，也可以邀请朋友和家人一起观赏。我发现分享会让人更加快乐，而且有更多双眼睛，你们就可以看到更多流星。另外，有几场流星雨需要观星者在天亮之前起床，结伴而行可以让你保持清醒，你还可以分享看到特殊流星时的惊喜。

如果你有孩子，那就带着孩子一起看流星吧。这是全家一起远离手机和电视的好机会。半夜起床、深夜探险，这是很棒的经历，会留下美好的回忆。有些父母会担心孩子第二天上学没精神，但是孩子恢复得很快，而且，流星让他们学到的知识，课堂是无法教给他们的。

活动：观赏偶发流星，对比不同时间段流星的密集程度

如果你还没看过流星雨，那就选一场规模大、可预测的。不管是自己欣赏还是和家人朋友一起欣赏，你都需要找到一处可以看到宽广天空的地方。你可以带一把舒服的躺椅，也可以钻进睡袋里。别忘了让自己舒服些，你可以喝点咖啡，喝点茶，或者放放音乐。有些人会觉得热水浴桶是观赏流星的绝佳伴侣。你可以怎么舒服怎么来。

准备好之后，你就盯着遥远的天空看吧，随它出现什么。你又不能强迫流星现身。有时，两颗流星之间可能会有长达 5 分钟的间隔。第三颗流星却忽然出现，在几秒钟里划过天空。哇！尽管跟上大自然的节奏吧！大多地方都有光污染，所以如果看到的流星没有预报的数量多，你也不要太吃惊。不管怎样，请拿出你的耐心，至少为流星雨等待半个小时。即使流星雨表演不尽如人意，你也获得了和星星一起享受安宁的快乐。

流星雨的群内流星在相互平行的轨道上以相同速度运动，从地球上看，它们就像从天空一点辐射出来一样。这个点就叫作辐射点。这是视角造成的，和火车铁轨看起来会在遥远的地方相交是一个道理。靠近辐射点的流星余迹很短，远处的流星余迹较长。你可以沿着余迹区分群内流星和偶发流星，余迹能够回到辐射点的流星是群内流星。群内流星会出现在天空各处，你不需要一直盯着辐射点看。我喜欢看辐射点的一侧，这样既可以看到余迹短的流星，也能看到余迹长的流星。

流星雨通常在达到极大之前几天悄然开始。在某晚达到极大之后，流星活动通常可以再持续几个晚上，但活跃程度会降低。象限仪座流星雨的极大就很短暂，有种突然闪现的感觉，而金牛座流星雨则需要很多天才能达到极大，然后在长达一个月的时间里保持活跃。也许你会在极大期的晚上遇到阴天，但你仍有机会欣赏美景。你可以再看看天气预报，在极大之前和之后去看流星雨。你还需要注意月亮的月相。明亮的月光会掩盖星光，让可以看到的流星数量减少至少一半。

现在，我们已经了解了这些“光的标枪”（我的一位朋友这样称呼流星），接下来可以了解一年之中会出现哪些大规模流星雨了。记住，如果你想尽量多看到一些流星，那么最好的观星时间是清晨刚刚开始时。这时辐射点通常很高，而且我们在地球上的位置面对着流星体的溪流，十分有利。

象限仪座流星雨

活跃时间：1 月 1 日至 10 日　极大期：1 月 3 日至 4 日　速度（中等）：每小时 93340 千米

象限仪座流星雨持续时间短（不超过 6 小时），但流星密集，理想条件下通常每小时出现约 100 颗流星，极大期之外的时间大约每小时出现 25 颗。象限仪座流星雨得名于曾经的象限仪座，它位于北斗七星勺柄下方。象限仪座流星雨在一年中最冷的时候出现，所以不像天气暖和时的流星雨那么为人所熟知，最佳观赏时间是曙光出现之前两小时。火流星很常见。象限仪座流星群的“母体”是 2003EH 小行星，人们认为它是一颗熄火彗星。

观星预报

2018 年：渐亏凸月的光芒会影响流星雨观赏。观星条件不佳。

2019 年：出现非常细的残月蛾眉月，不会影响观赏。观星条件理想。

2020 年：上弦月在辐射点升起前落下。观星条件理想。

2021 年：下弦月会略微影响观赏。观星条件尚可。

天琴座流星雨

活跃时间：4 月 16 日至 25 日　极大期：4 月 22 日至 23 日　速度（中等）：每小时 107825 千米

冬天和早春时节流星短缺的魔咒终于结束了，首先迎接观星者的是来自天琴座织女星方向的流星雨。事实上，天琴座流星雨的辐射点在旁边的武仙座，但织女星实在明亮夺目，而且 1930 年以前的星座边界十分模糊。天琴座流星雨的名字由此而来。1930 年，国际天文联合会定下标准，准确定义了 88 个星座的边界，把天琴座流星雨的辐射点划到了武仙座。按理来说，我们应该称其为武仙座流星，但大家已经习惯了之前的名字。

活动：观赏天琴座流星雨

天琴座流星雨的辐射点在将近清晨时才到达最高点，但你可以在 22 日晚上 11 点开始观测，此时织女星和同伴们就像初绽的花朵一样挤上了东北方的天空。天琴座流星群来自撒切尔彗星（Comet Thatcher）。

观星预报

2018 年：新月蛾眉月早早落下。观星条件理想。

2019 年：渐亏凸月，严重影响流星雨观赏。观星条件不佳。

2020 年：新月出现。观星条件理想。

2021 年：渐盈凸月，会影响流星雨观赏。观星条件不佳。

▲ *天琴座流星雨从天琴座宝石般明亮的织女星附近落下。这时的流星雨不算盛大，但只要天空中没有月亮，你至少能看到几颗流星。辐射点在凌晨 2 点就升得足够高了，直到 4 月 22 日清晨都很适合观星。标注：鲍勃・金；图源：Stellarium 软件*

宝瓶座 η 流星雨

活跃时间：4 月 19 日至 5 月 26 日　极大期：5 月 6 日至 7 日　速度（高速）：每小时 151280 千米

在黎明前 1 小时，宝瓶座 η 流星雨辐射点位于东南方低空。从中北纬地区看，宝瓶座 η 流星雨每小时会降落 10 ～ 30 颗流星，以 5 月 6 日至 7 日为中心的整整一周都非常活跃。南半球观星者的观星条件最好，因为那里是秋天，夜晚更长，辐射点也更高。辐射点更高意味着落到地平线以下的流星更少。加勒比和南美地区的观星者每小时可以期待 50 ～ 60 颗流星。对北半球的观星者来说，辐射点低也有好处，我们更容易看到掠地流星。

观星预报

2018 年：下弦月会在一定程度上影响流星雨观赏。观星条件尚可。

2019 年：傍晚的蛾眉月在日落后不久就落下。观星条件理想。

2020 年：满月严重影响流星雨观赏。观星条件不佳。

2021 年：出现残月蛾眉月。观星条件理想。

活动：观赏宝瓶座 η 流星雨

宝瓶座 η 流星来自哈雷彗星，辐射点在宝瓶座 η 星附近。这些流星运动速度很快，有很多会产生“持久余迹”，也就是说，这种受激发的空气分子形成的闪光余迹可以持续存在几秒钟到数分钟。有时你会看到持续时间很长的余迹被高层大气的强风扭曲，改变形状。

宝瓶座 δ 流星雨

活跃时间：7 月 21 日至 8 月 23 日　极大期：7 月 28 日至 29 日　速度（中等）：每小时 93340 千米

在夏天，几场小流星雨会和宝瓶座 δ 流星雨一起出现。这增加了我们在夜间看到流星的机会。对于中北部地区的观星者而言，宝瓶座 δ 流星雨的辐射点在南方天空较低处，最多时每小时降落 15 ～ 20 颗流星。它们从宝瓶座 δ 星附近辐射出来，最佳观星时间是黎明开始前 1 ～ 2 小时。

宝瓶座 δ 流星雨盛产较暗的流星，最好在以极大期为中心的一周内观赏。我们还不能确定其来源，但这些流星有可能来自 1986 年美国业余天文学家唐·麦克霍茨（Don Machholz）发现的 96P 麦克霍茨彗星（96P Machholz）。

观星预报

2018 年：满月严重影响流星雨观赏。 观星条件不佳。

2019 年：残月蛾眉月不影响流星雨观赏。观星条件理想。

2020 年：上弦月影响傍晚的观赏，但会在午夜前落下，凌晨观星条件极佳。

2021 年：渐亏凸月严重影响流星雨观赏。观星条件不佳。

▲ *8 月中旬的英仙座流星雨值得注意。这是温暖而晴朗的时节，适宜观星。此处辐射点在紧邻仙后座“W”形下方的英仙座。英仙座流星雨在 7 月下旬就会活跃起来，就算极大期天气不好，你也不必泄气。标注：鲍勃·金；图源：Stellarium 软件*

英仙座流星雨

活跃时间：7 月 13 日至 8 月 26 日　极大期：8 月 12 日至 13 日　速度（高速）：每小时 133575 千米

英仙座流星雨出现在舒适的夏夜，而且流星数量很多，是一年当中最受欢迎的流星雨。即使从没听说过英仙座流星雨，你也一定在 8 月的某个夜晚看到过其中的几颗流星。英仙座流星雨的辐射点位于东北方天空的英仙座，距离仙后座的“W”形不远。

如果极大期正好赶上没有月亮的夜空，那么你每小时可以在黑暗中看到 50 ～ 75 颗流星。英仙座流星雨盛产各种流星，包括类似暗条纹的流星、火流星，以及有持久余迹的流星。大多数流星雨的最佳观赏时机是辐射点升到天空中很高位置的时候，对于英仙座流星雨来说，这就是天亮之前。109P 斯威夫特 - 塔特尔彗星是其母体彗星。

观星预报

2018 年：新月出现。观星条件理想。

2019 年：渐盈凸月影响流星雨观赏，但会在黎明前 1 小时落下。观星者避开受影响的时间段即可。

2020 年：厚厚的残月蛾眉月略微影响流星雨观赏。观星条件较好。

2021 年：新月蛾眉月在流星雨开始前落下。观星条件理想。

猎户座流星雨

活跃时间：10 月 4 日至 11 月 14 日　极大期：10 月 21 日至 22 日　速度（高速）：每小时 148000 千米

又是来自哈雷彗星的流星福利！猎户座流星群是哈雷彗星在靠近太阳的过程中播撒的，辐射点靠近猎户座红橙色的星辰参宿四。

活动：观赏猎户座流星雨

你可以在午夜时分开始观赏猎户座流星雨，这时猎户座已经升上了东方天空。但是当猎户座在凌晨 2 点至 5 点来到子午圈附近的时候，观赏流星雨的最佳时间才到来。这时，你可以每小时看到 20 ~ 25 颗快速闪过的"条纹"。猎户座流星雨只是中等强度的流星雨，但因为其流星运动速度极快，所以依然很值得欣赏。

有时，流星雨也喜欢留一手。在 2006 年至 2009 年，观星者看到了比平时多一倍的流星。彗星在某一次旅行中可能脱落很多灰尘，留下残片组成的粗"纤维"。如果地球刚好从这里穿过，我们就会看到更多流星。

观星预报

2018 年：满月将至，严重影响观赏。从月亮落下到黎明之前，有 1 小时可以观赏流星雨。观星条件不佳。

2019 年：下弦月略微影响观赏。观星条件较好。

2020 年：上弦月在流星雨最佳观赏时间到达之前落下。观星条件理想。

南金牛座流星雨和北金牛座流星雨

活跃时间：9 月 7 日至 12 月 10 日　速度（低速）：每小时 62765 千米

极大期：10 月 23 日至 24 日（南金牛座流星雨）　11 月 11 日至 12 日（北金牛座流星雨）

南金牛座流星雨和北金牛座流星雨的辐射点都在金牛座昴星团附近。

尽管出现时间横跨数周，但金牛座流星雨每小时仅仅有 7 颗流星，这听起来让人失望，你也许觉得这样的流星雨不值一看，但我还是建议你去瞧瞧。在这里，流星的亮度可以弥补数量的不足。金牛座流星雨会降落缓慢移动的火流星，突然照亮10月或者11月的寒冷夜晚。2P恩克彗星（2P/Encke）提供了流星体，地球大气点亮了它们。10月中旬，金牛座在凌晨2点升至最高，11月中旬，金牛座在午夜升至最高。

金牛座的两场流星雨最好在10月下旬直到11月中旬无月或者月亮少于一半时观测，最佳时间是晚上10点到清晨5点。

狮子座流星雨

活跃时间：11月5日至30日　极大期：11月17日至18日　速度（极速）：每小时254275千米

狮子座流星雨在1833年、1866年、1966年和2001年为人们带来了壮观的美景，在其他年份也有不错的表现。狮子座流星雨的辐射点在狮子座的反向问号内侧。狮子座流星雨通常每小时落下约15颗流星，但每33年左右，它的“母体”就会接近近日点，届时会产生流星暴雨。我清楚地记得，在1966年，为了观赏狮子座流星雨，我在凌晨起床，从我家的窗户往外看。我希望天上的云能散开，但没能如愿。

2001年，运气眷顾了我。我的家人在自家车道上铺开了毯子，我们看到流星一颗一颗闪过天空，其中还有些美妙的火流星留下长久的余迹。虽然完全比不上1866年和1966年目瞪口呆的观星者们记录下来的盛况(每小时至少落下100000颗流星)，但这仍是我所见过的最壮观的流星雨。

多可惜啊，我们还要等待很久才能看到下一场流星暴雨。在2099年前，地球不会撞进狮子座流星群中可以提供大量流星体的地带。在2031年和2064年观赏狮子座流星雨，我们每小时可以看到接近100颗流星。尽管这让人失望，但也没必要抱怨。你依然可以关注狮子座流星雨，在没有月亮的时候外出观赏。狮子座流星雨盛产余迹长久、速度极快的火流星。它们每一颗都曾是55P／坦普尔-塔特尔彗星（55P／Temple-Tuttle）的一小部分。

观星预报

2018年：渐盈凸月在辐射点达到最高之前早已落下，观星条件理想。

2019年：下弦月会影响流星雨观赏。观星条件不佳。

2020年：新月蛾眉月傍晚落下。观星条件理想。

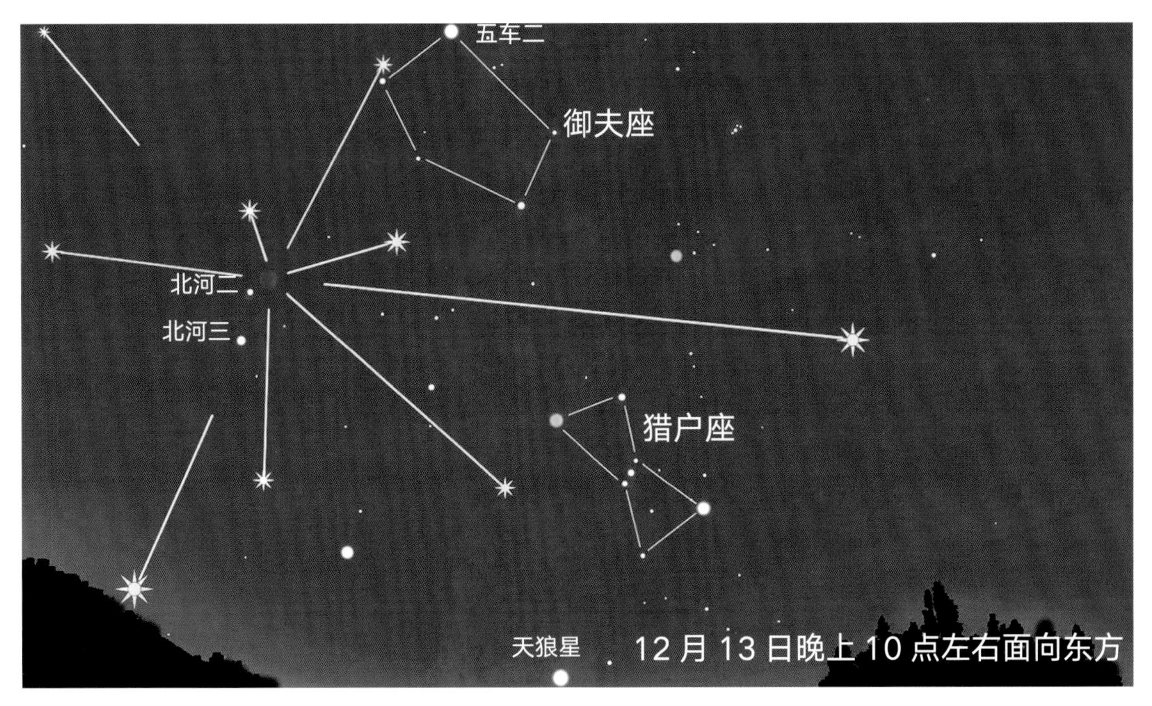

▲ *双子座流星雨现在是全年最丰富的流星雨，不可错过。与众不同的是，双子座流星雨的辐射点在上半夜就会升到足够的高度，很方便观赏。标注：鲍勃・金；图源：Stellarium 软件*

双子座流星雨

活跃时间：12 月 4 日至 16 日　极大期：12 月 13 日至 14 日　速度（中等）：每小时 121140 千米

源自小行星法厄同星的双子座流星雨在 19 世纪 60 年代出现。从那时到 20 世纪早期，每年的双子座流星雨每小时只落下 20 ～ 30 颗流星。但接下来，双子座流星雨的流星数量大增，近些年达到了每小时落下大约 100 颗流星的程度，已经成了一年之中不容错过的美景。

想要看到很多明亮的流星从双子座的两颗亮星近旁出发吗？晚上 10 点，辐射点就已经在东方天空足够高的地方了，所以你可以在前夜开始观赏双子座流星雨。小孩子也不必熬夜了，穿得暖和些就行。

观星预报

2018 年：新月蛾眉月出现。观星条件理想。

2019 年：满月严重影响流星雨观赏。观星条件不佳。

2020 年：新月出现。观星条件理想。

小熊座流星雨

活跃时间：12 月 17 日至 23 日 极大期：12 月 21 日至 22 日 速度（中等）：每小时 115870 千米

你可以称小熊座流星雨为“冬至流星雨”，因为其出现时间很接近冬季的第一天。小熊座流星雨每小时落下 5 ～ 10 颗流星，辐射点在小北斗的勺里，最佳观赏时间是极大期的黎明前。

你的位置越靠北，观星条件就越好。从美国南部看，小熊座流星雨很不明显，因为辐射点在北方的低空。小熊座流星雨偶尔会有一次小的爆发，每小时降落的流星可以达到 25 颗。8P／塔特尔彗星是它的母体彗星。这是和塔特尔彗星有关的第三场流星雨。

观星预报

2018 年：满月严重影响观赏。观星条件不佳。

2019 年：残月蛾眉月略微影响观赏。观星条件较好。

2020 年：上弦月在极大期到达之前早已落下。观星条件理想。

陨石

既然有这么多流星雨，那么一定有人发现了某块陨石来自某个母体彗星，或者至少发现了某些联系——你大概会这样想。但是没有。截至 2016 年，被目击坠落的陨石里，没有任何一块能确定其母体彗星。这听起来似乎令人惊奇，但是你想一想就理解了：流星雨的流星体很小，发光后会变为尘埃。每一块陨石都来自小行星的碎块，这些易碎的黑色陨石来自彗星的可能性极其微小。

大部分陨石都掉在海洋或者无人居住的地方，但每年有 5 ～ 10 次有人目击的陨石坠落事件。受惊的居民、科学家，以及陨石猎人会搜索农田和山丘，想要找到不属于这里的黑色岩石。2013 年 2 月 15 日，在俄罗斯车里雅宾斯克上空有陨石爆炸，将近 12700 吨的陨石以超过每小时 67590 千米的速度撞向大气层，和空气超音速接触导致的巨大压强将它直接粉碎，爆炸产生的冲击波撼动了整个城市，打碎了不知多少窗户。玻璃到处乱飞，导致很多人受伤。

▲ 巴林杰陨石坑位于亚利桑那州弗拉格斯塔夫以东约 60 千米处，是世界上保存最好的陨石坑，直径 1.2 千米 ，深 170 米。大约 50000 年前，一块宽约 50 米的铁镍陨石留下了这个巨坑。那个时候，这里的居民还是毛茸茸的猛犸象、骆驼和大地懒。eBay 和其他拍卖网站有这块陨石的碎片销售网页。图片版权：NASA

▼ 2013 年 2 月 15 日，在俄罗斯车里雅宾斯克上空爆炸的流星体重量差不多有 12700 吨，产生了巨大而持久的烟尘余迹，被太阳照亮。研究人员和当地居民找到了数千片残骸。图片版权：亚历克斯・亚历沙弗斯基科（Alex Alishevskikh）

▲ 拿着一块来自外太空的岩石，这感觉无与伦比。陨石主要是小行星带上的小行星相互撞击产生的残片。小行星带位于火星和木星之间，陨石花了数百万年的时间才到达地球，每一块都提供了关于45亿年前太阳系形成的重要线索。图中的陨石是一块坎波·德尔·谢洛（Campo del Cielo），它在约4500年前坠落在阿根廷。图片版权：鲍勃·金

一块石陨石分裂成了数千块小碎片，像大号铅弹一样散落在白雪覆盖的大陆上。当地居民很想收集这些小片，于是在雪堆里寻找小洞，挖走白雪，捡走新鲜的、来自外太空的漂亮黑石头！

大部分陨石都有1～2毫米厚的黑色“熔壳”，这是在经过大气时熔化形成的。将一块新鲜的陨石对半切开，内侧看起来通常像是掺杂了铁-镍金属小碎片的灰色混凝土。陨石经历了短暂的加热，但这足够影响它们的外层。空气摩擦能够将流星体加热，但大部分热量是由陨石前部压缩空气产生的。如果你迅速压缩空气的体积，空气就会变热！

和大多数人知道的不同，陨石往往比地面温度低。有些夺人眼球的新闻会说陨石能直接点燃火焰，但那不是事实，至少普通的陨石不能。陨石坠落前，我们看到的闪光和余迹是空气光带，不是火，落下来的石头也没有被火焰包裹。但是如果石头个头巨大，一切都会改变。比如，6500万年前，那颗直径9.6千米的陨石对恐龙灭绝负有部分责任。幸好这些撞击极为罕见，大约每1亿年发生一次。直径0.8～1.9千米的小行星每10万～100万年会发生一次撞击。这会造成巨大的破坏，导致区域性的灭绝事件，但不会导致世界走向末日。

▲ 陨石极为多样，但有三种基本类型：石陨石，来自小行星的外壳（左）；金属陨石，来自小行星的核心（中）；石铁陨石，前两者的混合物，来自外壳和内核之间的区域（右）。左起依次为：NWA 2710、老爷岭（Sikhote-Alin）、埃斯克尔（Esquel）。图片版权：鲍勃·金（左和中）/ 道格·鲍曼（Doug Bowman）/ 维基百科

对于非常大的陨石，我们叫它们流星体更为恰当。现在，有数架望远镜有规律地巡天，寻找近地小行星，你会时不时听说一颗新发现的小行星正要以极近的距离擦过地球，也许比月亮还近。很多人认为这些巨大的岩石会被地球的万有引力吸引。实际上，只有直接朝我们而来的小行星才会和地球撞上。天文学家并没有发现在未来 100 年之内可能撞上地球的候选目标。其他任何物体，即便从地球上空仅仅几千千米处经过，也不会被拉过来，因为它们正在以每小时数千千米的速度向前运动。小行星的轨道有可能因地球的影响而改变，但是小行星会被向前的运动安全带离地球。

陨石经常以坠落地点附近的城镇或地理特征命名。比如，陨石森林公园（Park Forest）于 2003 年 3 月 26 日坠落在芝加哥的郊区一个叫作“森林公园”的小村附近。陨石大熊湖（Great Bear Lake）则是 1936 年在加拿大西北部大熊湖的冰面上发现的。坠落时有人看到的陨石叫作“目击陨石”，人们后来找到的陨石叫作“非目击陨石”。

陨石最好去南极的冰原寻找。在那里，冰移动着撞向南极山脉，陨石因此被带走并聚集。强风侵蚀了冰层，让掩藏了几个世纪的陨石露出表面。来自不同国家的科学家，包括参与相关项目的美国科学家，远赴南极腹地，去寻找和收集陨石。美国法律不允许任何业余爱好者在这块大陆寻找陨石。

沙漠是寻找陨石的第二选择，那里容易到达得多；在很多地方，普通人和研究人员都被允许寻找太空岩石。干燥的空气和稀少的降雨能够将这些脆弱的来访者保存长达 4 万年甚至更久。陨石猎人会租四轮驱动的汽车，储备好汽油、食物和水，在覆盖着石灰岩卵石的平原上寻找黑色岩石。另一种有望找到陨石的方法是回到它们曾经坠落的地方，使用金属探测仪进行搜寻。一块陨石的碎片极少在一天之内被全部找到，一周，甚至一百年都不一定够用！

最不容易找到陨石的地方是经常下雨的地方或者黑色磁性岩石很常见的地方。我附近的地方就是这样。陨石多含铁，大部分在落下几天之内就开始生锈，很快就变成了碎屑。很多岩石，尤其是火山岩、矿渣，都会被磁铁吸引，初学者难以分辨它们。真正的太空岩石极为少见，所以如果有人捡到一块黑色石头并且确定它就是陨石，那么你要保持怀疑，它很可能不是。这些困难会让我停止寻找陨石吗？当然不会——某一天也许我会撞上好运。我也祝你好运！

撒哈拉淘金热

从 20 世纪 90 年代中期起到现在，有大量的陨石在撒哈拉沙漠（摩洛哥、阿尔及利亚和埃及等国家）被发现、售卖，很多陨石被放到了在线拍卖网站上，任何人都可以购买。有一帮人以寻找和贩卖陨石为职业，大家称他们为“陨石猎人”。有了这些人，科学家多了几百颗陨石可以研究，普通人可以只花几美元买到一块小行星。大部分撒哈拉沙漠的太空岩石的发现地点并没有清晰且可靠的记录，所以科学家只能把它们放到同一个条目下：NWA，即西北非（的陨石）。第一块这样的陨石就是 NWA001。NWA 后面的数字现在已经超过 10000！

手拿一块来自外太空的物件——没什么比这更离奇的了。每一块陨石的来历都可以追溯到太阳系形成的时期。它们不属于地球，而且是我们能够触摸到的最古老的物品。在大约 45 亿年前，陨石由太阳星云的灰尘凝结而成，被包裹在火星和木星之间的某一块小行星里。受到其他小行星的撞击，一块碎片在接下来数千万年的时间里，慢慢进入了另外的轨道，被带到靠近地球的地方。某一天，行星和碎片相遇了，产生火焰和雷鸣般的声音。之后，黑色的岩石撞向地面。

陨石在那里休息了数千年，直到被人发现、分类和出售。终于，它被包进邮件，从小行星带开始的飞行旅程止于仰慕者温暖的双手。陨石使我们有机会触摸外太空，让我们和那遥远的行星形成时代有了实在的联系。拿着一块陨石，你就拿到了一部微尘的史诗。

陨石有三种基本类型：石陨石、金属陨石和石铁陨石。石陨石中的矿物类似地球地幔中的成分，而金属陨石是一种铁镍合金。铁和镍，不论是大块存在还是分散在整个岩石中，都使岩石更重。我鼓励你开始试着收藏陨石。最不昂贵的陨石是 NWA 石陨石。它们是真正的陨石，只不过科学家没有正式将它们分类并编号，有些经过分类的陨石也不贵。坎波・德尔・谢洛是被命名和分类过的铁镍陨石，来自阿根廷，这是极好的第二块收藏。俄罗斯的谢伊姆昌（Seymchan）是橄榄石和铁镍合金的混合体。有了这些，你的收藏就初步达到了完整。这些一共花费 75 ～ 100 美元。

你可以拿出陨石，和朋友们一起欣赏，或者让孩子带到课堂，让大家都看一看。陨石可以是很不错的谈资。当我把我的坎波・德尔・谢洛陨石带到办公室的时候，人们都不敢相信他们拿着的东西来自小行星。

实用网址

- 火流星报告：www.amsmeteors.org/fireballs/fireball-report/
- 流星常见问题：www.amsmeteors.org/meteor-showers/meteor-faq/
- 关于流星雨的更多信息：www.amsmeteors.org/meteor-showers/；www.imo.net/calendar/2015
- 声誉良好的陨石卖家：www.meteorite.com/meteorite-dealers/
- 收藏陨石的博物馆：meteoritecollector.org/museums.html

第 9 章

敬畏极光

在这一章，我们将了解极光是怎样产生的，以及什么时候、在哪里最容易看到极光。在线监测网站可以向我们提供帮助。我们也可以尝试一种特别的方法，通过一种很像怪鸟之歌的声音找到极光。

本章重点

- 在方便的地方找到观赏北极光的合适地点
- 找到能帮你观赏极光的网站，完成注册，接收提醒
- 购买或者借一个三脚架，尝试拍摄极光

绿色的弧线、波浪般的火焰、忽然相交的光柱、迅速朝天顶移动的明亮面纱——天空中没有什么能像极光的壮观表演这样，将奇迹和恐惧交织在一起。只有日全食可以像极光这样，让人观赏者极易在仰望中产生谦卑的感受。

我最喜欢北极因纽特人对极光的解释，他们相信这是他们的祖先在用海象的头骨玩球类游戏。加拿大和美国的欧及布威族人认为这是死去的战士和医生的灵魂在舞蹈。其他一些美洲土著人不敢对极光吹口哨，害怕它们会下来将人带走。还有人认为拍手可以防止极光靠近。很久之前在爱沙尼亚，观星者将漫天极光想象成呼啸而过的雪橇，在将客人们送去参加婚礼的喜宴。

神话里充满了有趣的故事，能让我们深入了解古代文化，但讲这些故事的人永远也不会想到极光真正的成因——地球和太阳之间的电力连接。

▲ 极光充满不可思议的活力，五颜六色的线条和旋涡在天空中跃动、伸展。这场景于 2016 年 5 月 7 日出现在明尼苏达州杜鲁斯上空，北极光布满了南方的天空。图片版权：鲍勃 · 金

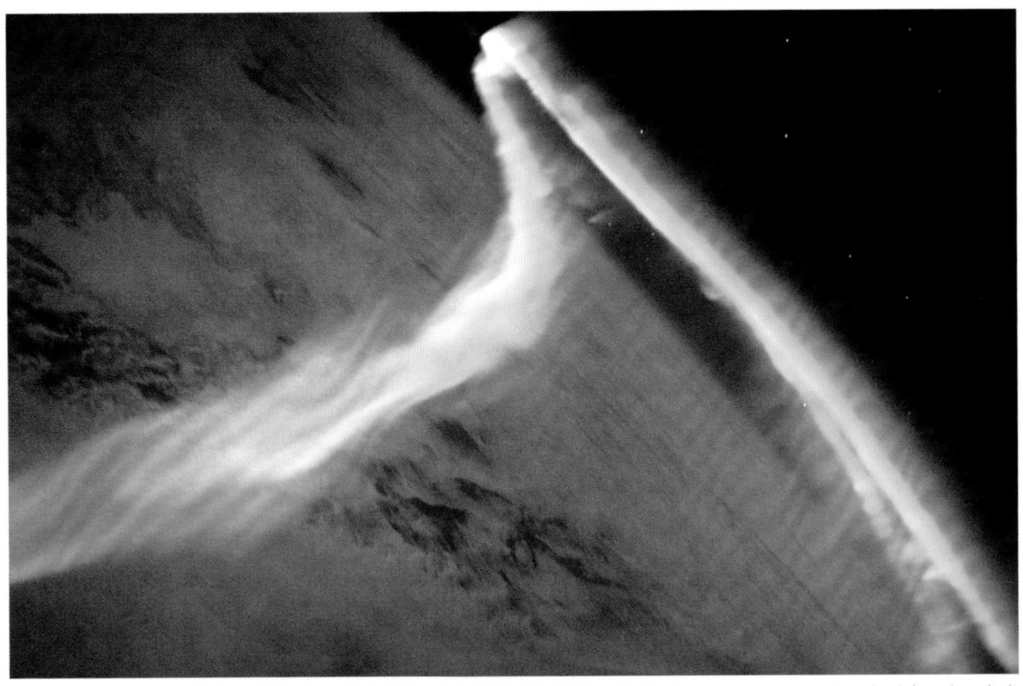

▲ 在这张南极光的照片里，我们可以看到一条细细的极光丝带在南印度洋的上方蜿蜒。南极光与北极光对应，出现在南半球。照片是宇航员在距离地球表面 354 千米的国际空间站拍摄的。图片版权：NASA

▲ *北极光的表演往往始于安静而不招摇的北方低空弧形光。图片版权：鲍勃·金*

1619 年，伽利略首先提出了 aurora borealis（北极光）这个名称，这两个词一个取自罗马的黎明女神 Aurora（欧若拉），一个取自希腊人口中的 Boreas（北风之神）。而 aurora australis（南极光）的意思则是“南方的黎明”。这非常贴切地描述了人们对极光的第一印象：一片四散的光辉点亮了北方天空，仿佛黎明降临。有时，人们会误将周围城市或工厂的灯光当作极光，但真正的极光是有个性的，真正的盛景不容混淆。在更常见的情况下，极光像盘旋在北方低空的弧形光，明亮又模糊，就像彩虹的鬼影。

活动：在方便的地方找到观赏北极光的合适地点

很多人居住的繁忙街区有高高的建筑和树木遮挡，无法看到低空中的弧形光。因此，你需要提前做些调查，找到不被遮挡、能够看到北方天空的地方。极光是一种大范围现象，最好在开阔的地方欣赏，北侧不要有城镇或者明亮的灯光。对很多人来说，找到理想的极光观赏地点可能并不容易。北侧无遮挡的东西向公路也许是不错的选择，这也是我经常选择的地点。湖水南岸的道路是另一种上佳选择，静悄悄的夜晚，北极光会倒映在水面，呈现激动人心的双重表演。更好的办法是去乡间找一个不错的地方，你可以在预报有极光出现的时候去同一个地方欣赏美景。

如果你必须开车出去才能看到极光，那么千万不要在开车的过程中看极光。我有一个朋友，在一次盛大的极光表演中往外看了太多次，结果直接把车开到路外面去了。我自己也有几次几乎干了同样的事。你一定要尽快停到路边，别用拖车账单来给夜晚画上句号，如果碰到更糟的情况，你可能为星空受伤。

▲太阳的电磁粒子云与地球的磁场连接时出现的地磁场风暴有时会演变成盛大的极光表演。你会看到快速移动的光柱和光线几乎覆盖了整个天空。这种自然现象越激烈，你就越有可能看到美丽的色彩。绿色是最常见的，其次是红色。照片拍摄于2014年5月3日，彩色的光线在明尼苏达州的北方铺展开来。图片版权：鲍勃·金

我强调了向北看，因为那是北极光出现的方向。只有在风暴十分强烈时，它才会越过天顶，向南方的天空伸展。多数情况下，北极光就像之前提到的暗淡的弧形光，在北方天空的底部安静地燃烧。偶尔，这种弧形光也会变亮、变宽，或者分解成轻快旋转着的平行光线，看起来就像帷幕的褶边被风吹动——这就叫作射线式光柱极光。这样的变化可以持续一小时或者一整晚。

北极光经常突然出现，献上一场不张扬的演出，然后退回，重新变成北方的静止之光。每场表演都是独特的，有独一无二的节奏。我们都爱看复杂的奇观，但你也可能发现自己被简单弧形的缓慢变化所吸引。如果我们花时间去了解自然的馈赠，做到不慌不忙也不怀期待，多留意一下周围发生的现象就能有所收获。

关于极光，人们最常问的是什么时候、在哪里观赏最好。答案是：越靠近午夜越好，越靠北越好。极光在高纬度地区很常见，比如加拿大中部和北部地区、阿拉斯加地区、西伯利亚地区、斯堪的纳维亚北部地区。当然，南极也有南极光。极光在中纬度地区不那么常见，在靠近赤道的地区不会出现。

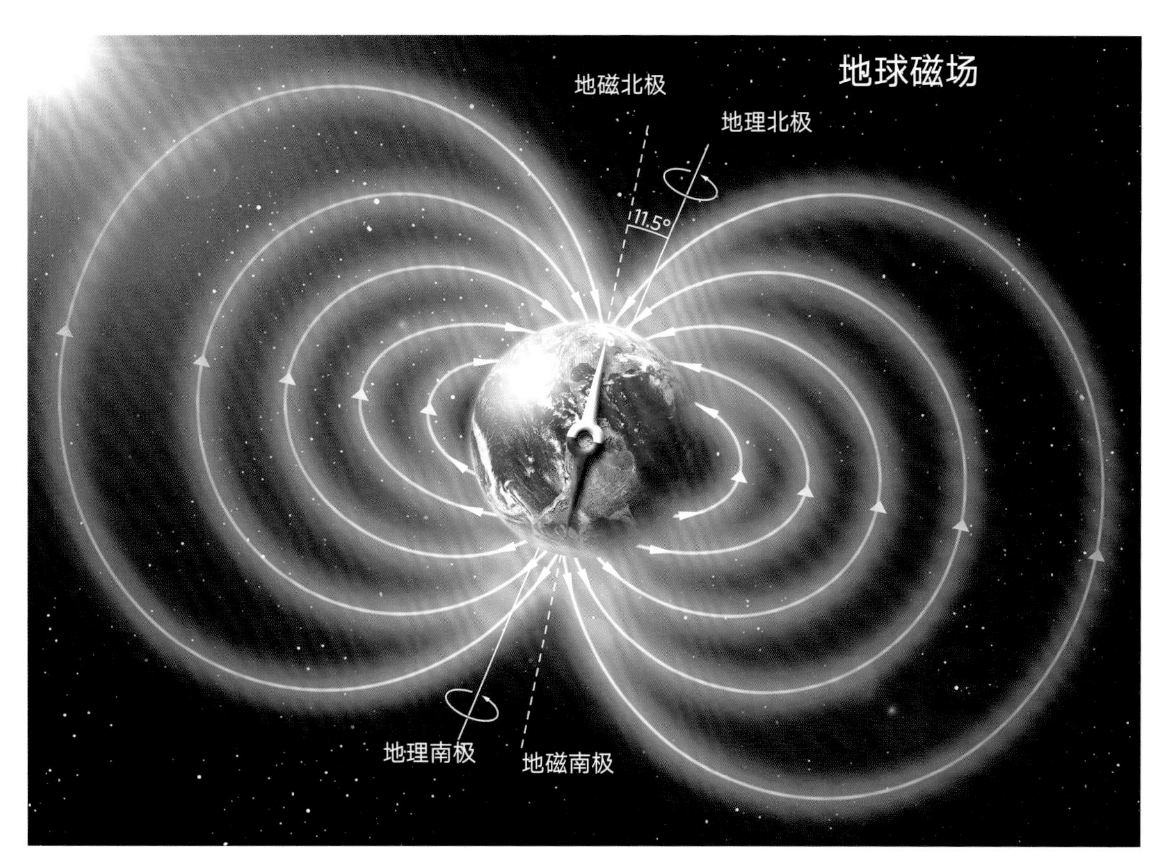

▲ *地球核心转动的金属产生了包裹整个星球的磁场，保护我们不被猛烈的太阳风伤害。方向合适的太阳风可以与地磁场连接，高速带电粒子沿着高层大气的环形磁场线运动。当带电粒子撞上氧气和氮气分子时，极光就产生了。图片版权：彼得・里德（Peter Reid）*

密歇根州、明尼苏达州、北达科他州和华盛顿州等地紧靠美国北部边境线，平均每年有 20 ～ 30 个晚上有极光出现。到了美国中部和南部，极光出现的晚上就只有 1 ～ 7 个了，欧洲中部也是如此。这些数字不一定精确，因为太阳风在变化，极光的活动情况每年都有差异。在太阳极大期的高峰活动时期和随后的几年，极光都会比较常见。注意，就像天气预报一样，北极光的预报也不一定准。

极光是如何产生的呢？这要从地表 2900 千米以下讲起，那里有地球的液体核。铁和镍随着地球自转搅拌翻转着，由此产生的电流制造了看不见的磁场。磁场延伸到地球之外，它就像条状磁铁一样有北极和南极。指南针就是因为地球磁场的作用才指向北方。

同时，在 1500 万千米之外，太阳表面持续地释放着灼热的气体。在太阳磁场的影响下，亚原子粒子（电子和质子）的扰动以每秒 400 千米的速度扑向地球和其他行星，就像信风吹向热带。更大、更猛烈的气体喷发叫作日冕物质抛射（Coronal Mass Ejection，CME），速度超过每小时 160 万千米。有时这会被太阳耀斑这种剧烈的爆发现象所推动。当这些物质在 1 ～ 3 天后到达地球时，地球磁场通常会使粒子转向，平安无事地擦肩而过。

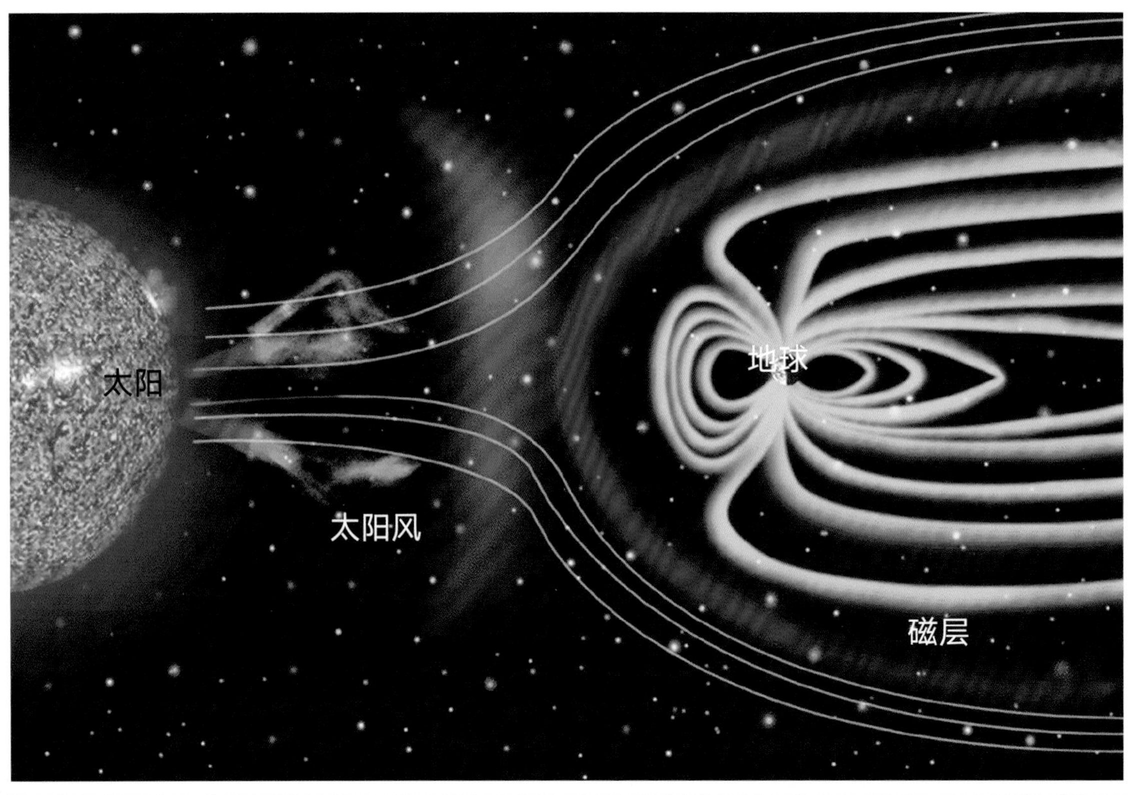
太阳
太阳风
地球
磁层

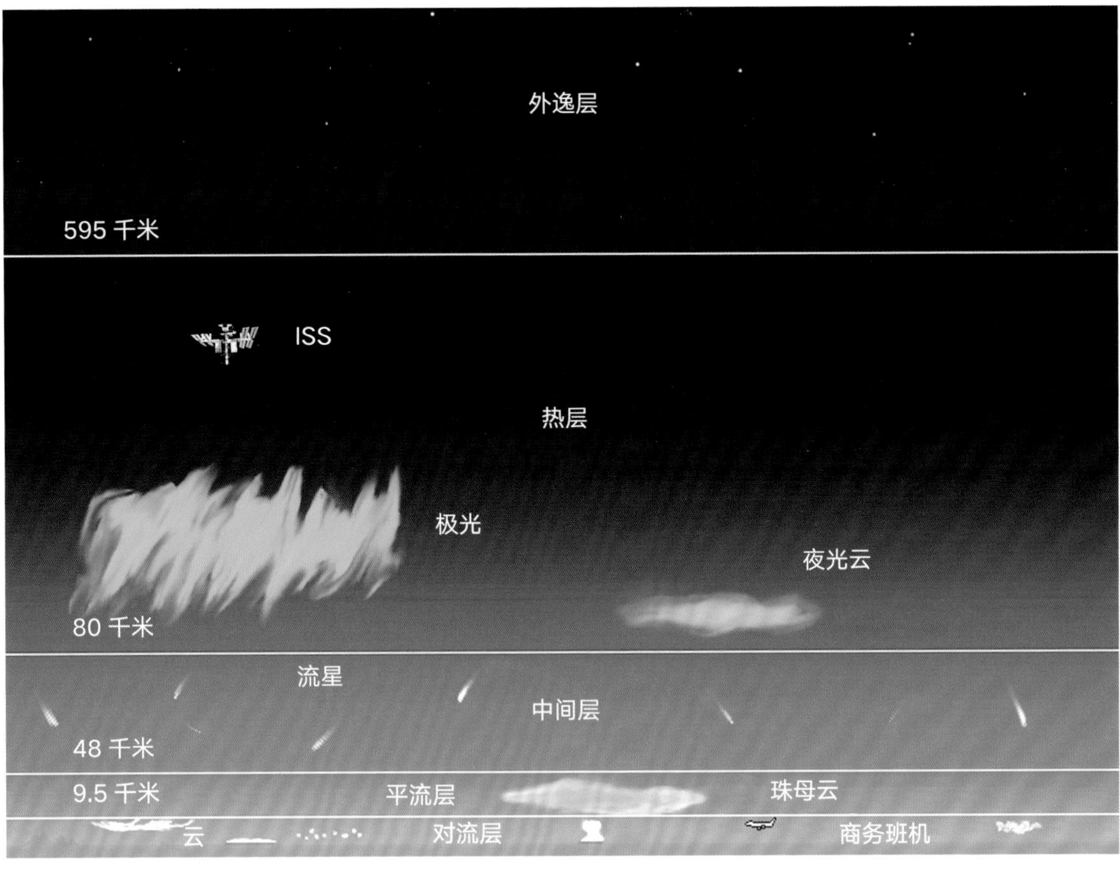

◀ 太阳耀斑释放出强烈的粒子风（白线），产生了激波（紫线），类似于行船时出现的艏波。在示意图中，地球的磁场（蓝色）安全地将来自太阳的物质引向了其他方向。图片版权：NASA / SOHO（Solar and Heliospheric Observator，太阳和日球层探测器）

◀ 2012 年 8 月 31 日，太阳释放出火龙般的氢气。这次爆发将电子和质子猛烈而高速地吹向太阳系，有一些在三天之后到达地球，和地球磁场连接，引发了极光现象。太阳风中隐藏的磁场方向朝南时，粒子更容易“偷偷溜进”地球的防护圈，朝北时则常常不产生影响地吹过。图片版权：NASA / SDO（Solar Dynamics Observatory，太阳动力学天文台）/ AIA（Atmospheric Imaging Assembly, 大气成像组件）

▲ 大部分极光形成于 95 ~ 145 千米的高度，但有些可能高达 1000 千米。我们将其他常见的大气现象标出，作为参考。ISS 中的宇航员常常可以向下看到极光！图片版权：维基共享资源

但是当条件适宜时，太阳风或者日冕物质抛射的重击可能和地球磁场相耦合，带来强电流，将太阳风粒子（大部分是电子）盘旋向下送入两极地区的大气层，就像很多消防员沿着下楼的杆子滑下来一样。在向下的路上，高速粒子会撞上高层大气中氧气和氮气的微粒，激发它们。片刻之后，气体将能量释放出来，产生绿光、红光和蓝光，并且回到之前的“平静”状态，准备好再次被激发。数十亿氧气和氮气分子向外发出微光，就像原子层面的激光大战。人眼则会看到一场色彩缤纷、形状多变的光之表演：北极光。

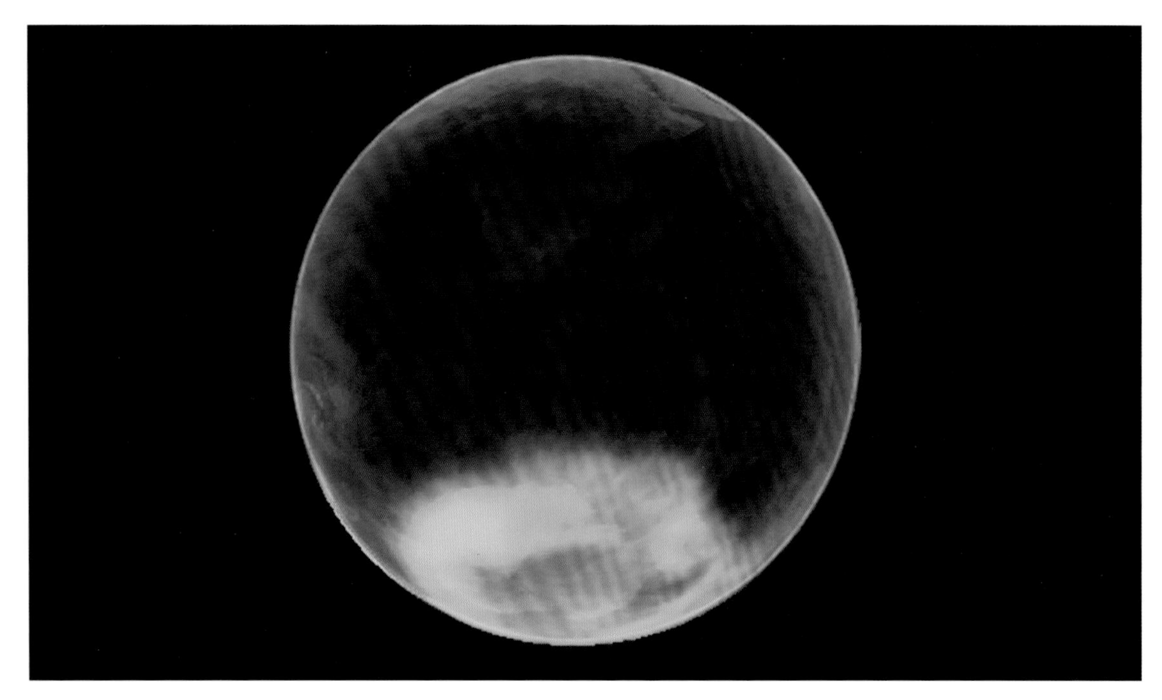

▲2004 年 7 月 26 日，NASA 的 IMAGE 太空飞船飞越南极时拍摄了南极极光卵的照片。图片版权：NASA / 加州大学伯克利分校

极光中最常见的黄绿色调是由 95 ～ 145 千米高处受激发的氧原子发出的。在 150 ～ 250 千米高处更稀薄的空气里，氧也会发出红色光。观赏极光表演时，你经常会看到北方天空张开一条或者多条绿色弧线，上面有暗淡的红色射线延伸向天顶。发光的空气柱自下而上高达近 161 千米。在强烈的极光中，射线和天幕的底端会发出红紫色光，这来自受激发的氮气分子。如果氮受到了碰撞的影响，而且被晨昏时低角度的阳光所激发，那么极光也可以发出暗淡的蓝紫色光线。缓慢移动的电子与高处的氧原子碰撞，则会产生布满整个天空的红色极光。

高速粒子也会通过日冕空洞逃离太阳，日冕空洞是太阳磁场帷幔的裂缝。太阳周边交织着磁场，在表面形成了封闭的圈，将粒子锁在里面，否则粒子就会逃逸。日冕空洞是太阳上缺乏这些限制的区域。获得自由的电子和质子以高达每秒 805 千米的速度离开。当条件适宜时，它们可以与地球磁场连接，引发极光。这种情况下的极光通常不像耀斑引发的那么夺目而多彩，但是可以持续数个晚上，保持着谦逊低调的风格，你可以在观赏这种极光的同时观看星空、欣赏流星。

太阳每 27 天绕自转轴转一圈，而日冕空洞有时可以持续数月，一个空洞可以每 4 周一次、重复向地球上的同一地点喷发高速粒子，就像转动的草地喷水装置一样。如果你发现了一个日冕空洞造成的极光，那就在日历上做个记号吧，4 周以后你也许可以去看后续演出。

你会经常听到有人说，观赏北极光最好的季节是春分和秋分前后，这不无道理。尤其是考虑到太阳自转轴有 7.5° 的倾斜，日冕空洞在这段时间会更准确地“指向”地球。3 月初，太阳的南半球朝向地球，6 个月之后，则是北半球朝向我们。

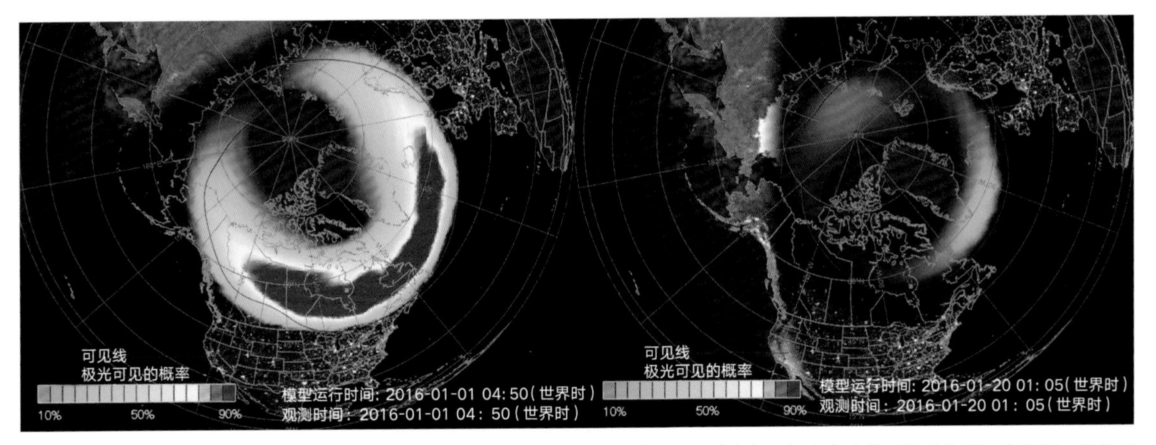

▲ *当强烈的太阳风吹向地球时，极光卵向南扩大并且增强（左）。在平静状况下（右），极光卵安静地保持在高纬度地区。极光卵是永久现象，以地球磁极为中心。如果听说有极光会出现，你可以去预报网站上查一查，看看极光卵是否会向南来到你身边。图片版权：NOAA*

绿色的弧线是地面上最常看到的极光样式，这其实是极光卵的边缘。极光卵是一种更为庞大的永久现象。极光卵有两个，一个以北冰洋上的地磁北极为中心，另一个以南极洲东北岸的地磁南极为中心。我们在这里主要关注北极的极光卵，因为看到它比看到南极那个容易得多。

地球的磁极是地球磁场最强的地方，是指南针指示方向的关键。从外太空看，极光卵像喷上去的宝石圆环，在发出淡淡的绿光，在白天的那一面向内凹，在夜晚的那一面向外凸。极光卵直径约为4000～5000千米，比美国大陆的宽度略大，条带宽度大约是480千米。地球在自转，但两个极光卵的位置都是固定的。

在没有粒子冲击的平和条件下，北极极光卵的覆盖涵盖了挪威北部、加拿大哈得孙湾地区、阿拉斯加北部以及北西伯利亚地区。在它的正下方，人们几乎全年都可以看到北极光。我们可以从图上看到，极光卵在夜晚的那一面向南延伸得更远，尤其是当地午夜时分。由于地球自转，你的城市也会在午夜（或夏令时的凌晨1点）最靠近极光卵的边缘。因此，极光总是在午夜时分最活跃。

如果有日冕物质抛射、耀斑，或者日冕空洞激发了地球的磁场，那么极光卵会变亮并且活跃起来，向南扩展三倍以上。风暴越强，极光卵越大，而极光卵越大，距离加拿大南部和美国的城市就越近。在1989年3月的巨大风暴中，北极的极光卵扩展，到达了美国中部北纬40°附近。想看极光卵，你不需要等它到达你的头顶正上方。它离地面96千米以上，可以在很远的地方看到，就像高山可以在远处看到一样。下次你看到这低低的弧线出现在地平线的时候，请记得你正望着极光卵的边缘，而它远在1000千米外！

出现大型极光时，极光卵的一部分可能超过天顶，来到了南天。在黑暗中，它就像巨大的水母，在太阳风的影响下伸展和收缩。当极光的帷幕从天顶垂落，我们从底部向正上方看，会看到脉动的光之翼汇聚到接近天顶的一点。这样的极光叫作极光冕，通常在一场极光表演的高潮出现。美国国家海洋和大气管理局每天 24 小时监测太阳活动，还运营着一个很好的网站，叫作北极光-30 分钟预测（Aurora-30 Minute Forecast），网站有极光卵的实时信息。如果遇到了极光卵“垂向”你的时刻，你可要注意朝北观察。

你能听到极光吗？

遇到盛大、明亮的极光之浪时，有些人说他们听到了沙沙声和噼啪声。我已经看过了数百次极光表演，有时温和有时狂野，并且我尽了最大努力竖起耳朵，捕捉一切动静，但我还没有听到过极光的声音。有证据显示，极光发出的超低频无线电波（Very Low Frequency，VLF）可能通过附近的导体变为声波，这是一种电声转化现象。导电的眼镜框、草，甚至牙套，都可能将无线电波的能量转化为低频电流，从而产生可以听到的声波。观赏流星的人注意到了相似的咝咝声或者噼啪声。如果这是真的，那么人们听到的不可能是极光直接发出的声音，因为极光的高度极高，而且高空空气稀薄。不过，人们可以间接听到极光的声音。

我们也可能通过想象听到了极光，光的爆发或快速移动似乎与声音相伴，虽然这只发生在我们的大脑中。看几分钟战争电影，即使声音关掉，你也会觉得自己能听到开枪和炸弹爆炸的声音。我们对图像与声音的关联难以动摇。与之类似，一场盛大的极光也会让你在期望中听到噼啪的静电声或者呼呼的噪声。这也不是我们第一次被感官欺骗了。下次极光出现的时候，如果你觉得自己听到了声音，不妨做一个实验——捂住耳朵，你还能听到一样的声音吗？

◀ *发生强极光时，明亮的帷幕从天顶附近垂落，形成光之冕。有些人将它的样子比作蛇或者巨大的魔鹰。图片版权：奥利·萨洛蒙森（Ole Salomonsen）/ Arctic Light Photo 网站*

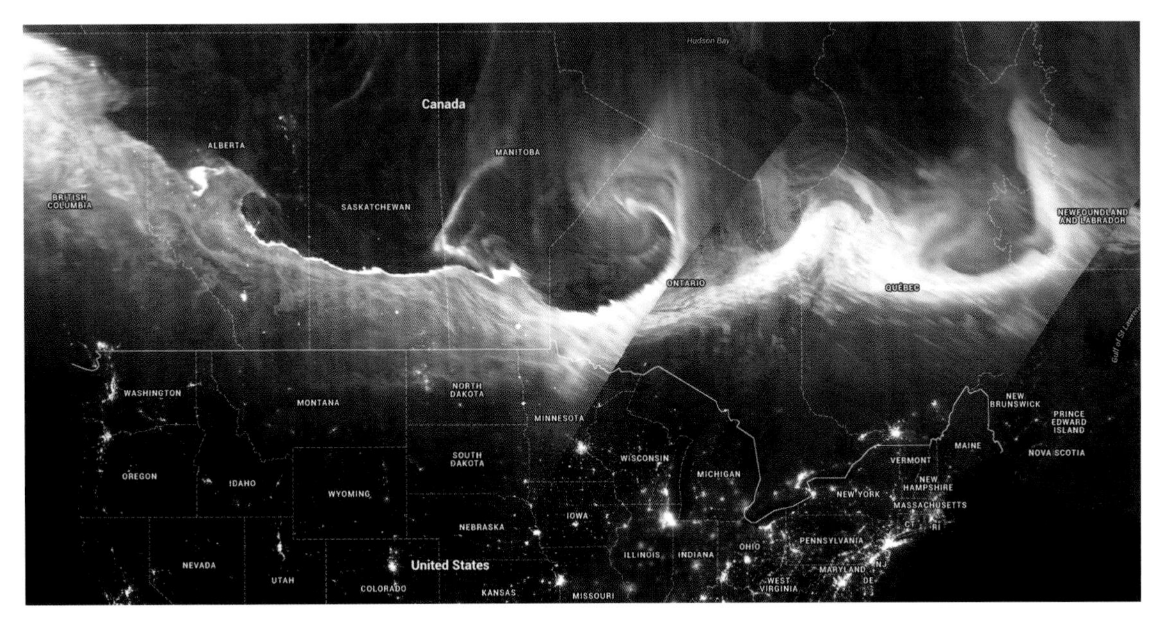

▲ 2009 年 9 月 9 日，由美国索米国家极地轨道伴随卫星（Suomi NPP satellite）在轨道上拍摄的一场强北极光的区域性景观。可怕！图片版权：NASA / 美国威斯康星大学空间科学和工程中心（Space Science and Engineering Center University of Wisconsin，SSEC）

如果你和我一样难以听到极光，你可以考虑购买能够接收超低频无线电的手持电台。太阳风和地球磁场混乱的相互作用产生的低频无线电波可以被这漂亮的设备转化成声音，你用一副耳机就可以收听到。我多年前买了我的手持电台，新款 WR-3 天然无线电波接收器可以在网上购买，价格 135 美元。

不同元件组装在一个小金属盒子里，带一根短小的天线，9 伏特电池供电，开关和音量调节使用同一个旋钮，插进一副耳机就可以收听了。就这么简单。

除极光之外，这种接收器还可以接收到很多东西，包括响亮的、非自然的嗡嗡声，那是输电线或者家用电器中的交流电引起的。你需要离它们 0.4 ~ 0.8 千米远，才能听到行星发出的更微细的声音。我会开车到宽阔的乡间，在无线电的静默地带打开开关，把天线对着天空。注意别在树下收听——树可以很好地吸收掉你想要探测的低频无线电能量。

你会先听到远方雷雨引起的噼噼啪啪的静电声，就像汽车电台接收到的那种声音。闪电不仅发光，也发出看不到的无线电能量。接收器将这种能量转化成可以听到的声音，其中有人们熟悉的静电声，也有不那么熟悉的声音，听起来像第二次世界大战时 B-17 轰炸机投下炸弹时的呼啸声。

做好准备吧，极光活跃时，你会听到迄今为止听过的最奇特的声音，经验丰富的极光倾听者称之为“黎明合唱”。这声音很怪异，有点像黎明前青蛙或者鸟儿的合唱。请拿出你的耐心，很多夜晚，你只能听到数千千米外闪电的噼啪声。但是如果你常带上无线电设备到乡间观察极光，那你就有机会听到太阳和地球以电的特别方式进行对话。

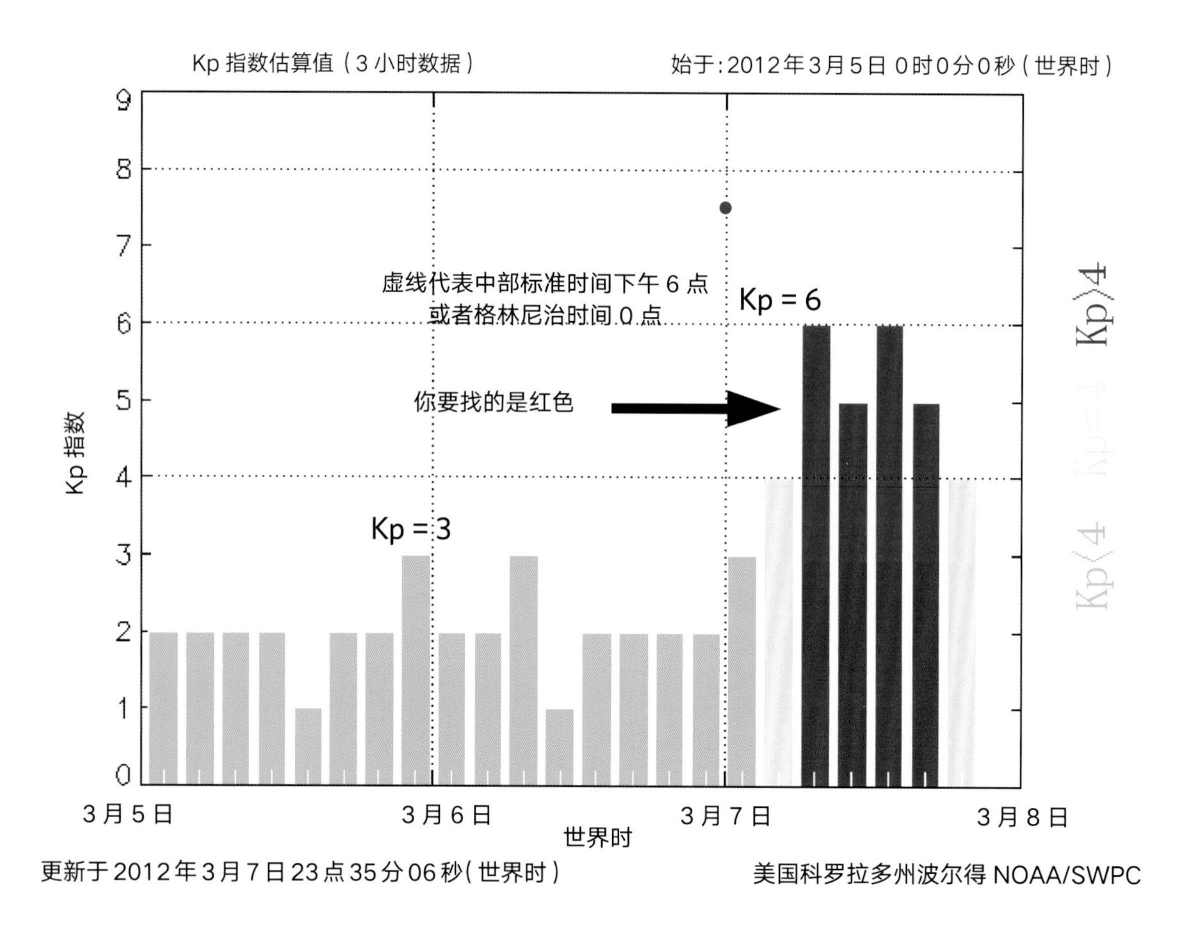

▲ 这张图表来自太空天气预测中心（Space Weather Prediction Center），在网上每 3 小时更新一次，展示地球磁层内的磁场活跃程度（以 Kp 指数衡量）。当 Kp ≤ 4 时，你不太可能看到极光。当 Kp ≥ 5 时，你就可以穿上外套去野外看一看了。图片版权：NOAA / NWS（National Weather Service，美国国家气象局）

今晚会不会有极光？

千万注意！极光预报和天气预报一样，虽然常常能预报准确，但是你要准备好接受预料之外的情况。科学家把太阳风和地球的相互作用归为太空天气，这可不是平白无故的。

首先，你需要打开 NOAA 的太空天气预测中心的产品订购服务（pss.swpc.noaa.gov/RegistrationForm.aspx），免费注册并订阅太阳爆发的预警、预报和简介。这类电子邮件服务还有很多，我在下面列出了我最喜欢的几种。完成网上注册和订阅之后，你就可以在“通报”（Advisories）、“预报和简介”（Forecasts and Summaries）目录下找到需要的信息。

活动：找到能帮你观赏极光的网站，完成注册，接收提醒（1）

- NOAA 3 日预报：纯文字预报地球地磁场扰动，两天发送一次。地磁场保护地球不被太阳发射的粒子干扰，但来自太阳的亚原子粒子引起的磁场激波有时候会激发极光。订阅地址：www.swpc.noaa.gov/products/3-day-forecast
- 预报讨论：无固定格式的总结，涵盖最近的和预期的太空天气信息。其中包括针对特定地球地磁场扰动的简略分析，太阳耀斑、日冕物质抛射、太阳发射的氢气、从日冕空洞逃逸的高速粒子流等是这种现象背后的常见原因。偶尔，这里的预报也像电视台的天气预报一样，做不到十足确定。订阅地址：www.swpc.noaa.gov/products/forecast-discussion
- 地球物理预警信息：每 3 小时更新一次，情况极为特殊时更新更加频繁，提供当前太空天气情况以及预报信息。订阅地址：www.swpc.noaa.gov/products/geophys- ical-alert-wwv-text
- Kp 指数：www.swpc.noaa.gov/products/planetary-k-index
- Bz 介绍：www.swpc.noaa.gov/products/real-time-solar-winds%20

在这里，你需要熟悉两个关键指标：Kp 指数和 Bz。抱歉，下一节会有些专业术语，跟着我来学学看吧，你值得为此花时间，而且这也不会太难。所有相关报告都会提及这些术语。Kp 指太阳引起的地磁场扰动的剧烈程度，级别为 0 ～ 9，由设在全球的 13 个磁场观测站使用磁场计（测量地球磁场强度的仪器）测量，每 3 小时更新一次。

你会收到的每个预报都包含了估算的 Kp 指数，你只需快速看一下数字有没有达到 5。如果 Kp 指数达到 7，那就表示会有一场激烈的风暴。

当这个指数小于 5 时，你看到极光的概率很低，几乎等于 0。Kp=5 表示有可能会有一场比较小的地磁风暴（G1 型地磁风暴），在加拿大南部和美国北部可以看到。当指数达到 6 或 7 时，极光增强，极光卵向南扩展。美国中部的居民在极光通常不会造访的天空中也有可能看到粉色和绿色的光幕闪烁舞蹈。

不算太难，对不对？现在我们来看一看 Bz。巨浪般的太阳粒子云带有太阳磁场的印记。就像磁铁一样有两极。

大部分时候，地球的保护性磁场会排除干扰，所以我们不会感受到什么。但是如果粒子云朝南的区域（即 Bz 为负）正好擦过指北的地球磁场，两者会连接起来，就像两个磁铁吸在一起一样。现在电子和质子就有了一条通路，可以顺着地球磁场线旋转向下，制造出极光。

如果预先能知道会不会发生这种情况就好了——这个愿望实现了！

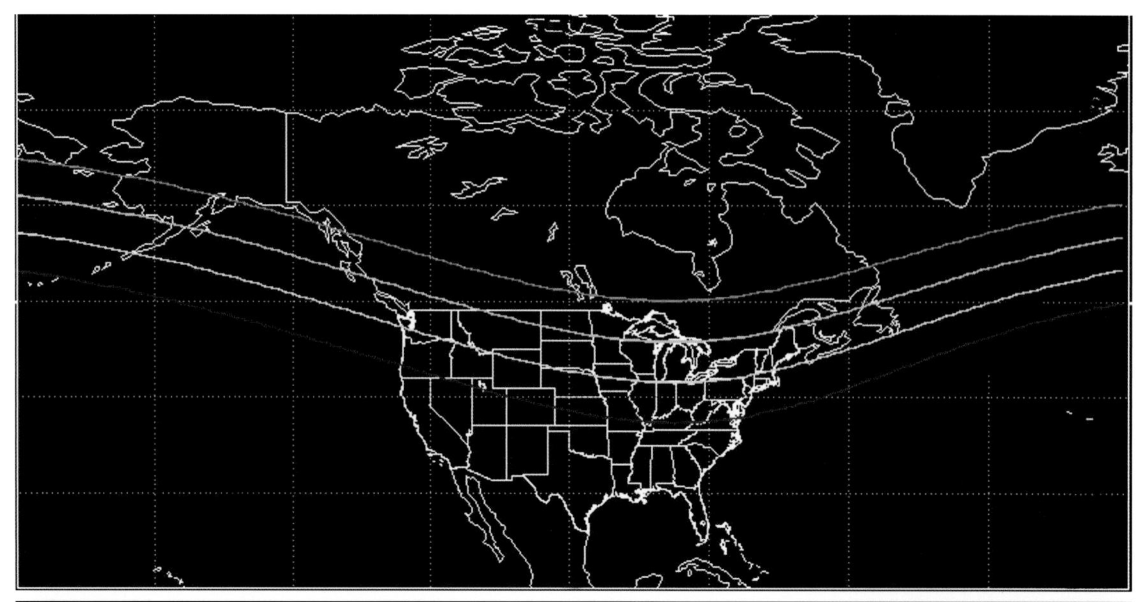

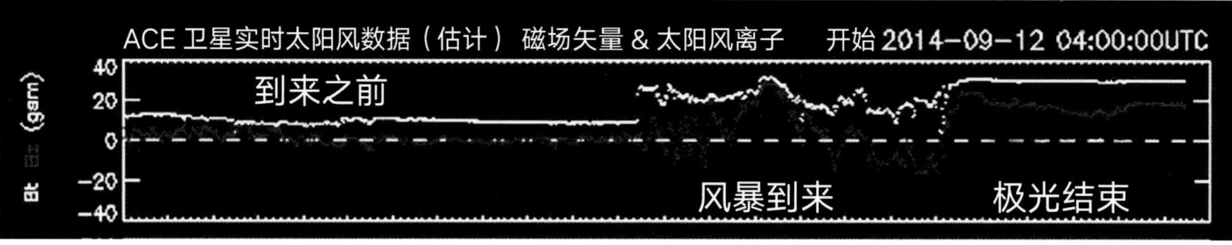

▲ 这幅图可以帮你看到 Kp 指数和极光观赏之间的联系。只有强地磁风暴（Kp=8 或 9）才能到达美国南部。图片版权：NOAA / NWS

▲ 这张图表看上去复杂，其实很简单。曲曲折折的红线表示太阳风吹过地球时不断变化的方向，由同位素成分高级探测器卫星（Advanced Composition Explorer，ACE）于 2014 年 9 月 12 日记录。当 Bz 为负时（嵌入太阳风中的磁场朝南），人们看到极光的机会就增加。当 Bz 高于白色虚线时，极光就不太可能出现了。图片版权：NOAA / NWA

从 1997 年起，NASA 的同位素成分高级探测器卫星（ACE 卫星）就在为我们服务。它的轨道在拉格朗日点 L1，这是地球附近太阳和地球引力相平衡的五个点之一。放在这里的卫星保持相对静止，可以作为观测的前沿阵地。

ACE 位于地球到太阳的连线上，距离地球 150 万千米。这个探测器探测从太阳吹来的带电粒子的方向、强度和磁场特征，并且提前约 1 小时对强烈的风暴发布预警信息。2016 年，NASA 的深太空气候天文台（Deep Space Climate Observatory，DSCOVR）会代替 ACE，新的卫星会以更高的灵敏度探测太阳的发射物。请务必登录 DSCOVR 网站（www.nesdis.noaa.gov/DSCOVR/），查看最新的新闻和示意图。无论身处何地，本章末尾列出的免费手机 App 都可以让你和极光保持联系。你也可以在推特上关注 @NorthLightAlert，获得未来地磁风暴的预警。

除了这些信息，我还会通过之前介绍的北极光 -30 分钟预测了解极光卵的形状，提前知道是否有一场好戏将要上演。一切准备就绪，我祈祷天气晴朗。预测快乐！

▲照片里的北极光（左）比肉眼看到的（右）更生动和多彩，因为在长曝光中，光可以在灵敏的"芯片"上积累，于是暗淡的颜色被加强。对于双眼，只能实时地看，颜色就更细微。通常是如此。在强烈的极光上演时，红色和绿色有时候看起来几乎跟照片中一样。图片版权：鲍勃·金

图片的真相和极光摄影

你在极光照片中看到的壮丽的绿色、红色和蓝色是真实的，但是被夸大了。因为照片是延时曝光，只要照相机的快门是打开的，光就会在感光元件上积累、叠加，暗淡且苍白的物体会变得明亮。然而，我们的眼睛只能看到当时的情景，我们尤其不擅长在低亮度下看到颜色。有经验的观星者在看到彩色的天文摄影照片时，会考虑到这一点。

可是，出门观赏极光的新手们想要看到的就是和照片一样的极光，他们大概会对真相失望。这可不对。真实的极光也是可以让你惊掉下巴的。照片不能捕捉到运动，因此无法呈现极光微妙而快速的变化，而这恰恰为一场盛大的表演赋予了动感和生机。你亲眼所见的极光也不是没有颜色。有时，你会看到北方的整个天空都垂下十分明亮的红色，你会当即打电话给朋友们，让他们出来看看，别错过美景。我想，拍几张极光照片，并且调到通常眼睛所见的样子会是件好事。这样大家就能看到真相了。

活动：找到能帮你观赏极光的网站，完成注册，接收提醒（2）

- 大湖区极光猎人预报：www.facebook.com/GLAHalert/
- 北极光 -30 分钟预测：www.swpc.noaa.gov/products/aurora-30-minute-forecast
- 收听极光的 VLF 电台：www.auroralchorus.com/wr3order.ht
- Tinac 公司的极光预报（免费）：itunes.apple.com/us/app/aurora-forecast./id539875792?mt=8
- 极光预报（免费）:play.google.com/store/apps/details?id=com.jrustonapps.myauroraforecast&hl=en

活动：尝试拍摄极光

按照如下步骤拍摄一张极光的照片吧。你可以把成果骄傲地发布在脸书（Facebook）上。

1. 寻找可以看到开阔天空的场所。极光会从北方天空出现，但会向东、西和上方延伸。

2. 使用三脚架和数码相机（不能用智能手机）。即便是最亮的极光也需要至少 5 秒的曝光时间。大部分“对上就拍”的相机都有曝光时间限制，很可能只有 15 秒。这对明亮的极光来说可能足够了，但是你会需要通过提升速度，即感光度（ISO）来提高灵敏度。ISO 设置越高，画面颗粒感越强，小相机尤其如此。但你至少能够拍到一些东西。中高端相机则可以极好地记录极光的颜色和形状。

3. 使用广角镜头。16 ~ 35 毫米的广角镜头可以在捕捉极光的同时拍摄到前景，给最终的照片增加一些艺术元素。

4. 调节光圈。尽量让镜头打开，这通常需要设置好 f/2.8、f/3.5 或者 f/4。这里的 f 数值越低，就有越多的光进入相机感光元件，曝光时间越短。想要抓住精致的细节，你就得让曝光时间尽可能短。长时间曝光会柔化极光，把鲜明的线条变得模糊。

5. 调节 ISO。拍摄亮一些的极光时，ISO 需要设置到 800，拍摄暗一些的极光时，ISO 可以设置到 1600。你可以尝试使用 10 ~ 30 秒的曝光，检查显示屏，看看效果是否合你的意，然后按照需要进行调整。目前的高端相机可以拍摄 ISO 达到 25000 甚至更高的照片。在这样的速度下不会得到太清晰的画质，将 ISO 设置到 3200 或者 6400，拍摄的画质就像老一代相机设置为 ISO400 时的一样。如果极光明亮的话，使用 ISO3200，用 5 秒或者更短的时间就可以完成拍摄。

6. 取景。你可以通过取景器或者监视屏来组合场景。如果运气不错或者计划得好，你可以让照片前景包括一些有趣的东西，比如建筑、奇特的树，或者湖上的倒影。

第 10 章

神奇之夜

星空之下的夜晚可以为我们带来无穷无尽的惊喜和美妙遐思。我们会看到闪烁的星、“UFO”、月晕、日月华、光柱、夜光云、爆炸的星、彗星和黄道光。在这一章，我们会欣赏这些奇特的景象，我还会拿出我的秘密配方，教你制作自己的彗星。

本章重点

- 观察在闪烁中变色的星光
- 在暖锋和降雨来临之际寻找日晕和月晕
- 寻找月亮狗的尾巴
- 月华比月晕更常见，快去找找看
- 寻找罕见的夜光云
- 寻找裸眼可见的彗星
- 用简单的原料做一颗微彗星
- 尝试观赏黄道光

随着你对天空越发熟悉，你很快会发现天上总有很多事情发生。举个例子：我们经常看到星星眨眼睛，很容易把这当作理所当然的事。不过，一旦你知道了这背后的原因，你对自己呼吸的空气可能会有全然不同的理解。天文学家把这叫作闪烁（scintillation）。

闪烁的星星吸引着我们的目光。人们有时会告诉我，他们看到天空中有一个明亮物体在有规律地颤动，他们觉得那一定是 UFO。细问之下，我发现他们看到的都是亮度较高的星，比如天狼星、五车二或者大角星。所有的星星都眨眼，但只有比较亮的才容易被注意到，这是因为我们的视觉不够敏感，不能辨别暗星的颤动。到达地球之前，恒星发出的光一直都是稳定的。但到了地球，光就必须对付大气层。如果在没有空气的月亮上观赏，星光就是稳定的了。

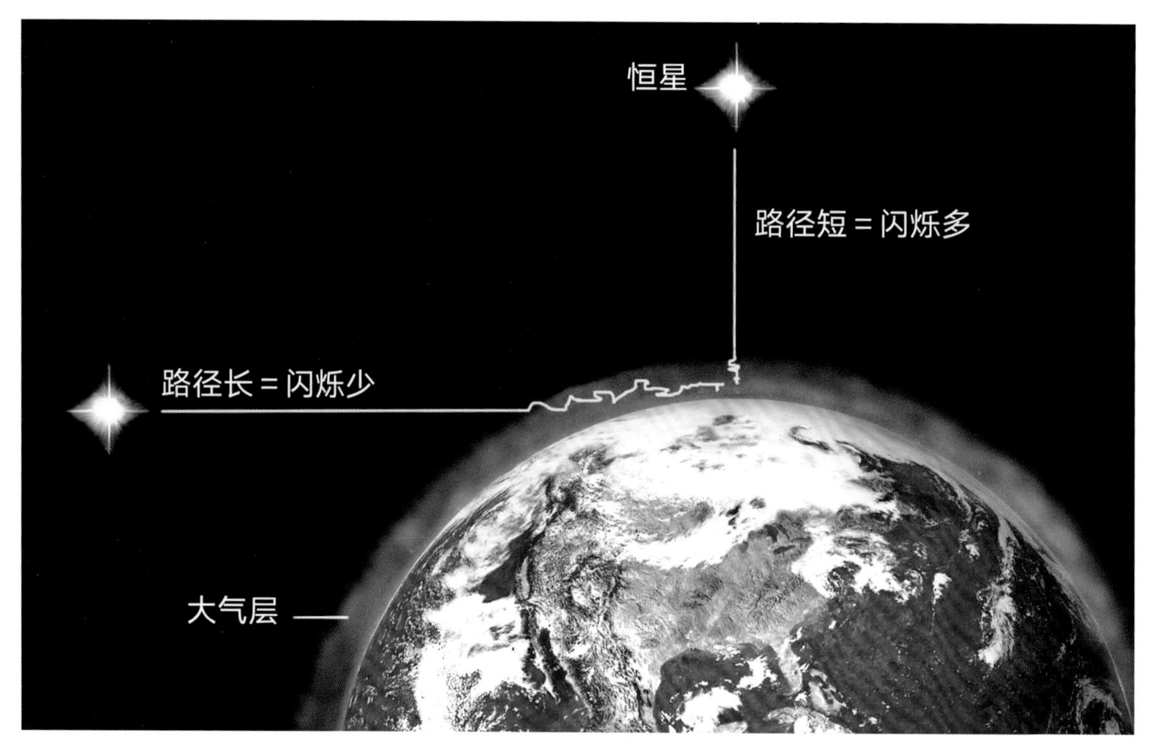

▲ 如果恒星在天空中较低处，那么它发出的光线就要在大气最低、最稠密的部分穿行数百千米。这条长长的路上会有数百万不同大小的空气泡泡把星光移来移去。这使我们眼中看到的星光有了闪烁。而位置很高的恒星之光需要经过的大气层薄得多，闪烁就很少。行星看起来更像圆盘，动荡的空气对它们的影响就比对点状的恒星小得多，因此行星极少闪烁。图片版权：鲍勃・金

一闪一闪小星星

我们住在空气海洋的海底。在进入我们的眼睛之前，星光要经过很多直径约 10 厘米的空气单元。每个空气单元的温度和密度都稍有不同，因此对光线的折射作用也各不相同。恒星是极小的点状光源，恒星的光很容易受到折射的严重影响。每个空气单元都是一个棱镜，暂时将星光汇聚成微小的图像。空气搅动时，这些小图像的数量和位置都会不断变化。某一刻，一个单元可能把星光移出了你的视线，让恒星暂时变暗；片刻之后，另一个单元把星光直接送入你的眼睛，于是恒星又变亮。这些单元总在变化，当这些不断变化的小图像叠加起来，我们就看到了闪烁的星光。

距离地平线越近，星光的闪烁就越强烈。沿着地平线方向观星时，我们的视线需要经过更浓密的大气。你应该还记得，地球大气层的大部分气体都在离地面 16 千米高的对流层，再往上，空气会迅速变得稀薄。如果发光的星星只有一个拳头高，那么我们的视线就要穿过数百英里的厚重空气才能看到它。视线经过的空气单元越多，闪烁就越明显。如果把头往后一仰，面向天顶，那么你的视线只需要穿过 16 千米的厚重气体和数百千米接近真空的距离。视线经过的空气单元少，看到的闪烁就少。

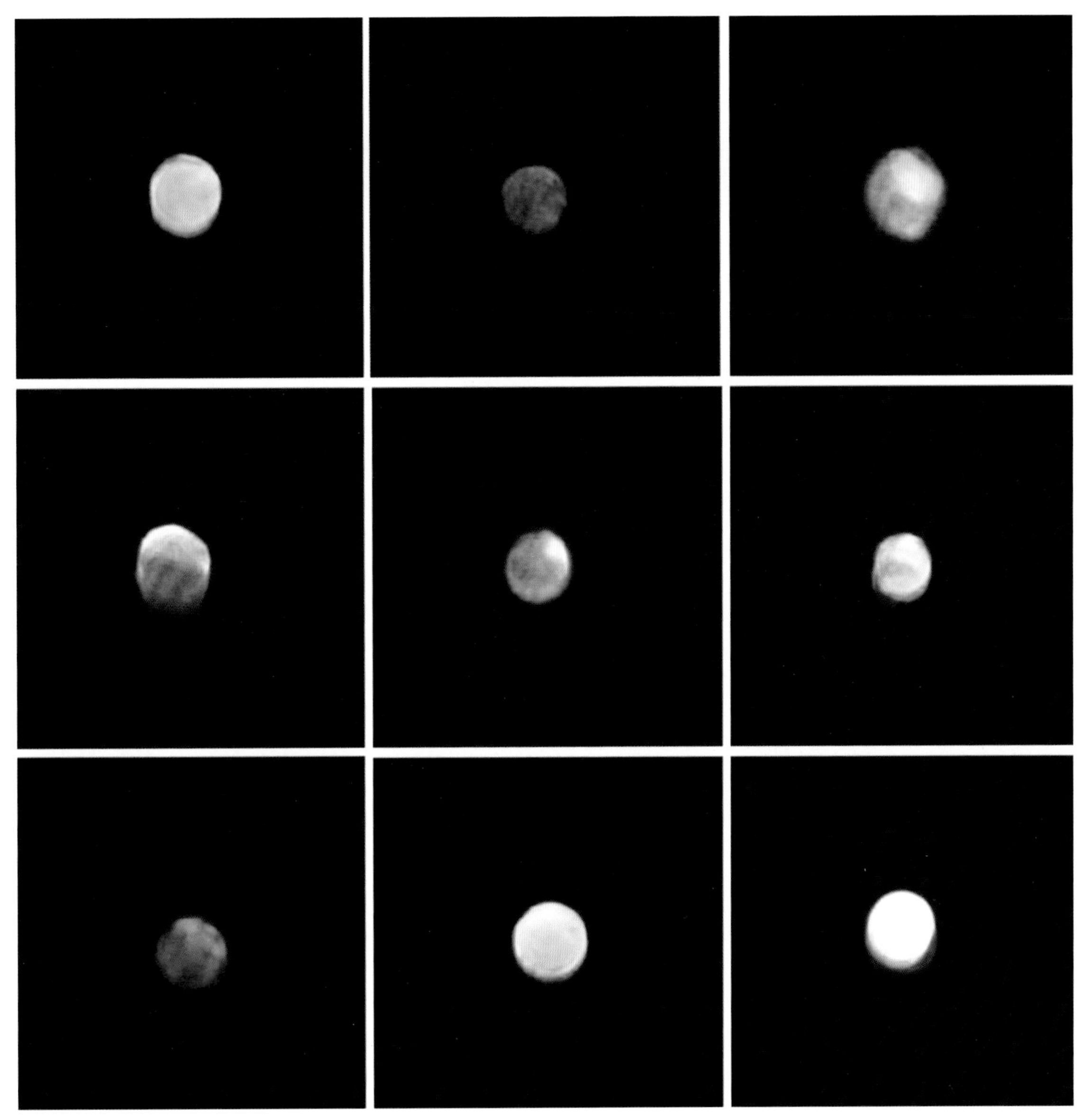

▲ *天狼星闪烁时颜色和亮度会快速变化。我逐一拍摄了这些照片，虽然有点失焦，但我的主要目的是清楚地展示颜色变化。天狼星的星光不仅颜色不可思议，亮度变化也非常明显。图片版权：鲍勃·金*

想看星辰闪烁，你不一定需要等待有风的天气。即使地面附近没有风，高空中的情况也可能大不相同。建筑物会以不同速率辐射热量，引起局域的湍流。附近的大城市也有自己的小气候，经常比郊区或者乡间更暖。稳定的气流受到一座山的堵塞，也可能变成湍流旋涡。

我们已经学过，行星不会闪烁，因为它们不是点状的光源。空气分子造成的光线颤抖并不会让行星看起来不稳定。

活动：观察在闪烁中变色的星光

仔细观察那些发出最亮光芒的雪白星辰，比如天狼星、织女星和参宿七，你会发现它们的颜色也在变化。星光像白光一样，也由彩虹的七种颜色组成。一颗星出现在低空时，空气会将每种颜色以不同的角度折射出去，蓝光和绿光折射后就比红光和橙光弯折得更厉害。这样分散出的各色图像会前往不同的方向。空气单元瞬间的变化让各种颜色跳跃起来，眼睛就会看到各种颜色的光持续闪烁。这很像迪斯科舞厅的灯球，对不对？为了快速清晰地理解这个过程，你可以想象头顶上是一片棱镜的海洋，很多很多棱镜以各种角度排列着，把星光变成不同颜色的小图像。这真是妙极了！

天狼星非常明亮，为它拍照可以捕捉到一些瞬间的颜色变化。这些变化太快，无法用肉眼辨别。在冬天或者早春的晚上，花几分钟凝视这颗焰火一样明亮的星吧。你会惊讶地发现，一颗白色的星居然可以这么多彩。低空中没有哪颗星比它更耀眼。用双筒望远镜可以更清楚地看到它的颜色变化。

UFO？

经验不多的观星者有时会误以为天狼星是 UFO，因为闪烁中的天狼星看起来像是在移动。金星、明亮的火流星、国际空间站以及孤立的明亮极光也都误导过观星新手。事实上，你越是了解夜空，就越难看到 UFO。

到底有没有外星人驾驶的宇宙飞船光临地球呢？这是一个见仁见智的话题。很多人都会在星光灿烂的夜空下思考外星生命存在的可能性。我想说的是，尽管每年都有数百次 UFO 目击事件的报道，但我们仍然没有地外生命存在的铁证。我并不讨厌外星人，我最好的朋友里有几位就像外星人——开个玩笑。一个星系就有不止百万颗行星，我无法相信生命只在一处存在。我确定宇宙比我们想象的要丰富，这本身就意味着生命存在的诸多可能，不管是看起来像细菌一样的生命、拥有神奇技术的外星人，还是介于二者之间的生物。

然而，我不能改变的一个事实是，恒星之间如此遥远，无比漫长的距离成了可怕的障碍，所以外星人难以光临地球。我认为我们可以达成共识的一点是，我们头顶那星光闪烁的穹顶足够大，我们可以对此充满想象。星空是一片狂放、富饶之地。

尽管看起来很漂亮，但是星光的闪烁让天文学家发疯，因为动来动去的星辰让人们难以拍到清楚的图像。为了解决这个问题，很多天文台的望远镜建在高高的山顶或者海洋的中间，那里的空气在温度几乎不变而且没有障碍的地方流动了数百千米。天文台的位置高于大部分低层大气，星光照射到那里时经过的空气单元也很相似。举例来说，从佛罗里达州和加勒比海看，星辰的闪烁就比较少，因为这些地方有大片的海洋。在迪比克这样的城市，空气的情况显然会复杂得多。

天文学家使用自适应光学的新技术来“安抚”星光。计算机对星光的颤动进行实时分析，计算出望远镜的镜片形状应该怎样改变才能补偿星光的形变。附在镜面上的机械装置让镜面倾斜、变形，每隔几毫秒就做出一次调整，保持星光稳定。

一闪一闪小星星？这可有点讽刺。比太阳还要大十几倍的恒星，其星光穿过数百光年的距离到达了地球，结果像充气房子里的孩子一样被弹来弹去。

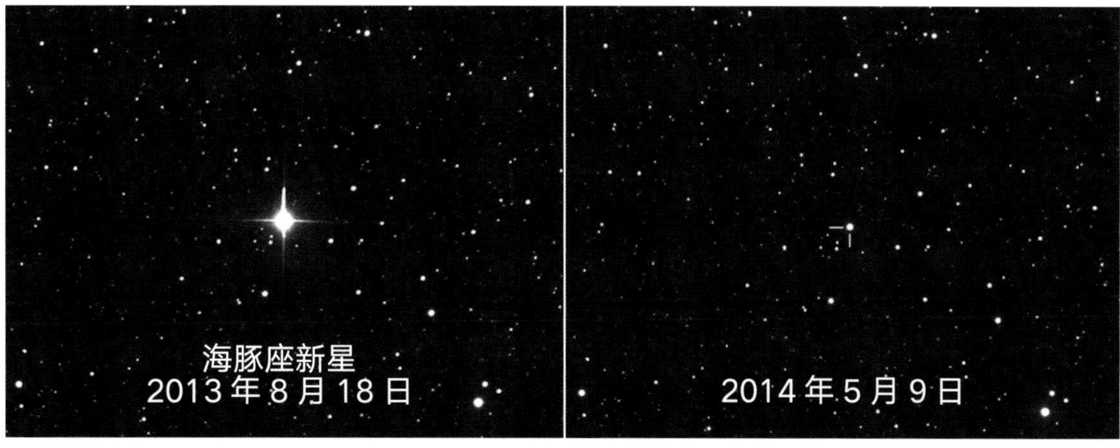

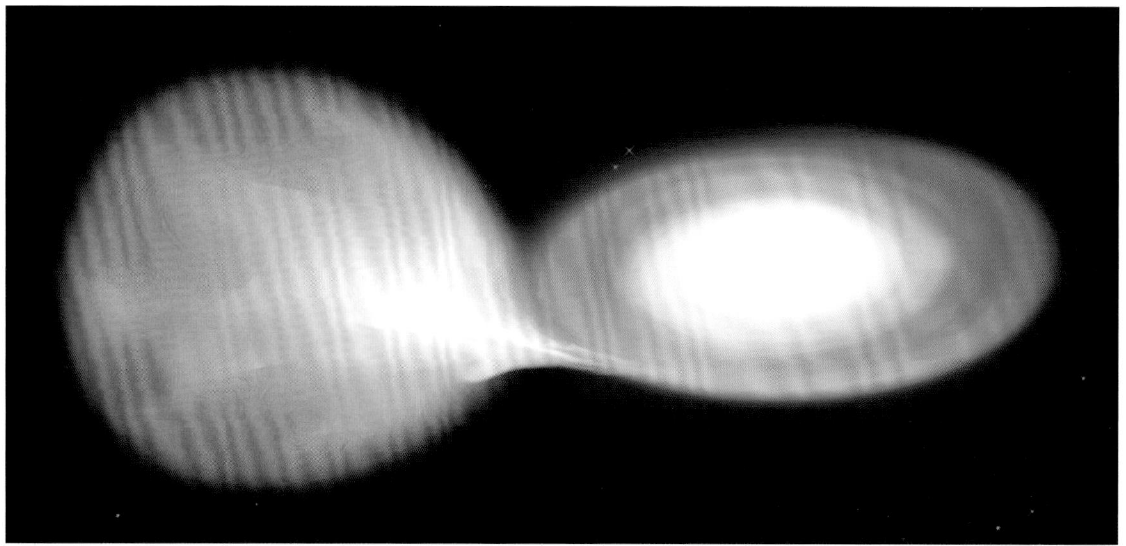

▲ *新星会毫无预兆地突然出现，2013 年 8 月的海豚座新星就是一个例子。它的亮度在一天之内从非常暗淡提升到了裸眼可见的程度，最亮时在郊区就可以看到，之后它逐渐暗下来，就像上图两张相隔 9 个月的照片显示的。图片版权：贾恩卢卡・玛希（Gianluca Masi）*

▲ *一颗小而致密的白矮星从近旁的伴星吸收物质。物质掉到白矮星的表面，变得灼热后发生爆炸，产生耀眼的闪光，这就是我们看到的新星之光。图片版权：NASA / CXC（Chandra X-ray Center，钱德拉 X 射线天文台）/ M. 韦斯（M. Weiss）*

新星，突然发怒的星

如果星星真的像焰火一样跳动会怎么样呢？在某种程度上，有些星星的确如此。2013 年 8 月 14 日，日本的业余天文学家板垣公一在海豚座发现了一颗新星。两个晚上之后，它达到了 4 等星的亮度，在市郊和乡间可以裸眼看到。尽管叫作新星，但是实际上人们看到的是一颗从前没被关注的暗淡恒星在爆发，它在爆发中变亮了十几万倍。专门寻找新星的业余天文学家每年都会发现好几颗恒星在爆发。这些星星大部分需要通过小型或中型天文望远镜观赏，偶尔有一些裸眼就可以看到，所以我在这里提到了新星。

◀ 我们会看到月亮和太阳周围有非常美的晕轮、假月、光环和光柱，这些有很多都是由微小的六边形盘状和柱状冰晶造成的。图片版权：莱斯·考利（Les Cowley）/ www.atoptics.co.uk

新星来自近距离绕转的双星系统，一颗小而致密的沉重白矮星从它的伙伴那里吸收气体氢。气体氢环绕着白矮星转动，然后落到白矮星温度高达 83315℃的表面。引力使气体变得致密和灼热，直到最底层发生剧烈的爆炸。突然，一颗从未有人注意到的暗淡恒星亮了，变成了一颗新星。

和超新星爆发不同，这颗星会存活下来，并且可能在数千年之后再次成为新星。美国变星观测者协会（American Association of Variable Star Observers）将报道裸眼可见的最新新星，你可以去协会网站了解一下，网址是：www.aavso.org。

大自然用光绘制的图画

观星者自然更喜欢在晴朗的夜晚观赏恒星和行星，但天上不可能永远没有云。你正要欣赏明亮的极光或者罕见的月食，一层云在最不合时宜的时候出现，遮蔽了整个天空——这样的事情哪个观星者没有经历过呢？如果天文爱好者对着天空咒骂一次就能让我拿到 25 美分的话，我就会有几辈子都用不完的停车费了。

尽管偶尔会让观星者无比沮丧，但云朵本身也是令人着迷的。它们形状多变而且永远在移动，你可以一直盯着它们看并且得到乐趣。我几乎像喜欢星星一样喜欢云，只要别让我连续一周都碰到多云的天气就好。小时候，是云让我最开始看向天空，我从观云开始，直到看到恒星。是的，我对云也有温情的一面。

在恰当类型的云经过月亮或者行星前面的时候，它们可以将光线借来，展现最美的晕、华、假月和光柱。如果有观赏夜空的习惯，你会看到其中的每一种。在晚上做家务（比如扔垃圾或者给停车道铲雪）的时候，我经常看到巨大的月晕或者多彩的月华。我们接下来要探讨的各种大气现象各不相同，但有一个共同点：它们都是通过小颗粒形成的，这些小颗粒主要是冰晶，也有水珠甚至花粉。

晕：平凡而珍贵

我确信，看到满月被巨大的月晕环绕时，很多在夜间外出的人都会不由自主地发出惊叹。你一定会认为这样引人注目的情景很稀有，其实完全不是。晕这种现象一年到头都看得到，但是冬天更常见，因为冬天有更多冰晶飘浮在空气中。月光被高空云中的六棱形冰晶折射，晕就形成了。光照射在冰晶的一面，被折射后来到和第一面成 60° 角的另一面，再次被折射。

▲ *2009 年 1 月的一个晚上，常见的 22°的月晕笼罩了木星。晕轮很大。一臂距离以外张开的手掌可以覆盖大约 20°。如果你把大拇指放在月亮处，小拇指刚好能碰到圆圈的一边。晕不仅仅在冬天出现，任何季节都可以看到。图片版权：鲍勃·金*

大部分光线离开冰晶时都被弯折了 22°。如果有数十亿冰晶参与折射，那么折射光线会分散到以 22°为半径的一个朦胧的圆圈上。这就是从月亮到月晕边缘的距离。如果你将这个数字加倍，就得到了直径 44°，比四个拳头宽一点。了不起！这比猎户座要长两倍多。一部分光线离开冰晶时弯折得更厉害，达到了 50°，但 22°就是最小的弯折角度了，所以月晕这个圆圈的外面更亮，圈内更暗。

我们讲过，折射之后，蓝光的弯折程度比红光大。当光线进入和离开冰晶时也是这样的，所以晕的圆环外侧是蓝色，内侧则有红边。这效果非常微妙，值得仔细观察。晕轮形成于高空的卷云和卷层云中，出现在太阳和月亮周围，经常在暖锋和降雨到来之前出现。你可能听说过一句关于天气的古话：“日晕三更雨，月晕午时风。”这不无道理。

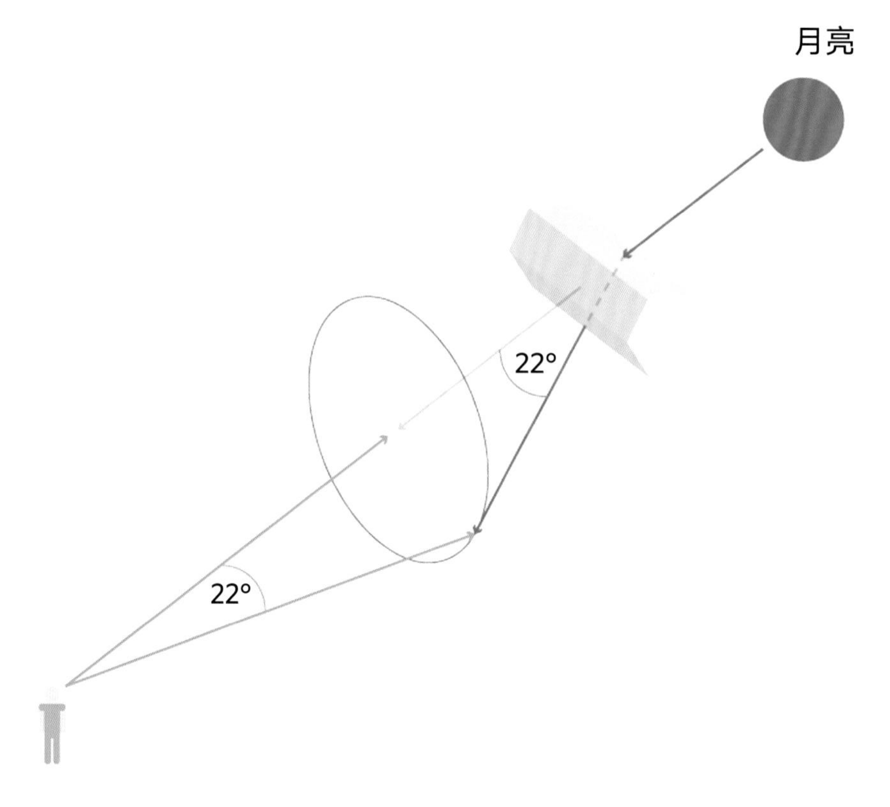

▲ *大部分光线经过数以百万计的六边形冰晶，被弯折了 22°，于是就形成了半径 22° 的月晕。红光偏折程度最小，所以晕的内侧略显红色，各种颜色依次排开，最外侧是浅蓝色。图片版权：乔恩·莫里斯（Jon Morris）/ www.mophoto.co.uk*

活动：在暖锋和降雨来临之际寻找日晕和月晕

卷层云在空中形成了乳白色的薄纱，日光和月光可以透过来，星光却会被挡住。如果听说暖锋要来，而且夜间会有明亮的月亮，你可以去找一找月晕。如果看到了，就说明接下来的 20 ~ 24 小时可能有雨或雪。根据美国国家气象局的统计，75% 的日晕和 65% 的月晕之后会有降水。

也许你认为 22° 就很大了，但还有 46° 的晕，比前者的两倍还大，直径达到 92°。这有九个拳头宽！月光从侧面射入六棱形的冰晶，从底面射出时就产生了这样的月晕。数十亿次这样的折射给我们带来了视觉的享受。46° 的晕通常比更小的晕要暗一些，极少能在月亮近旁看到，在太阳旁比较容易看到，但也并不常见。只要普通的晕轮出现，你就可以擦亮眼睛，看看有没有 46° 的版本。

▲ 条件适宜时，天空中可能出现多个光晕。在这张照片里，一个罕见的 46°日晕环绕着 22° 晕。22° 晕两侧还有幻日，顶端还有上正切晕弧。类似的晕轮也可能出现在月亮旁边，尤其是满月的时候。图片版权：鲍勃・金

有一种更常见的现象和月晕相关，叫作环天顶弧，但需要对着满月欣赏，因为满月时月光足够明亮。其他时候，这种美景在太阳附近更容易看到。这条色彩艳丽的弧线看起来就像上下颠倒的彩虹，出现在天顶附近。它的形状让人想起《爱丽丝漫游奇境》里面露齿而笑的柴郡猫。另一个原理相同的现象是环地平弧，这看起来像巨大的彩带，平行于地面，和太阳或月亮相距甚远。你可能在网上看到过有人管它叫“火彩虹”，这个名称会产生误导，因为它跟火和彩虹都没有关系。

假月和幻月环

有时候月亮两边会有一对明亮的假月，在英文中，这种现象也叫月亮狗（moondogs）。假月就像宠物一样陪伴在真月亮旁边，所以得到了这个可爱的名字。它们也是由光的折射产生的，但是这一次带来折射的是飘浮着的六边形盘状冰晶。冰晶盘可以平行于地面，像地砖一样排列。月光从一个侧面进入冰晶盘，从另一个侧面射出。两次折射将光线弯曲了 22°，并且将光线汇聚在和月亮平行的两侧，形成亮斑。

其实朝向各异的盘状小冰晶都在对光线进行折射，但是我们只看到了那些最终和月亮重合的，以及不小于 22° 的。假月的内侧泛着红光，外侧泛着蓝光，和月晕的颜色情况相同。

活动：寻找月亮狗的尾巴

你知道假月有时候会长尾巴吗？仔细找一找，看看是不是有一道光线从假月向远离月亮的方向伸出。在罕见的情况下，这道光线会绕一圈，形成巨大的幻月环。从平板形和柱形冰晶反射的光线连在了一起，所以出现了这种现象。完整的圆非常罕见，多数情况下，你会看到一条弧，比如将两个假月和月亮相连的一段圆弧。

外切晕

一天晚上，我向上看到木星被套在了月晕里。月晕本身就足够令人惊叹了，如果它套住了明亮的恒星和行星，那景象会更迷人。那晚自然还有更多美景。椭圆形的外切弧紧贴着月晕的顶端和底端，形成了双圆环，看起来就像一只巨大的眼睛，向下看着被月亮照亮的地面。

朝向各异的铅笔形冰晶制造了 22° 的内晕，同样形状的水平飘浮冰晶则画出了不常见的外切弧。不要把这种晕和更常见的上正切晕弧混淆了。上正切晕弧看起来就像一只张开翅膀的鸟，栖息在 22° 晕的顶端。有时，你还会看到下正切晕弧出现在晕的底端。两者都是在光线通过水平排列的铅笔形小冰晶时形成的，光线从侧面进入，从与第一个面成 60° 角的第二个侧面射出。

▼*这是一种比较不常见的外切晕，它让月亮看起来就像天空中的一只大眼睛。图片版权：鲍勃 · 金*

▲在正要升起的月亮上方，有水平排列的平板形小冰晶反射而成的光柱，高达两个拳头的距离。图片版权：鲍勃·金

▲有时候，月晕会形成一个画框，框住明亮的行星和恒星，制造出特殊的美景。这里有一个不完整的 22°月晕，环住了猎户座的上半部分、“V”形的毕星团以及昴星团。图片版权：鲍勃·金

▲两枚假月、不完整的 22°月晕，以及连接假月和月亮的一部分幻月环，点缀着 2015 年 5 月的一个夜晚。图片版权：鲍勃·金

另外一种更特殊的光晕是罕见的金字塔形冰晶产生的。它们有很多面，可以制造多个维度的奇特晕轮，一个套着另一个。我只看到过一次——9°和 18°的一组迷你光晕塞在一个正常的 22°光晕内。有文献称它们比通常认为的更加常见，所以你可以多留意一下。

社群的支柱

你也许看到过一束浅橙色或白色光线，从紧贴地平线的月亮或太阳直直地升起，那是又一种冰晶造成的现象，叫作光柱。当盘状的冰晶飘向地面时，空气阻力让很多冰晶处于几乎水平的状态，这时光柱就产生了。太阳在低空时，阳光从冰晶底面反射，形成一个长 5°～ 25°的光柱。这一现象在寒冷的清晨或傍晚，太阳或近圆的月亮升起、落下时最容易看到。排列得刚刚好的冰晶会制造出较细的光柱。如果冰晶有一点点倾斜，光柱就会变宽。月亮或者太阳升高，高处的光柱通常会消失。请注意太阳或月亮的下方，那里可能还有类似的光柱出现。

在无云的寒冷空气中形成的冰晶叫作钻石尘。看光柱的时候，如果将手伸出来挡住月亮或者太阳，你就有机会看到钻石尘，那很像灰尘。数年前，在一次观看过程中，钻石尘落到了我的大衣上，它们看起来像微小的雪花，直径 1 ～ 2 毫米。钻石尘是冻成冰的雾，但是非常“薄”，因为冷空气所能保留的水分子是温暖空气的几分之一。不管钻石尘落在哪里、被吹到了哪里，你都可以在那里寻找月亮的光柱。你还可以看车前灯以及任何不受遮挡的灯形成的光柱。有一次，一位朋友急着打电话告诉我外面有一场极美的极光表演。我到外面一看，发现那不过是市中心灯光的光柱！

如果看到月亮光柱或者灯光柱的时候，金星正好在天上，那你可千万不要错过这罕见的机会，一定要观察一下金星光柱。用裸眼仔细看看这颗行星吧！它是不是被椭圆的光包围着，上方和下方有钉子形状的光？你也可以用双筒望远镜确认一下。

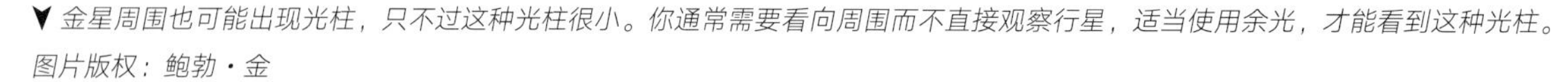

▼ *金星周围也可能出现光柱，只不过这种光柱很小。你通常需要看向周围而不直接观察行星，适当使用余光，才能看到这种光柱。图片版权：鲍勃 · 金*

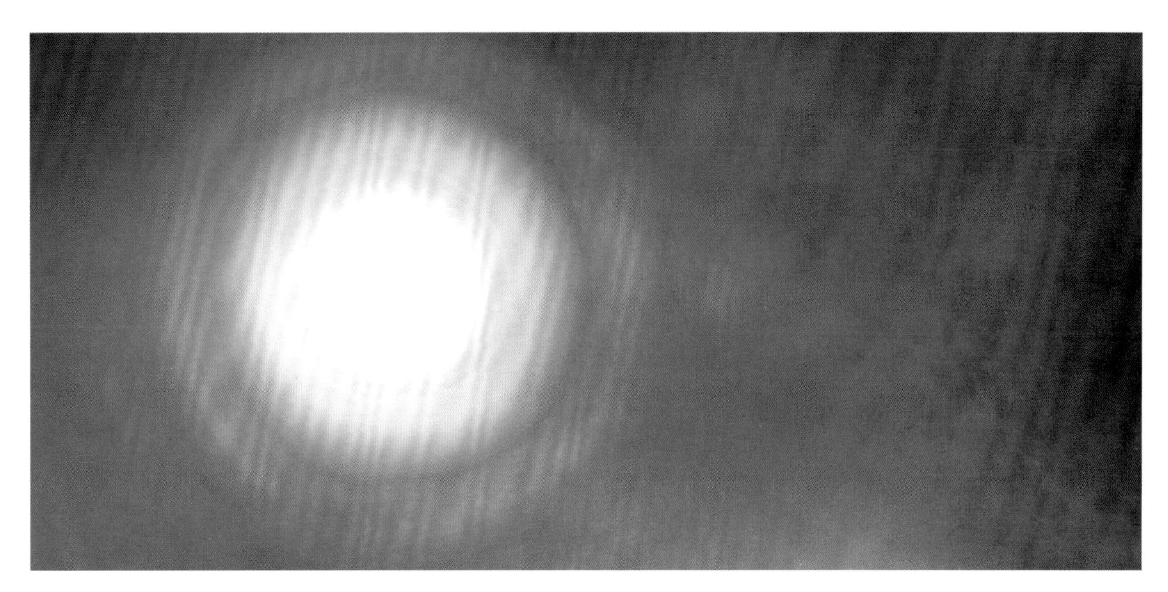

▲ 引人注目的多重环月华在天上画出了一个多彩的靶。当微小的水滴或者其他粒子将光线折射出一系列圆环时，月华就出现了。它们比月晕要小，直径有大概三根手指宽，也就是 5°。图片版权：鲍勃・金

夜空的王冠

华是以太阳或月亮为圆心的彩色小圆盘，中心通常是蓝色，有红色的毛边，周围还有多彩的圆环，就像靶一样。华比晕更常见，有时候还更为壮观。晕是折射形成的，华是光波被极为纤细的水珠分散形成的，这一过程叫作衍射。有的光波相互加强，形成了更亮的光，有的光波相互抵消，造成了暗淡的部分。这个过程有各种颜色参与，最终形成一系列相互嵌套的多彩圆环。红光被衍射到华的外侧，而蓝光填充中间。你可能看到过几次月华，但都没有注意到这一点。月晕由卷云或者卷层云形成，月华则偏爱中等高度到很高处的高积云和卷积云。就像晕一样，最动人的华发生在满月附近。

一天晚上，我在去外面丢垃圾的时候见到了最美妙多彩的多层月华。我不由得停下了脚步，然后跑回家拿相机。薄云快速地飘过月亮，产生了形状和颜色快速变化的月华。我看过很多次月华，但没有一次如此生动和多变。有时人会以为美景见识过一次就够了，殊不知大自然中的每一种景观都有无穷的变化，都值得你为之思考。我们的注意力几乎都在彩虹和晕上面了，但是条件适合的时候，这些小小的靶子也同样撩人。

▲ *阿——嚏！谁能想到这个呢——花粉居然也可以造出月华。在暮春或者初夏，很多植物把花粉交给微风的时候，你可以观察一下，花粉造成的月华有拉长的奇特形状，就像照片里这样。图片版权：鲍勃·金*

活动：月华比月晕更常见，快去找找看（1）

当云持续飘过时，去看一看月华的奇特形状吧。云边缘的水珠十分细小，会在相应的方向上拉长月华。水珠越小，月华越大。当云中所有的水珠都一样大的时候，月华就会出现最不可思议的颜色。普通的云里有各种不同大小的水珠，这会造成数个相互交叠的月华，它们混合在一起，形成苍白的圆盘，偶尔带有一丝淡红色。

想看人造月华吗？你窗户上的小冰晶也会衍射光线。透过爬上了霜或者冰凌的窗户看一看月亮吧。

月华会让你打喷嚏吗？

衍射并不是很罕见的现象，很小的颗粒都可以带来衍射。风中的花粉粒直径大约有 0.09 毫米，大小正合适。让人打喷嚏的细小花粉会在月亮周围产生椭圆形的奇特月华。大部分月华是圆形的。关键在于，花粉粒和水珠不一样，它们不是球形的，而是有着长长的外形。在晚春或初夏时节满月时，你可以注意观察一下花粉形成的月华。

活动：月华比月晕更常见，快去找找看（2）

如果天空晴朗，月亮周围却有奇特的椭圆形光芒，那么你看到的就是花粉月华。花粉月华相当暗淡，在电线杆或者烟囱挡住月亮时更容易看到。你可以挡住月亮，然后再去看看周围有没有形状奇特的光芒。注意，不要直接看月亮，要保持夜视力。想想吧，数十亿颗微小的生命物质造就了特殊的月华，这是多么不可思议！

夜光云

每年夏天，我都要列出几个想在夜空中观赏的新对象。云也上过我的列表，这可够奇怪的——哪个观星者想看云呢？相信我吧，我想看的云很特别，它们叫作夜光云或者夜间发光云（Noctilucent Cloud，NLC）。从5月下旬到8月结束，这些多变的物体时不时出现在北方的低空。

NLC远远地躲到了地球大气的中间层，这是一层稀薄的空气，高度为48～85千米。大部分流星都在这一层燃烧殆尽。那里极为寒冷，温度可以降至−90℃。因为极高，在晚上其他云都已经暗淡很久之后，夜光云还能反射阳光。这种云的颜色则由19～30千米高处的臭氧层所决定。在到达我们眼睛的路上，红色和橙色被臭氧层吸收了，我们最终会看到它们闪烁着蓝光。

▼2008年7月31日，在逐渐变暗的天空中，一片带棱纹的长条状夜光云闪耀着蓝色光芒。夜光云一般需要在北方观赏，但这不绝对。夏天的傍晚和清晨，你可以去北方低空的曙光和暮光里寻找它们。图片版权：鲍勃·金

云的形成需要有物体供水附着。对我们更熟悉的低层大气的云来说，沙漠尘埃、工业粉尘、自然的烟尘、海洋盐分，还有黏土矿物都可以提供这种必要的“核”，让水滴或者冰晶附着其上。卷云是白天可以看到的像羽毛一样拂过天空的云，通常有 16 千米高，由小冰晶组成。夜光云的高度可以抵达希腊神灵的居所，那是夜深时仍然沐浴在阳光里的 80 千米高处。这几乎和北极光在同一高度了，极光有时只有 96 千米高。

灰尘升到那样的高度并不容易，科学家怀疑是流星或者彗星的尘埃在这里提供了形成云所需要的小颗粒。其他的来源可能包括火山灰，甚至火箭尾气中的化学物质。在夏天，暴风雨可能将水蒸气从低层大气带到中间层，让它们凝结在来自地球和外太空的灰尘上。这就是 NLC 主要出现在夏天的原因。

NLC 外形奇特，呈柔和起伏的条痕状和卷曲状，在刚刚出现的星光下，闪着怪异的蓝光。在天空暗下来时，夜光云缓缓移动着改变形状，在一段时间里变得更亮。它们主要出现在非常靠北的地方，比如美国北部、加拿大和不列颠群岛，但也曾出现在更往南的地方。在美国北部的夏季，夜光云可能持续存在，直到暮光消失，你甚至有可能在晚上 11 点 30 分看到那美景。

活动：寻找罕见的夜光云

请尽量找一处能够清楚俯瞰北方地平线的地方，日落大约 1 小时后开始观察夜光云。夜光云我看到过好几次，它们没有一次高于地平线 10° 以上。那些住在遥远北方（比如加拿大、北爱尔兰、英国和芬兰）的人，在初夏暮光整晚都不结束的地方，可以一晚上都看到夜光云。

飞机云

既然我们在讲云的话题，那么不妨也谈一谈飞机云，也就是飞机尾巴拖出的窄线形云。有明亮月光的时候，这就像天空中的粉笔线，你很容易注意到。你可能听到过一些谣言，说飞机云是“化学凝结尾气”，是洒向下面可怜人的有毒化学物质。这是假的。飞机尾气中含有水蒸气和燃料燃烧后的纤细烟尘粒子，除此之外没有什么别的东西。在空气相当寒冷的高空，飞机尾气中的颗粒上会有水蒸气凝结，形成一条云尾巴。天然的云也是以同样的方式形成的：水蒸气上升、冷却，凝结在烟尘、盐和其他大气中的微小粒子上。

在天冷的时候身处户外，你呼出的温暖气体会凝结成一团云，这背后的原理是一样的。空气湿润的时候，有很多水蒸气可以形成飞机云，飞机云会拉长和散开。如果你的住处有很多航班飞过，而且高层大气湿润，那么天空就会布满纵横交错的飞机云。飞机云有时还会融合起来，填满整个天空。云、呼出的云团，还有寒冷清晨从温暖的湖面升起的蒸汽都源自这种简单的科学道理。大自然以相同的方式对待着人造的和自然的水蒸气。

➤ 太阳即将升起，洲际航班留下了一道正在散开的飞机云，闪耀着旭日的颜色。高空的水蒸气凝结在飞机尾气粒子上，形成了飞机云。飞机云可能很快消失，也可能扩散开来，这取决于湿度等因素。图片版权：鲍勃·金

▲ *7 月的晚上，绿色和红色的气辉条纹照亮了东方的天空。这张照片是面向东方拍摄的，仙女星系在中间偏上的位置。绿色来自约 95 千米高处的氧，红色来自更高处的氧。想要看到气辉的话，你需要找一处远离城市灯光的地方，让眼睛完全适应黑暗。图片版权：鲍勃・金*

空气也能发光

完全黑暗的夜晚是不存在的，在地球、月球、水星、火星，甚至太阳系任何能够看到夜空的角落都不存在。找到地球上最黑暗的夜空，把张开的手掌对准天空，你还是可以看到五指的轮廓。一旦眼睛适应了黑暗，你大概还可以摸索着前行。

到底是什么让你可以看到手掌呢？忽略人类活动造成的光污染，只考虑自然因素，有几种物体为夜晚的照明做出了贡献。恒星(包括人们尚不认识的星）和银河平面上的尘埃反射的星光至多贡献了 1/3 的夜间自然光，这比人们以为的要少。

黄道光是夜间的主要光源之一，由太阳系平面上聚集的彗星和小行星尘埃反射太阳光形成。黄道光会随着纬度变化，随着黄道与地平线夹角的季节性变化而变化，随着太阳活动变化。

为夜晚天空中的光亮做出最多贡献的是气辉。在国际空间站拍摄的任何一张夜间照片中，你都可以看到地球的弧线包裹在一层由发光空气组成的绿色薄壳里。和地球两极的椭圆形极光不同，气辉没有差别地覆盖了中纬度地区、赤道地区和两极的天空。

在极光中，来自太阳的电子和质子高速撞击氧气和氮气的分子和原子，将其中的电子激发到更高能级。当电子回到原来的状态时，它们就会发射出绿色和红色的光子。有数以亿万计的原子和分子都参与其中，释放的光可以产生让人惊叹的极光表演。

白天和夜晚都有气辉，它是太阳的紫外线制造的。紫外线非常强大，每个曾经被严重晒伤的人都可以证明这一点。太阳的紫外线在高层大气引发了诸多过程，最终产生了气辉。这些过程包括激发过程和光电离过程。激发过程是指处于激发状态的原子自动或通过与周围原子碰撞回到原来状态的过程。光电离过程发生时，紫外线辐射使电子脱离原子，这个电子被另外的原子俘获时，得到电子的原子会释放光子。

我们可以从照片中看到，最明亮的是激发态的氧原子发出的黄绿光。在 95 千米高处，紫外线将氧气分子分解成单个原子。单个原子充满了多余的能量，在返回原来状态时发射出绿色的光子。

一年中的任何时候都有可能看到气辉，只要夜晚没有月亮，而且周围足够黑暗。可以说，它的最亮处在地平线以上 10°～ 20°，在更低的地方，气辉的光芒被浓密的大气和尘埃吸收了。在更高的地方，光芒分散，因而更暗。话虽如此，在某些晚上，我也曾看到气辉到达 50° 的高度。我那次看到的气辉太昏暗，分不清颜色，我只能分辨出模糊的条纹，那有点像羽毛。

看到气辉是件幸运的事。如果真的看到了气辉，你可以正式宣布你那里的黑夜名副其实！

彗星到底有多远？

古希腊时代，如果在描述夜晚大气现象的书里读到了彗星，学者亚里士多德是丝毫不会感到惊奇的。在他看来，当干燥可燃的热空气上升到大气顶端的时候，彗星就形成了。在那里，它被地球周围的天体拖动并且加热，直到燃烧形成缓慢移动的火焰。亚里士多德认为，流星也是以这种方式形成的，但是因为流星来自规模小得多的热空气“喷吐”，所以一闪之间便燃尽了。

不论准确与否，亚里士多德对于彗星和很多其他科学问题的看法都曾主导主流科学观，直至中世纪结束。16 世纪晚期，丹麦天文学家第谷 · 布拉赫终于证明了一个事实：他在 1577 年观测到的一颗彗星和地球的距离至少比它和月球的距离远 4 倍。他曾试图组织分散在欧洲各处的观测者，让大家用三角测量的方法来确定这个距离。如果亚里士多德说得对（彗星离地球更近），那么观测者就会看到这颗彗星在遥远恒星的背景下出现位置偏移。但他们并没有观测到这一点，于是布拉赫推断，彗星距离地球非常遥远。

亚里士多德的理论开始动摇。一个世纪之后，艾萨克 · 牛顿发现彗星像我们熟悉的行星一样遵循万有引力定律，这改变了人们对它们的看法。彗星不是燃烧着的小份空气，而是数百万千米远处环绕太阳运动的物体，轨道周期从数年到数万年不等。英国天文学家埃德蒙 · 哈雷使用牛顿的公式计算发现，人们在 1531 年、1607 年和 1682 年看到的三颗彗星实际上是同一颗彗星。哈雷预测它会在 1758—1759 年再次出现。彗星按时赶来，它被命名为哈雷彗星，以纪念这位天文学家。哈雷彗星下一次回归是 2061 年，它是周期彗星。哈雷彗星属于短周期彗星，环绕太阳的周期小于 200 年。

▲ 图中是 2007 年 1 月 20 日在澳大利亚西部的劳勒金矿（Lawlers Gold Mine）拍摄到的 C / 2006 P1 麦克诺特彗星（C / 2006 P1 McNaught）。这颗彗星发现于 2006 年 8 月，到了 2007 年 1 月，它变得十分明亮，白天也可以在双筒望远镜或者小型天文望远镜中看到。人们总在发现新的彗星。大部分彗星都非常暗，不过在大多数年份，至少有一颗彗星会达到裸眼或双筒望远镜可见的亮度。图片版权：维基百科

近年来，人们很担心小行星或者彗星撞上地球。考虑到人们已经在地球上发现了大约 190 个陨石坑和其他撞击结构，这种担忧不无道理，可是较大的撞击事件极为罕见。从目前的预兆来看，未来至少 100 年里不会有这样的事件发生。同时，天文学家还会继续探索星空，寻找新的天体，绘制轨道，研究它们是否会在将来构成威胁。我们要科学地面对这个问题，一方面要知道灾难有可能发生，另一方面也要知道这是小概率事件。

在人们了解彗星的运动和性质之前，在人们无从“驯服”它们的遥远年代，彗星一直激发着恐惧。因为彗星看上去总是风风火火的，所以人们喜欢把干旱和作物歉收怪到它们头上。这还不算完，战争、国王之死（恺撒被暗杀时有一颗明亮的彗星出现）、地震、疾病、瘟疫、家仇，甚至双头动物的出生也都成了彗星的责任。这可真是令人咋舌的“犯罪记录”。

是彗星太可怕，还是人类太惊恐？

其实这也情有可原。彗星平白无故地出现，给本来按规律运转的天空加入了未知的元素。人们在那时和现在一样不喜欢改变，试图给当时无法解释的事件寻找替罪羊也不算意外。恒星和星座总是按照一贯的轨迹运动。但彗星呢？极光呢？它们总是突然出现，破坏了人们熟悉的夜空。

进化让我们对环境的突然变化产生强烈的担忧，因为这有可能对我们的生存构成威胁。如今，我们能够提前预测太阳、行星和恒星的运动。新的彗星隔三岔五从太阳系的遥远角落飞来，出现在太空望远镜巡天时拍摄的照片里，或者碰巧被彗星猎人和业余天文学家发现。大部分新的彗星都比较暗淡，用天文望远镜才能看到，但偶尔会有一颗距离太阳足够近，长出了光彩夺目的尾巴，让我们大饱眼福。时代变了，按理来说人们的心态也不一样了，但事情没有这么简单。

我们可以原谅祖先的无知。如今，人们已经掌握了不少知识，但依然有谣言在四处传播。有的人本不该和古人一样无知，却像古人一样把海啸、地震和其他自然灾害怪罪于彗星、小行星和行星。在他们的想象中，一颗彗星靠近一颗行星或者同多颗行星随机连线就可以引起地球地壳大乱。作为证据，他们指出地震和彗星来临有时间关联。然而，看看每年的地震统计数据，你就会知道这纯属巧合。地震的发生有一定规律，在彗星出现之前的很长时间里都是这样的，彗星来时也一样。平均而言，彗星的核直径小于 10 千米，对地球的引力大小就跟你的汽车对你的引力一样微不足道。即使所有的行星都连成线，它们对地球的引力也不算很大，尽管人们可以测量到。

行星和彗星的连线远不能造成死亡或破坏，反倒形成了夜空中最令人动容的景象。知识不仅能给我们力量，也能让我们放松下来，享受周围的美景。

我爱观赏彗星，不管是偶尔出现的、裸眼可见的，还是望远镜才能看到的。彗星总是带给人们惊喜，它们的成分也让人惊讶。我们很多人都熟悉那些夹在车轮舱内的雪——坚硬的、黑色的、脏兮兮的冰雪。它们通常会掉到地上。

下一次看到这种冰雪，你可以仔细观察其中的一块，在脑海里将它放大大约 10000 倍。这就很像彗星核了。科学家管它们叫“脏雪球”或者“冰泥球”。彗星的主要成分包括水冻成的冰、固态的二氧化碳（干冰）、甲醛和氨气，还混合着石块、灰尘和含碳的有机物。这让彗星有了黑色的外表，就像烧烤架上的一块炭一样。在航天器拍摄的照片上，彗星的核看起来是明亮的灰色，但是这只是因为背景是漆黑一片的太空。

双尾记

天文学家相信，彗星是太阳系在 45 亿年前形成时残留的结冰物质。大部分彗星有长长的雪茄形轨道。沿着轨道来到距离太阳非常遥远的地方时，它们更像有着石头质地的小行星。这时它们没有彗尾，看起来也不朦胧。但是靠近太阳之后，它们就会发生不可思议的转变。太阳将一部分脏兮兮的冰加热成了气体，形成包裹冰核的彗发。曾经被困在冰内的尘埃现在可以在彗发里自由移动，这些尘埃大部分只有香烟烟雾中的颗粒那么大。在宇宙的真空环境中，太阳光将尘埃推离彗星，形成了“尾巴”。当彗星离太阳非常近的时候，更多的冰变成气体，形成一条明亮的长彗尾。如果这时候彗星靠近地球，我们会看到明亮的彗头（彗发）后面拖着长长的、烟雾般的尾巴。

▲2016年1月1日，拖着一条长长的离子彗尾和一条短短的尘埃尾的C / 2013 US 10卡特琳娜彗星（C / 2013 US 10 Catalina）正在经过橘黄色的大角星附近，景象非常壮观。对于已经熟悉的彗星，我们知道它们再次靠近地球时可能达到的亮度，但新发现的彗星就需要猜测了。图片版权：克里斯·舒尔（Chris Schur）

一颗彗星经常有两条尾巴。第二条尾巴叫作“离子尾”，是被太阳紫外线激发变蓝的一氧化碳气体（对，跟汽车尾气一样）。离子尾指向太阳的反方向，形状由太阳风决定。让地球上闪烁极光的也是太阳风。太阳风方向或速度的变化甚至可以将离子尾截断。易得之物也易失。旧尾巴飘进了太空，新的就长出来代替它，就像谚语里提到的沙漠蜥蜴一样。彗星直径可达160万千米，有些彗星有1.61亿千米长的彗尾，比地球到太阳的距离还要长。

百武二号彗星（Comet Hyakutake）在1996年春季为北半球的观星者上演了一场华丽的演出。它的彗尾长度超过了4.84亿千米！尽管外表看上去无比激动人心，但彗尾中的物质少得不可思议。将一条普通彗尾中的所有灰尘收集到一起可能装不满一个行李箱。

一颗彗星每次经过内太阳系都会减少质量、略微改变形状，有时候甚至会碎裂。它们是脆弱的物体。从近处经过太阳的次数足够多之后，彗星可能会碎裂成一大堆冰块、碎石和尘埃，或者冰被耗尽，不再有水分子蒸发，这时的彗星就会像小行星一样，看起来一动不动。虽然每次靠近太阳都会丢失成吨的物质，但是彗星足够重，可以从太阳旁边经过很多次。别忘了，这些灰尘并没有凭空消失，它们还留在彗星的轨道上，在几个世纪里慢慢地扩散开来。当这些遗留物落入地球的轨道时，我们就会观赏到流星雨。说到流星，你一定注意到了，彗星和流星外表相似，都有明亮的头和长长的尾巴。记住，这只是表面现象。流星一闪即逝，离我们非常近，而彗星像行星一般遥远，可能一两年之后才从人们的视野中消失。

很久以前，彗星是以出现的年份命名的，比如“1680 年大彗星”。后来，它们得名于发现者或者计算出其轨道的科学家，比如哈雷彗星，还有以德国天文学家约翰·恩克（John Encke）命名的恩克彗星。第一颗以发现者名字命名的彗星是 1843 年得名于埃尔维·法叶（Herve Faye）的法叶彗星。这种命名方式在 20 世纪流行起来，沿用至今。如果有几个观测团队或者观测者分别独立发现了一颗彗星，那么这颗彗星最多可以用三个名字来命名。

近年来，由天文学家团队主导的项目用自动控制的望远镜发现了大部分新彗星。因为一颗彗星的发现涉及很多人，所以以项目或者所用仪器的名字命名。因此，你会看到有很多彗星的名字包含下面这个部分：285P/LINEAR。其中，LINEAR 指的是麻省理工学院的林肯实验室近地小行星研究项目（Lincoln Laboratory Near-Earth Asteroid Research，Massachusetts Institute of Technology），字母“P”代表周期彗星。还有一些类似这样的彗星名字：C/2011 L4 Pan-STARRS。其中，Pan-STARRS 指的是夏威夷的全景巡天望远镜及快速反应系统（Panoramic Survey Telescope & Rapid Response System），字母“C”代表周期超过 200 年的长周期彗星，以及只能接近太阳一次的彗星。字母“C”后面紧跟着发现年份，之后的第一个字母代表发现时间在上半月或下半月。接下来的数字代表发现的顺序。C/2011 L4 Pan-STARRS 就是由 Pan-STARRS 巡天系统在 2011 年 5 月的后半月发现的长周期彗星。

近年来，新出现的巡天系统让彗星的名字很拗口，但是由它们发现的彗星数量庞大，这些系统可以让相关工作井井有条。

每年都会有十几颗甚至更多的彗星可以用非专业设备观赏，其中几颗甚至可以借助双筒望远镜看到。裸眼可见的彗星并不常见，那种非常明亮、令人震撼的彗星大约每 10 年出现一次。它们大部分来自比冥王星还要遥远的奥尔特云（Oort Cloud），是忽然出现的“新朋友”。但偶尔会有一颗周期彗星来到离地球很近的地方，不必借助设备就能看到。

活动：寻找裸眼可见的彗星

2020 年年底之前，有两颗彗星可能达到在无月之夜可见的亮度。每 5.4 年到访一次的 41P/ 塔特尔-贾科比尼-克雷萨克彗星（41P/Tuttle-Giacobini-Kresak）在 2017 年 4 月的上半月可能达到 5 等星的亮度，届时它会出现在傍晚的天空，从北斗七星进入天龙座。裸眼直接观看，它就像一颗暗淡的污点。这颗彗星用双筒望远镜很容易看到。

另一颗值得注意的彗星是 46P/ 沃塔南彗星（46P/Wirtanen）。在 2018 年 11 月至 12 月，这颗周期 5.4 年的彗星会快速通过猎户座西面的波江座并进入金牛座，同时达到裸眼很容易看到的 +3 等。在 12 月中旬达到最亮时，它应该会成为毕星团不远处一个清晰的亮点。

这里列出的彗星很少，但这并不意味着接下来几年之内不会再出现重要的彗星。闪亮的彗星任何时候都有可能来临。有时，一颗回归的彗星可能突然“爆发”，变得异常明亮。当一颗彗星表面出现裂缝或者孔洞的时候，内部的物质暴露在阳光之下，就会这样“爆发”。想要了解彗星世界正在发生什么，最好的办法是加入雅虎彗星小组，或者到彗星爱好者维护的网站上看看，本章末尾列出了几个这样的网站。

彗星可以预测，却也变化多端，这让追踪彗星变得更加有趣。通过观察彗尾长度、形状、亮度的变化，以及每天和每周的动态，我们既得到了乐趣，也了解了科学原理。

古人没有错。这些拖着尾巴的星星的确令人惊奇。在这个时代，彗星可以被人们所了解和欣赏，这对于我们来说是件幸运的事。

活动：用简单的原料做一颗微彗星

彗星模型非常容易制作。你可以亲手做出一颗看起来能以假乱真的彗星。准备好进行尝试了吗？请预备好下列物品。

1. 报纸或者大塑料片
2. 厚厚的手套
3. 用于保护眼睛的安全眼镜
4. 中等大小的塑料桶
5. 塑料垃圾袋
6. 4 杯（947 毫升）水
7. 2 杯（222 克）土
8. 1 汤匙（15 毫升）枫糖浆
9. 氨基玻璃清洗剂
10. 1 茶匙（15 毫升）外用酒精
11. 1 块碎煤球
12. 冷藏存储的 227 克干冰小球

可选材料：代表大颗粒的沙子、黏结彗星的淀粉

首先，在桌面上盖上报纸或者塑料片，戴上手套和护目眼镜，把垃圾袋套在桶上，然后加入 4 杯（947 毫升）水。水是重要的原料，因为彗星中有很多水。接下来，加入土（彗星的尘埃和矿物质）、枫糖浆（人们在彗星中发现了简单的糖）、玻璃清洁剂（氨冰）、酒精（彗星中另一种常见成分）、碎煤球（让彗星呈现黑色的有机碳），一点点将这些原料混合起来。最后，小心地加入干冰（彗星含有非常冷的干冰），将它们全部混合。干冰接触水时产生的“烟”是在冷空气中凝结的水蒸气，没有危险。

把袋子拿起来，挤压里面的物质，直到你感觉它们黏成了一团。打开袋子，把你的彗星拿出来吧！它会是一个冰冷的黑球，就像真正的彗星一样，而且会发射干冰气化的“喷流”——把灯光调暗，用手电筒照射彗星，你可以看得更清楚。在真正的彗星里，进入彗发的大部分气体和尘埃来自同样的“喷流”。这很像间歇喷泉，彗星表面以下的冰被阳光加热，于是出现了这种喷发现象。受热膨胀的水分子会找到彗星表面的裂缝和空隙，从内部冲出来，进入太空。这可真酷！

如果想更加了解彗星制作，你可以在 YouTube 网站上搜索“制作彗星”（make a comet），观看更多视频。

▲ *2010 年 10 月的一次日出前，柔和的黄道光从东方地平线倾斜向上照射。阳光被太阳系平面上的彗星和小行星尘埃反射，形成了这一现象。黄道光最好的观赏时间是春季黄昏之后和秋季黎明之前。图片版权：鲍勃·金*

黄道光

你已经知道彗星产生了很多流星雨，但你大概还不知道，彗星的尘埃弥漫在内太阳系，形成了巨大的云团。被阳光照射后，它就会形成闪着柔光的光锥，在日出和日落时分分别出现在东方和西方的天空，这就是黄道光。对于中纬度地区的观星者来说，观赏黄道光有两段理想时间：3 月到 5 月的无月之夜（在日落后看向西方天空），或者 10 月到 12 月初无月的清晨（在曙光出现之前看向东方天空）。

活动：尝试观赏黄道光

春天，你需要找到一个没有光污染的地方，保证西方视野没有遮挡，周围足够黑暗。秋天，你同样需要这样一个地方，但是要朝向东方观赏黄道光。在日落后 75 分钟到 2 小时的时间里，一旦眼睛适应了黑暗，你就可以找到在地平线上伸展的大片光锥。光锥一边升高一边变细。黄道光在刚出现的时候最高、最亮，所以你要尽量在暮光刚刚消散时寻找它。你需要在天空大范围寻找黄道光，左右扫视，直到看到大片雾蒙蒙的光芒。靠近底端，光锥亮如夏天的银河，平行方向上的宽度大约是你伸直手臂时两个拳头的距离。第一次看到它时，你可能会以为这也是暮光，但是黄道光明显向左（南）倾斜，而且是有特点的锥形。向上看，你会看到它越来越暗、越来越窄。从顶端到底端，这座光的金字塔大约有五个拳头长。总而言之，它非常庞大。

阳光被无数细小的尘埃反射，造成了这种少有人注意的现象。这些尘埃是从彗星上落下的，其中一小部分来自小行星相撞。太阳系平面内，在木星和太阳之间进行轨道运动的彗星做出了主要的贡献。木星的万有引力搅动着它们，把它们变成薄煎饼一样的云，散布于整个内太阳系。

要看到这个现象，天空一定要足够黑暗，但你总不至于为此搬到阿塔卡马沙漠（Atacama Desert）去。我住的地方距离一个有光污染的中型城市 14 千米远，西方的天空太亮了，但是东侧足够暗，很适合在秋季观赏清晨的黄道光。

这片尘埃光芒的中心在黄道上，就和行星一样。春天日落之后，黄道带从西方地平线倾斜向上，黄道光由此被“抬升”，越过雾蒙蒙的地平线，出现在黑暗天空的背景中。北半球的人可以清楚地看到它。在 10 月和 11 月，黄道再次倾斜，但这次是在清晨之前。尽管一年到头黄道光都在，但大部分时候，黄道倾斜的角度都很小，所以黄道光常常被地平线上的雾霭掩盖。在赤道和低纬度地区，黄道几乎全年都是“站着”的，所以在这些地方，在任何黑暗无月的夜晚都可以看到黄道光。

我们看到的光锥是更大的黄道尘埃云的一部分。尘埃云从太阳的四周至少延伸到木星（约 8.05 亿千米），是太阳系中肉眼可见的最大物体。在极佳的环境中，比如在远离城市灯光的山顶，你可以看到光锥在顶端逐渐变细，进入黄道带，并且完整地环绕天空一圈。尽管多数人都看不到这条光带，但很多人可以看到一片微亮的椭圆形光芒，这就是对日照。对日照的英文 gegenschein 来自德语，意思是“对面的亮光”。

对日照在太阳正对面，一般在午夜时分来到最高处。就像月亮在满月时最亮一样，这时的彗星尘埃粒也因为面对着太阳所以最亮。此时是午夜，你可以想象太阳在你的下方，穿过地球，照向太空。

▼ *这张延时摄影照片在智利帕瑞纳天文台（Paranal Observatory）极端黑暗的天空下拍摄到了对日照（中心往上较亮的一块）以及一部分黄道带的光芒，这是黄道光在天空的延伸。图片版权：ESO / 尤里 · 贝莱斯基（Yuri Beletsky）*

▲ *准备好接受挑战了吗？使用这张对日照日历来计划行动吧。这里展示了每个月中旬对日照的大致形状和大小。对日照的最佳观赏月份是 9 月至 11 月，以及 2 月至 3 月。图片版权：鲍勃・金*

秋天 9 月到 11 月最适合观赏对日照。这时，对于中北部的观星者，对日照出现在南方天空的高处，而且不像其他季节一样受到亮星和银河的影响。我会看向那些即将在午夜到达正南方的黄道带星座，并且小心地移动视线，找到一个怪异的椭圆形光斑，其宽度略小于一个拳头。它很像非常昏暗的极光，或者银河中最暗的部分。寻找对日照可能是裸眼观星的最大挑战。如果你看到了，说明你的观星环境和技巧都出类拔萃。

宇宙中到处存在着深刻的联系。随着时间的流逝，黄道云中的大部分彗星尘埃会旋转着落向太阳，或者被太阳辐射向外推。现在的我们之所以能够看到这些尘埃反射的光，是因为宇宙在持续变化，彗星为黄道带来了新的尘埃。你在后院看到的下一颗彗星就很有可能向黄道云释放尘埃，让未来的观星者看到和黄道有关的天文现象。

在春天的晚上，看着黄道光，我们可以欣赏渺小的物体如何聚集起来变得伟岸。人类与天文的关系也是如此，通过熟悉夜空，我们融入了更加宏伟的事物。

实用网址

- 了解光晕、彩虹等自然现象：www.atoptics.co.uk/
- 雅虎彗星小组：groups.yahoo.com/neo/groups/comets-ml/info
- 英国天文联合会彗星部：www.ast.cam.ac.uk/~jds/
- Gary Kronk 的彗星网站：cometography.com/
- 吉田诚的明亮彗星周报：www.aerith.net/comet/weekly/current.html
- 关于新星和其他闪耀恒星的新闻：www.aavso.org/
- 探索彗星 67P/C-G 的罗赛塔任务：blogs.esa.int/rosetta/
- 夜光云观测网络 (NLCNET) ：ed-co.net/nlcnet/

致谢

我要感谢 Fraser Cain 和 Nancy Atkinson，他们抛出橄榄枝邀请我为今日宇宙网撰稿。我要感谢《天空与望远镜》的资深编辑 J. Kelly Beatty 向我约稿。我要感谢我的单位杜鲁斯新闻讲坛这些年来支持我的天文博客，并且允许我使用本书中部分图片。我要感谢母亲对我一贯的信任，感谢父亲在地下室建暗房支持我幼年时刚刚萌芽的摄影爱好，感谢我的兄弟总是让我欢笑。我要感谢与我灵魂相通的导师 Roy Hager，自幼我就与他分享对天空的热忱。我要感谢 Rick Klawitter，他是我孩提时代的朋友，他十分有趣而且擅长提出话题，他是我数十年来的探索之友。我要感谢我的妻子 Linda，感谢她充满智慧的建议、慷慨的灵魂和调皮的幽默感，我还要感谢我亲爱的孩子 Katherine 和 Maria。我要感谢平面艺术家 Gary Meader，他是我所认识的人中最有天赋而不事张扬的人。我要感谢 Page Street 出版社给我提供了极好的机会，感谢我的编辑 Elizabeth Seise 和她无限的热情。我感谢所有善良的摄影师，他们的作品为此书增辉。

最令我感激的是能够来到人间，有机会生活在光明之中，为所有的奇迹而折服。

关于作者

◄ 图片版权：玛丽亚·金（Maria King）

鲍勃·金 10 岁开始观察天空，那时他被云朵的形状和运动所吸引 。他生于芝加哥，在莫顿格罗夫长大。12 岁时，他在当地的食品杂货店信息栏上钉了一则消息，邀请和他一样的观星爱好者加入业余天文爱好者协会。同一年，他用派送报纸攒的钱买了望远镜，天气晴朗时就在自家后院观察夜空。

鲍勃·金大学就读于伊利诺伊大学香槟分校。1979 年，他搬到杜鲁斯，成为媒体人。他担任摄影编辑，同时在社区教授天文学课程，他还有自己的天文博客——Astro Bob。现在，鲍勃·金的两个女儿已经成年，而他依然像儿时一样乐于将时间花在星空之下。